|편저자소개|

신원범

건국대학교 공학박사

전 경기대학교 대체의학대학원 외래교수
　　단국대학교 문화예술대학원 외래교수

현 건국대학교 화장품공학과 산학겸임교수
　　건국대학교 산업대학원 이미지산업학과 겸임교수
　　100억샵 아카데미 대표
　　Edu up 아카데미 대표
　　대한민국 1호 미용응용실전해부학 교수
　　대한민국 1호 근육경락통합수기치료 교수

살림 해부학 임상 차트

초판인쇄/2020년 7월 10일 · 초판발행/2020년 7월 15일 · 발행인/민유정 · 발행처/대경북스
ISBN 978-89-5676-824-3 · 정가 · 60,000원

대경북스

등록번호 제 1-1003호
서울시 강동구 천중로42길 45 (길동 379-15) 2F · 전화:(02)485-1988, 485-2586~87
팩스:(02)485-1488 · e-mail:dkbooks@chol.com · http://www.dkbooks.co.kr

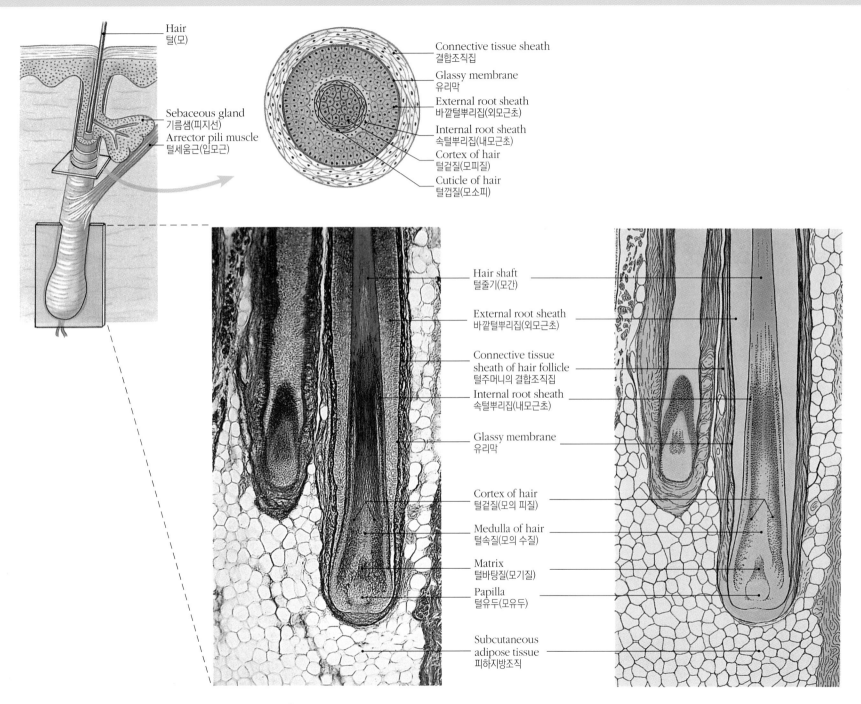

Hair
털(모)

Sebaceous gland
기름샘(피지선)

Arrector pili muscle
털세움근(입모근)

Connective tissue sheath
결합조직집

Glassy membrane
유리막

External root sheath
바깥털뿌리집(외모근초)

Internal root sheath
속털뿌리집(내모근초)

Cortex of hair
털겉질(모피질)

Cuticle of hair
털껍질(모소피)

Hair shaft
털줄기(모간)

External root sheath
바깥털뿌리집(외모근초)

Connective tissue
sheath of hair follicle
털주머니의 결합조직집

Internal root sheath
속털뿌리집(내모근초)

Glassy membrane
유리막

Cortex of hair
털겉질(모의 피질)

Medulla of hair
털속질(모의 수질)

Matrix
털바탕질(모기질)

Papilla
털유두(모유두)

Subcutaneous
adipose tissue
피하지방조직

Side A INDEX

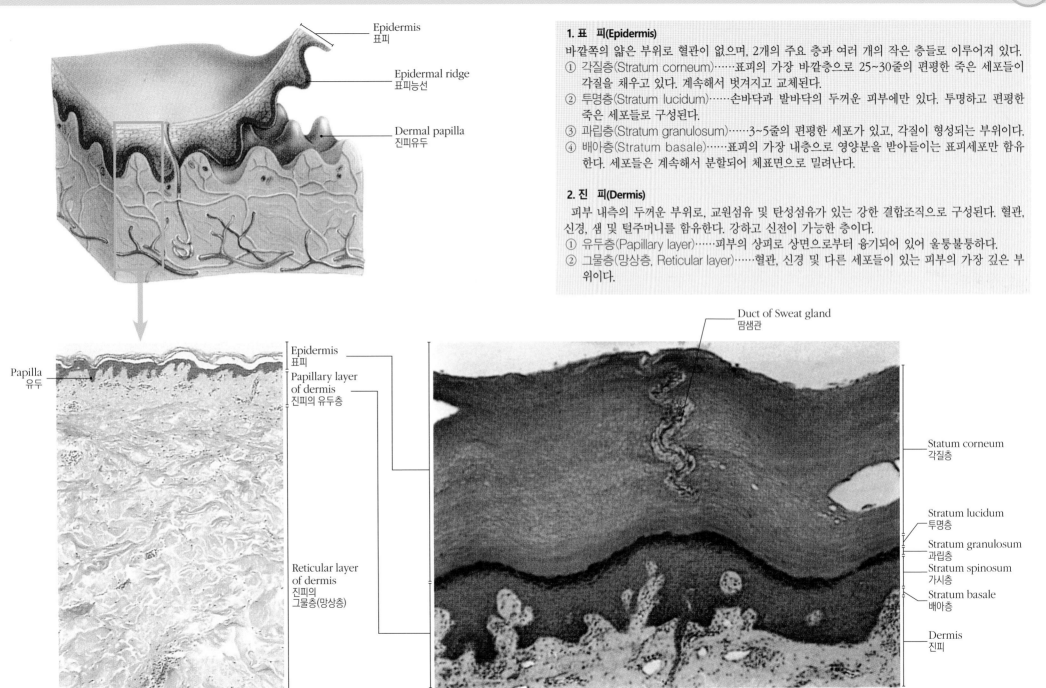

1. 표 피(Epidermis)

바깥쪽의 얇은 부위로 혈관이 없으며, 2개의 주요 층과 여러 개의 작은 층들로 이루어져 있다.

① 각질층(Stratum corneum)······표피의 가장 바깥층으로 25~30줄의 편평한 죽은 세포들이 각질을 채우고 있다. 계속해서 벗겨지고 교체된다.

② 투명층(Stratum lucidum)······손바닥과 발바닥의 두꺼운 피부에만 있다. 투명하고 편평한 죽은 세포들로 구성된다.

③ 과립층(Stratum granulosum)······3~5줄의 편평한 세포가 있고, 각질이 형성되는 부위이다.

④ 배아층(Stratum basale)······표피의 가장 내층으로 영양분을 받아들이는 표피세포만 함유한다. 세포들은 계속해서 분할되어 체표면으로 밀려난다.

2. 진 피(Dermis)

피부 내측의 두꺼운 부위로, 교원섬유 및 탄성섬유가 있는 강한 결합조직으로 구성된다. 혈관, 신경, 샘 및 털주머니를 함유한다. 강하고 신전이 가능한 층이다.

① 유두층(Papillary layer)······피부의 상피로 상면으로부터 융기되어 있어 울퉁불퉁하다.

② 그물층(망상층, Reticular layer)······혈관, 신경 및 다른 세포들이 있는 피부의 가장 깊은 부위이다.

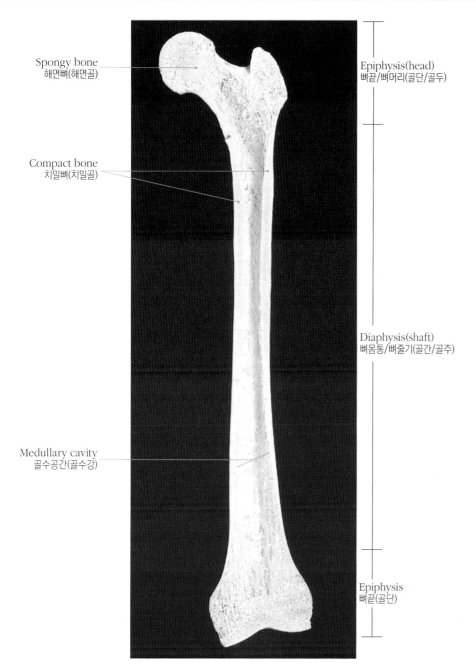

- Spongy bone
  해면뼈(해면골)
- Compact bone
  치밀뼈(치밀골)
- Epiphysis(head)
  뼈끝/뼈머리(골단/골두)
- Diaphysis(shaft)
  뼈몸통/뼈줄기(골간/골주)
- Medullary cavity
  골수공간(골수강)
- Epiphysis
  뼈끝(골단)

(a) 치밀뼈의 벽이 있는 뼈몸통과 해면뼈로 채워진 뼈끝

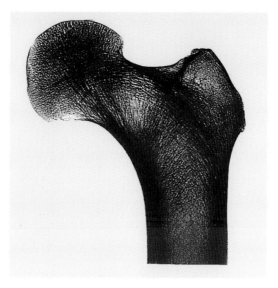

(b) 뼈끝에 있는 잔기둥의 X-ray 사진

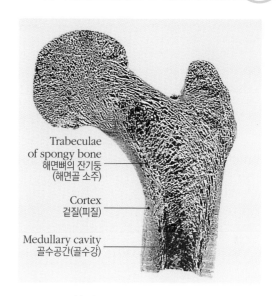

- Trabeculae of spongy bone
  해면뼈의 잔기둥(해면골 소주)
- Cortex
  겉질(피질)
- Medullary cavity
  골수공간(골수강)

(c) 얇은 조각으로 만든 후의 뼈끝

1. 긴뼈의 구성

① 뼈끝(Epiphysis)······뼈의 말단을 확장시키는 부분
② 뼈몸통(Diaphysis/shaft)······양쪽 뼈끝 사이에 위치하는 부분
③ 관절연골(Articular cartilage/hyaline cartilage)······치밀섬유결합조직(Dense fibrous connective tissue) 으로 되어 있으며, 큰 압력이나 장력에도 저항력이 큼
④ 뼈바깥막(Periosteum)······연골로 덮여있는 관절면(Articular cartilage, hyaline cartilage)을 제외한 나머지 뼈의 바깥면을 덮으며, 결합조직으로 구성되고, 혈관이 발달되어 있으며 뼈의 굵기(Diameter) 형성에 관여하며, 혈관·신경의 통과, 근육부착에도 관여
⑤ 해면뼈(Spongy bone/cancellous bone)······해면뼈를 형성하고 있는 잔기둥(trabecula)이 있으며, 잔기둥 사이에 골수가 차 있음
⑥ 치밀뼈(Compact bone/substance)······대부분 뼈의 겉을 싸고 있고 매우 촘촘하고 강하며, 긴뼈의 뼈몸통(shaft)를 둘러싸서 두터운 원통을 형성

2. 뼈의 길이와 굵기의 성장

① 길이의 성장(Longitudinal growth)······긴뼈의 뼈끝판(선)(Epiphyseal plate or line)은 연골내 뼈발생(골화)에 의해서 계속 길이가 길어지며, 성장이 완성되면 연골 생산은 중단되고 뼈끝판은 치밀뼈로 대치됨
② 굵기의 성장(Circumferential growth)······긴뼈는 막속뼈발생(막내골화)에 의해 굵기가 계속 굵어지는 것은 뼈바깥막의 뼈모세포(Osteoblast)는 뼈파괴세포가 뼈안쪽면(Endosteal surface)으로부터 낡은 뼈를 재흡수하는 동안 뼈몸통의 뼈막면(Periosteal surface)에 새로운 뼈를 침전시킨다. 이러한 뼈의 침전과 재흡수는 뼈의 굵기 성장이 완성될 때까지 계속됨

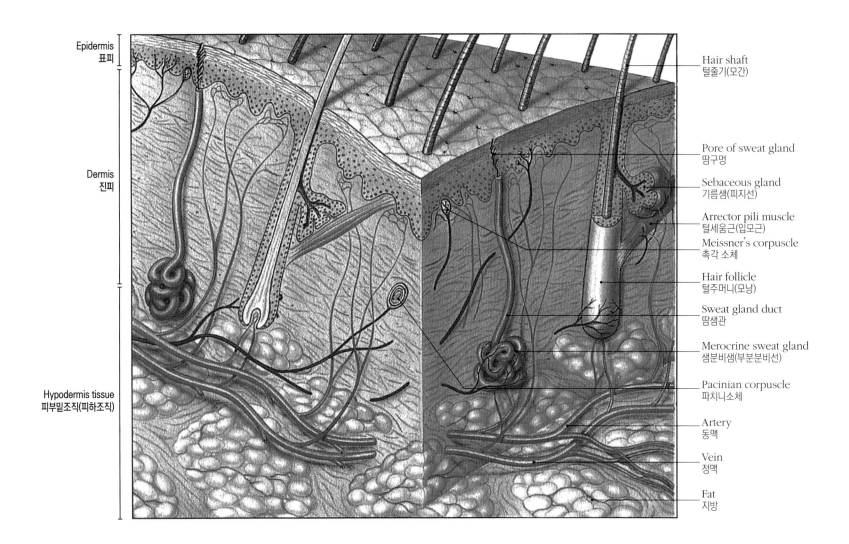

Epidermis
표피

Dermis
진피

Hypodermis tissue
피부밑조직(피하조직)

Hair shaft
털줄기(모간)

Pore of sweat gland
땀구멍

Sebaceous gland
기름샘(피지선)

Arrector pili muscle
털세움근(입모근)

Meissner's corpuscle
촉각 소체

Hair follicle
털주머니(모낭)

Sweat gland duct
땀샘관

Merocrine sweat gland
샘분비샘(부분분비선)

Pacinian corpuscle
파치니소체

Artery
동맥

Vein
정맥

Fat
지방

뼈세포 : 무기질을 취급하고, 복구를 도와주는 성숙한 세포

뼈모세포 : 세포사이물질의 유기요소를 분비하는 미성숙세포

뼈발생세포 : 세포분열로 뼈모세포가 되는 사이세포

뼈파괴 : 뼈바탕질을 융해시키는 산과 효소를 분비하는 다핵세포

(a) 뼈세포

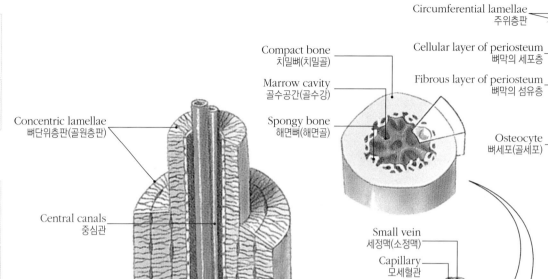

Concentric lamellae 뼈단위층판(골원층판)

Central canals 중심관

Endosteum 뼈속막(골내막)

Compact bone 치밀뼈(치밀골)

Marrow cavity 골수공간(골수강)

Spongy bone 해면뼈(해면골)

Circumferential lamellae 주위층판

Cellular layer of periosteum 뼈막의 세포층

Fibrous layer of periosteum 뼈막의 섬유층

Osteocyte 뼈세포(골세포)

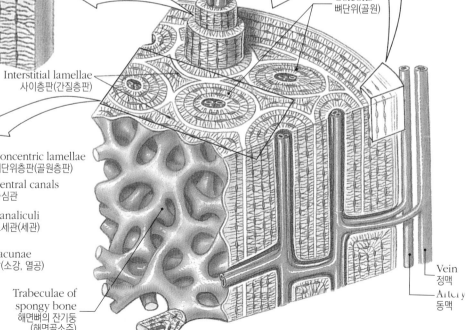

Small vein 세정맥(소정맥)

Capillary 모세혈관

Osteons 뼈단위(골원)

Interstitial lamellae 사이층판(간질층판)

Concentric lamellae 뼈단위층판(골원층판)

Central canals 중심관

Canaliculi 모세관(세관)

Lacunae 방(소강, 열공)

Trabeculae of spongy bone 해면뼈의 잔기둥 (해면골소주)

Vein 정맥

Artery 동맥

(d) 대표적인 뼈구조의 개략적 모양

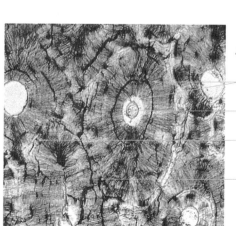

Osteon 뼈단위(골원)

Central canals 중심관

Lacunae 방(소강, 열공)

Lamellae 층판

(b) 치밀뼈에 있는 몇몇 뼈단위(골원)의 전자현미경 사진

(c) 치밀뼈를 관통하는 가느다란 부분

12-01. 피부의 구조 Structure of Skin

Skin of scalp
머리의 피부
Skin of cheek
볼의 피부
Skin of axilla
겨드랑이의 피부
수명이 다 된 체모는 빠지고 새로운 체모로 교체된다.
Meissner's corpuscle
촉각소체
Internal root sheath
속털뿌리집(내모근초)
External root sheath
바깥털뿌리집(외모근초)
Bundles of collagen fibers in dermis
진피층의 콜라겐 섬유다발
Subcutaneous fat
피하지방
Sebaceous gland
기름샘(피지선)
Merocrine sweat gland
부분분비선
Sensory nerve
감각신경
Apocrine sweat gland
아포크린 땀샘

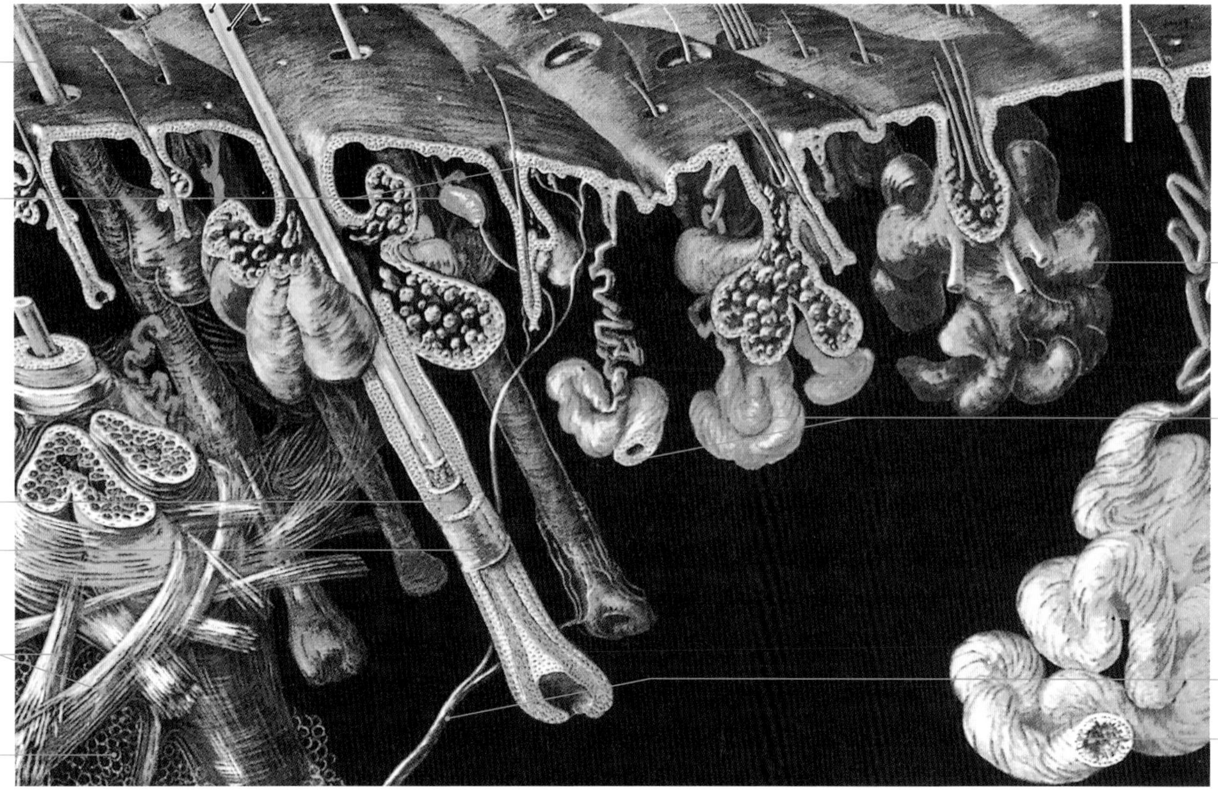

외피계의 기능(Function of integumentary system)

① 원 리

외피계는 피부와 피부의 여러 파생물(머리카락, 선, 손톱 및 감각수용기)로 구성되어 있다. 피부는 특수기능을 수행하기 위해서 구조적으로 결합된 많은 조직들로 구성된다.

② 피부의 기능

- ▷ 체온을 조절한다.
- ▷ 안쪽에 있는 체조직을 보호한다.
- ▷ 외부환경으로부터 자극을 받아들인다.
- ▷ 물과 염류 및 일정한 유기합성물을 분비한다.
- ▷ 비타민 D를 합성한다.
- ▷ 특수세포를 통해서 면역성을 부여한다.

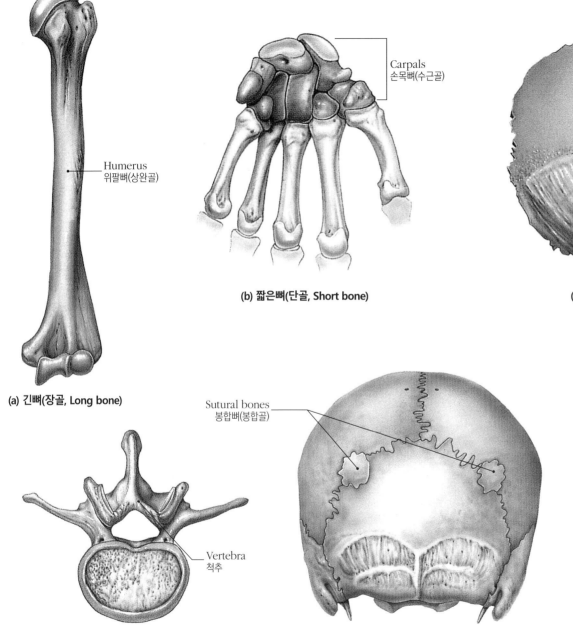

Humerus
위팔뼈(상완골)

(a) 긴뼈(장골, Long bone)

Carpals
손목뼈(수근골)

(b) 짧은뼈(단골, Short bone)

Parietal bone
마루뼈(두정골)

(c) 납작뼈(편평골, Flat bone)

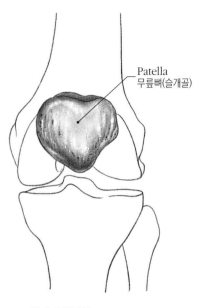

Patella
무릎뼈(슬개골)

(d) 종자뼈(종자골, Sesamoid bone)

Vertebra
척추

(e) 불규칙뼈(불규칙골, Irregular bone)

Sutural bones
봉합뼈(봉합골)

(f) 봉합뼈(봉합골, Sutural bone)

뼈의 분류

① 긴뼈/장골(Long bone)……관 모양의 긴 뼈로 폭보다 길이가 길다.
② 짧은뼈/단골(Short bone)……대체로 사각형이며, 손목의 손목뼈(Carpal bone)와 발목의 발목뼈(Tarsal bone)가 이에 속한다.
③ 납작뼈/편평골(Flat bone)……넓고 편평하며 얇은 형태이고, 많은 근육이 부착되어 있으며, 갈비뼈(Ribs)과 어깨뼈(Scapula) 등이 이에 속한다.
④ 종자뼈/종자골(Sesamoid bone)……근육의 힘줄(Tendon) 속에 형성된 작고 둥근뼈를 말하며, 근육의 작용을 도와주며, 무릎뼈(Patella)가 대표적인 뼈이다.
⑤ 불규칙골(Irregular bone)……모양을 규정짓기 어려운 복합형으로, 척추뼈(Vertabrae), 나비뼈(Sphenoid bone), 벌집뼈(Ethmoid bone), 귀속뼈(auditory ossicles) 등이 이에 속한다.
⑥ 공기뼈/함기골(Pneumatic bone)……공기를 함유하는 동굴(Sinus)을 갖고 있는 뼈를 말하며, 점막으로 싸여 있고 신체 일부와 통하는 뼈로 위턱뼈(Maxilla), 나비뼈(Sphenoid bone), 벌집뼈(Ethmoid bone) 등이 이에 속한다.

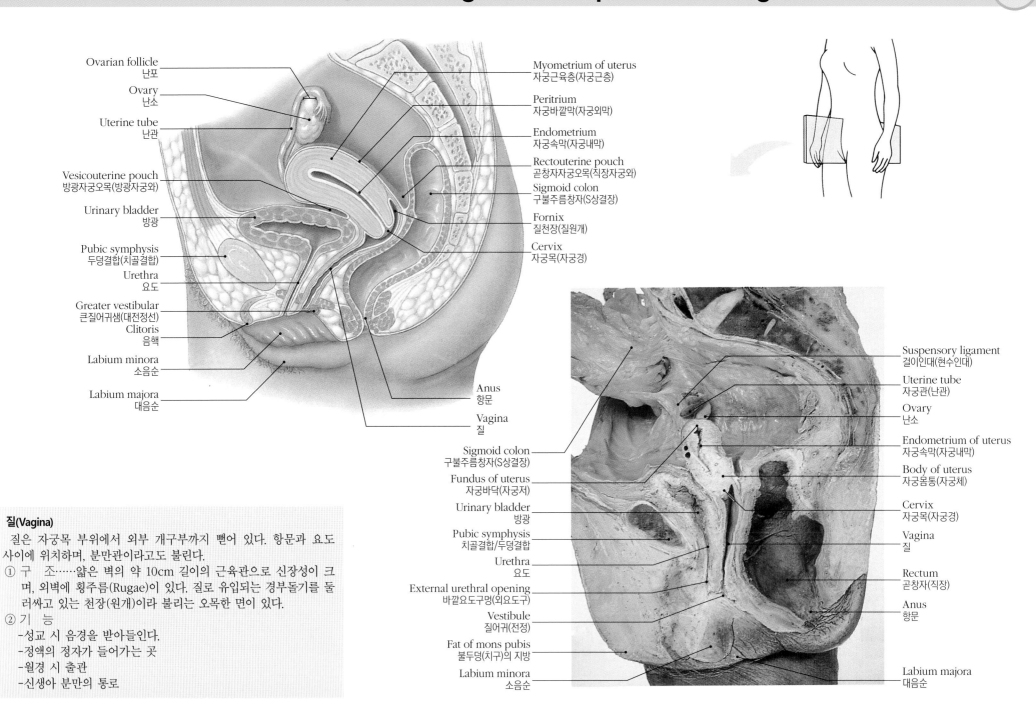

Ovarian follicle
난포

Ovary
난소

Uterine tube
난관

Vesicouterine pouch
방광자궁오목(방광자궁와)

Urinary bladder
방광

Pubic symphysis
두덩결합(치골결합)

Urethra
요도

Greater vestibular
큰질어귀샘(대전정선)

Clitoris
음핵

Labium minora
소음순

Labium majora
대음순

Myometrium of uterus
자궁근육층(자궁근층)

Peritrium
자궁바깥막(자궁외막)

Endometrium
자궁속막(자궁내막)

Rectouterine pouch
곧창자자궁오목(직장자궁와)

Sigmoid colon
구불주름창자(S상결장)

Fornix
질천장(질원개)

Cervix
자궁목(자궁경)

Anus
항문

Vagina
질

Sigmoid colon
구불주름창자(S상결장)

Fundus of uterus
자궁바닥(자궁저)

Urinary bladder
방광

Pubic symphysis
치골결합/두덩결합

Urethra
요도

External urethral opening
바깥요도구멍(외요도구)

Vestibule
질어귀(전정)

Fat of mons pubis
불두덩(치구)의 지방

Labium minora
소음순

Suspensory ligament
걸이인대(현수인대)

Uterine tube
자궁관(난관)

Ovary
난소

Endometrium of uterus
자궁속막(자궁내막)

Body of uterus
자궁몸통(자궁체)

Cervix
자궁목(자궁경)

Vagina
질

Rectum
곧창자(직장)

Anus
항문

Labium majora
대음순

질(Vagina)

질은 자궁목 부위에서 외부 개구부까지 뻗어 있다. 항문과 요도 사이에 위치하며, 분만관이라고도 불린다.

① 구　조……얇은 벽의 약 10cm 길이의 근육관으로 신장성이 크며, 외벽에 횡주름(Rugae)이 있다. 질로 유입되는 경부돌기를 둘러싸고 있는 천장(원개)이라 불리는 오목한 면이 있다.

② 기　능
　-성교 시 음경을 받아들인다.
　-정액의 정자가 들어가는 곳
　-월경 시 출관
　-신생아 분만의 통로

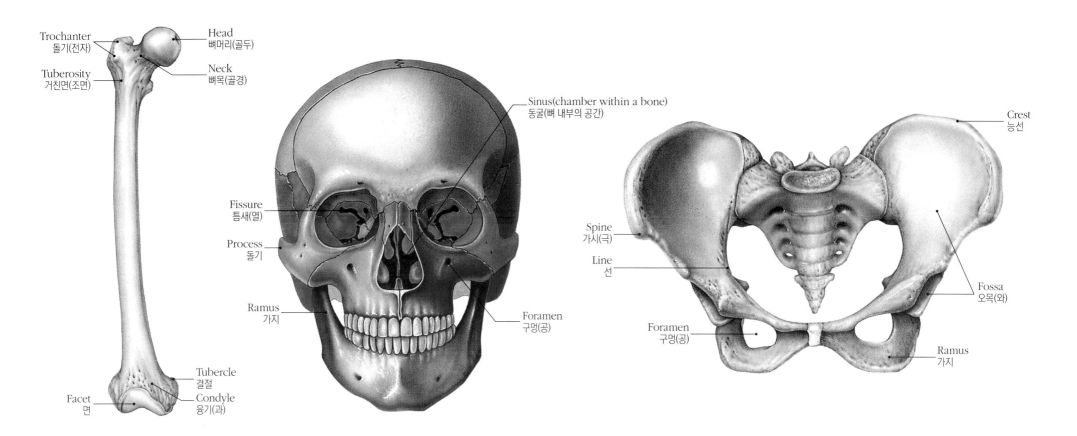

Trochanter
돌기(전자)

Head
뼈머리(골두)

Tuberosity
거친면(조면)

Neck
뼈목(골경)

Sinus(chamber within a bone)
동굴(뼈 내부의 공간)

Crest
능선

Fissure
틈새(열)

Process
돌기

Spine
가시(극)

Line
선

Fossa
오목(와)

Ramus
가지

Foramen
구멍(공)

Foramen
구멍(공)

Ramus
가지

Tubercle
결절

Condyle
융기(과)

Facet
면

1. 돌출되어 있는 구조의 명칭

① 능선(Crest/crista) : 다소 높은 산 모양의 봉우리 구조
② 선(line) : 선 모양으로 튀어나와 있는 날카로운 구조
③ 구 또는 각(Hamulus/cornu) : 갈고리 모양으로 휘어 있는 돌기
④ 돌기(Process) : 상당한 크기로 돌출되어 있는 구조
⑤ 결절(Tubercle) : 돌출된 부분의 끝이 둔한 모양
⑥ 거친면(조면, Tuberosity) : 거친 표면을 가진 융기면
⑦ 융기(과, Condyle) : 북채의 끝같이 생긴 돌출모양
⑧ 돌기(전자, Trochanter) : 큼직하고 둔한 끝 모양, 큰돌기(대전자)/작은돌기(소전자)에 사용
⑨ 가시(극, Spine) : 예리한 돌출구조
⑩ 관절의 볼록면(Articular surface of convex) : 관절면 중 볼록면 관절연골로 덮여 있는 부위

2. 함몰구조의 명칭

① 면(Facet) : 한계가 명확하고 평탄한 표면
② 오목(와, Fossa) : 함몰된 구조로서 파낸 것 같은 구조와 도랑같이 파인 구조
③ 작은오목(소와, Fovea) : fossa 보다 작은 모양
④ 고랑(구, Groove/sulcus) : 길게 파인 도랑 모양
⑤ 패임(절흔, Notch/incisura) : 길이가 없고 돌려낸 것처럼 생긴 구조
⑥ 구멍(공, Foramen) : 뼈 표면에 구멍이 뚫린 것
⑦ 관 또는 도(Canal/meatus) : 길게 된 구멍
⑧ 틈새(열, Fissure) : 가늘게 갈라진 틈새

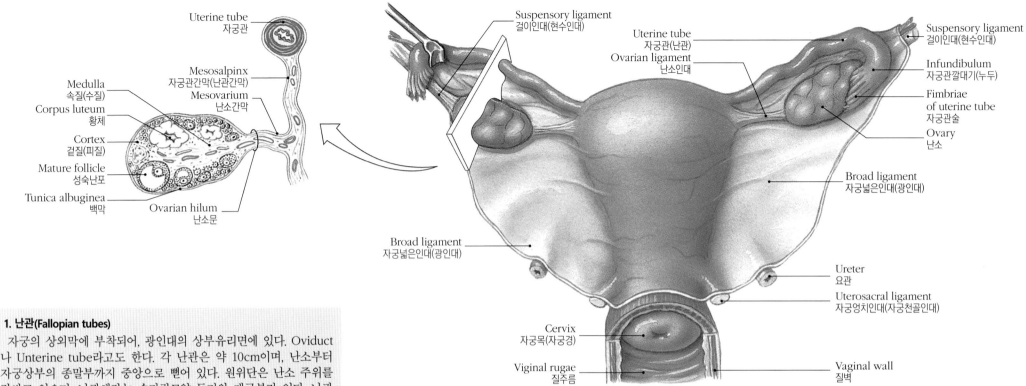

Uterine tube
자궁관

Mesosalpinx
자궁관간막(난관간막)

Medulla
속질(수질)

Corpus luteum
황체

Cortex
겉질(피질)

Mesovarium
난소간막

Mature follicle
성숙난포

Tunica albuginea
백막

Ovarian hilum
난소문

Suspensory ligament
걸이인대(현수인대)

Uterine tube
자궁관(난관)

Ovarian ligament
난소인대

Suspensory ligament
걸이인대(현수인대)

Infundibulum
자궁관깔대기(누두)

Fimbriae
of uterine tube
자궁관술

Ovary
난소

Broad ligament
자궁넓은인대(광인대)

Broad ligament
자궁넓은인대(광인대)

Ureter
요관

Uterosacral ligament
자궁엉치인대(자궁천골인대)

Cervix
자궁목(자궁경)

Viginal rugae
질주름

Vaginal wall
질벽

1. 난관(Fallopian tubes)

  자궁의 상외막에 부착되어, 광인대의 상부유리면에 있다. Oviduct 나 Unterine tube라고도 한다. 각 난관은 약 10cm이며, 난소부터 자궁상부의 종말부까지 중앙으로 뻗어 있다. 원위단은 난소 주위를 감싸고 있으며, 난관채라는 손가락모양 돌기의 개구부가 있다. 난관 과 난소 사이에 실제접촉은 없다.
  난관은 난소와 자궁 사이에 난자를 위한 통로를 제공한다. 난자는 복막강으로 분비되며, 난관채의 파동으로 난관으로 이동한다. 정자에 의한 난자의 수정을 위한 장소로, 난관이 난소를 감싸고 있는 부분인 팽대부에서 수정이 일어난다.

2. 자궁(Uterus)

  방광과 직장 사이에 위치하는 배 모양과 크기의 내강기관으로, 정자가 헤엄쳐 난자에 도착해 난관을 통해 도달하는 조직이며 임신기간 동안 배아와 태아가 발달하는 장소이다. 구조는 다음과 같다.
① 자궁몸통(Body)……자궁의 주요 부분
② 자궁목(Cervix)……자궁 하부의 좁은 배출구, 자궁 내부와 경부 관, 자궁외구
③ 협부(Isthmus)……자궁저부와 난관 사이의 지역으로, 협부는 자 궁체가 경부와 만나는 지역이다.
④ 자궁바닥(Fundus)……난관이 삽입되어 있는 신체 팽대부의 상 위표면

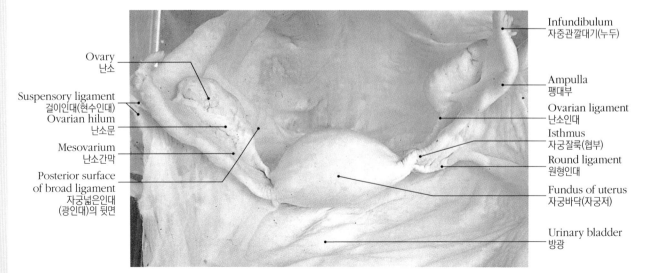

Ovary
난소

Suspensory ligament
걸이인대(현수인대)

Ovarian hilum
난소문

Mesovarium
난소간막

Posterior surface
of broad ligament
자궁넓은인대
(광인대)의 뒷면

Infundibulum
자중관깔대기(누두)

Ampulla
팽대부

Ovarian ligament
난소인대

Isthmus
자궁잘룩(협부)

Round ligament
원형인대

Fundus of uterus
자궁바닥(자궁저)

Urinary bladder
방광

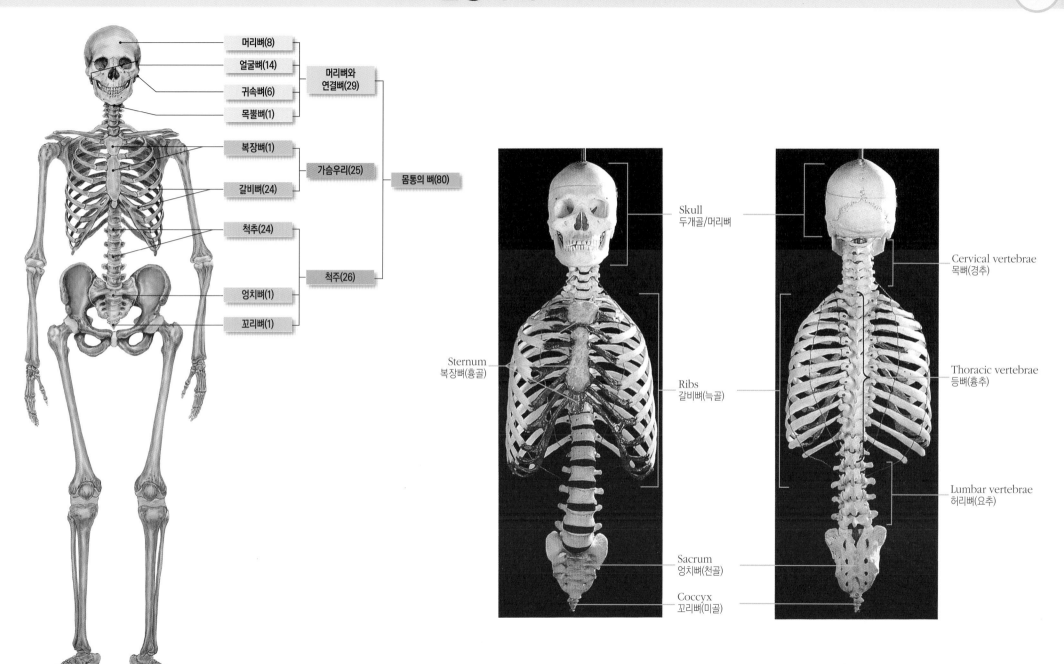

머리뼈(8)
얼굴뼈(14)
귀속뼈(6)
목뿔뼈(1)

머리뼈와
연결뼈(29)

복장뼈(1)
갈비뼈(24)

가슴우리(25)

몸통의 뼈(80)

척추(24)

척주(26)

엉치뼈(1)
꼬리뼈(1)

Skull
두개골/머리뼈

Cervical vertebrae
목뼈(경추)

Sternum
복장뼈(흉골)

Ribs
갈비뼈(늑골)

Thoracic vertebrae
등뼈(흉추)

Lumbar vertebrae
허리뼈(요추)

Sacrum
엉치뼈(천골)

Coccyx
꼬리뼈(미골)

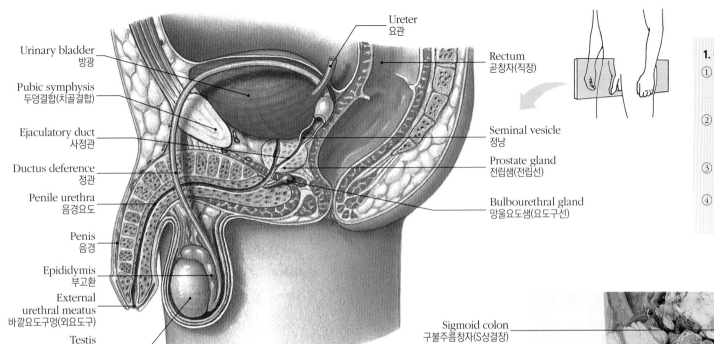

Ureter
요관

Urinary bladder
방광

Pubic symphysis
두덩결합(치골결합)

Ejaculatory duct
사정관

Ductus deference
정관

Penile urethra
음경요도

Penis
음경

Epididymis
부고환

External
urethral meatus
바깥요도구멍(외요도구)

Testis
고환(정소)

Rectum
곧창자(직장)

Seminal vesicle
정낭

Prostate gland
전립샘(전립선)

Bulbourethral gland
망울요도샘(요도구선)

1. 관(Ducts)

① 부고환(Epididymis)……고환 바깥쪽에 감겨 있는 관으로, 미성숙한 정자세포를 받아들여 성숙기간 동안 저장한다. 정액을 분비하는 기관으로 정관으로 이어진다.

② 정관(Ductus deferens)……부고환의 신전관으로 배안의 샅굴관과 방광 후면과 첨단 너머로 뻗어 있다. 거대한 말단부를 팽대부라 하며, 정액을 부고환에서 밀어내고 전달한다.

③ 사정관(Ejaculatory duct)……정낭에서 유래된 관과 정관이 결합되어 형성되며, 정액을 운반한다.

④ 요도(Urethra)……정액을 밖으로 전달하는 역할을 하며, 먼쪽 끝의 전립샘과 인접해 있다.

2. 부속기관(Accessory organs)

① 정낭(Seminal vesicles)……프로스타글란딘을 분비하고 정자세포를 지지하기 위한 영양액을 보조한다. 정액은 알칼리성으로, 약 60%의 정액을 생산한다.

② 전립샘(Prostate gland)……단일샘으로 약간 산성인 액체를 분비하며, 정자의 운동을 돕는다. 도우넛 모양의 샘으로 요도를 둘러싸고 있으며, 남성 노인의 비대한 전립샘은 배뇨를 방해할 수 있다.

③ 요도구샘(Bulbourethral glands)……Cowper's gland라고도 불린다. 두 개의 작은 샘은 전립샘 아래에 위치한다. 윤활을 위한 점액과 산을 중화시키기 위한 물질을 분비한다. 요도구샘과 전립샘, 정낭과 분비물은 정액을 구성하기 위해 결합된다.

④ 음낭(Scrotum)……음경 뿌리의 샅굴부에 매달린 피부낭, 좌우로 나누어 고환과 부고환, 정관이 포함된다.

⑤ 음경(Penis)……남성의 성교기관으로 뿌리, 체부, 음경귀두로 구성된다. 성적 흥분기와 발기 동안 충혈되는 혈액동을 포함하고 있다. 요도를 포함하며, 세 부분의 발기성 조직물질로 구성된다. 외부로 요를 배출하는 역할을 수행한다.

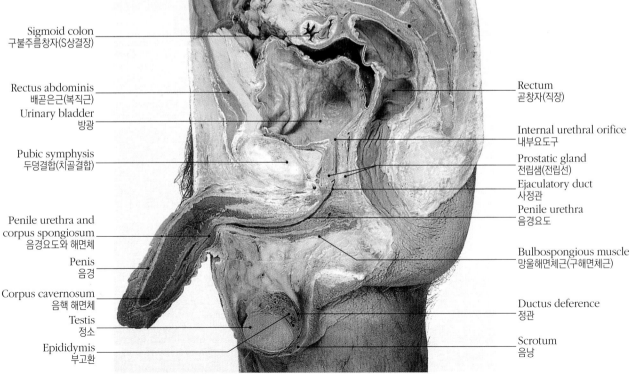

Sigmoid colon
구불주름창자(S상결장)

Rectus abdominis
배곧은근(복직근)

Urinary bladder
방광

Pubic symphysis
두덩결합(치골결합)

Penile urethra and
corpus spongiosum
음경요도와 해면체

Penis
음경

Corpus cavernosum
음핵 해면체

Testis
정소

Epididymis
부고환

Rectum
곧창자(직장)

Internal urethral orifice
내부요도구

Prostatic gland
전립샘(전립선)

Ejaculatory duct
사정관

Penile urethra
음경요도

Bulbospongious muscle
망울해면체근(구해면체근)

Ductus deference
정관

Scrotum
음낭

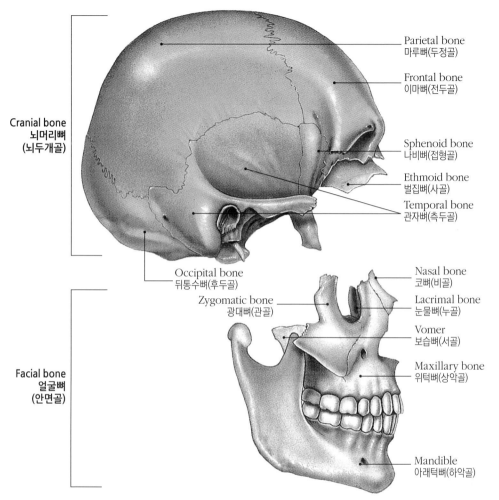

Cranial bone 뇌머리뼈 (뇌두개골)

- Parietal bone 마루뼈(두정골)
- Frontal bone 이마뼈(전두골)
- Sphenoid bone 나비뼈(접형골)
- Ethmoid bone 벌집뼈(사골)
- Temporal bone 관자뼈(측두골)
- Occipital bone 뒤통수뼈(후두골)

Facial bone 얼굴뼈 (안면골)

- Zygomatic bone 광대뼈(관골)
- Nasal bone 코뼈(비골)
- Lacrimal bone 눈물뼈(누골)
- Vomer 보습뼈(서골)
- Maxillary bone 위턱뼈(상악골)
- Mandible 아래턱뼈(하악골)

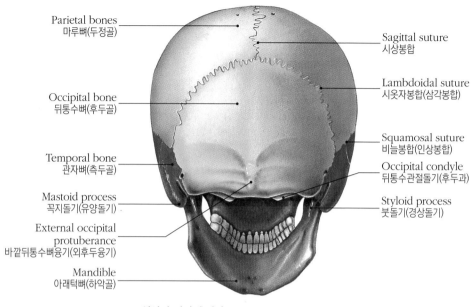

- Parietal bones 마루뼈(두정골)
- Occipital bone 뒤통수뼈(후두골)
- Temporal bone 관자뼈(측두골)
- Mastoid process 꼭지돌기(유양돌기)
- External occipital protuberance 바깥뒤통수뼈융기(외후두융기)
- Mandible 아래턱뼈(하악골)
- Sagittal suture 시상봉합
- Lambdoidal suture 시옷자봉합(삼각봉합)
- Squamosal suture 비늘봉합(인상봉합)
- Occipital condyle 뒤통수관절돌기(후두과)
- Styloid process 붓돌기(경상돌기)

성인의 머리뼈(뒷면) Adult Skull(Posterior View)

▷ 뇌머리뼈(Cranial bone)	
마루뼈(Parietal bone)	2개
관자뼈(Temporal bone)	2개
뒤통수뼈(Occipital bone)	1개
이마뼈(Frontal bone)	1개
나비뼈(Sphenoid bone)	1개
벌집뼈(Ethmoid bone)	1개

▷ 얼굴뼈(Facial bone)	
위턱뼈(Maxilla)	2개
광대뼈(Zygomatic bone)	2개
눈물뼈(Lacrimal bone)	2개
코뼈(Nasal bone)	2개
입천장뼈(Palatine bone)	2개
아래코선반(Inferior nasal concha)	2개
아래턱뼈(Mandible)	1개
보습뼈(Vomer)	1개
목뿔뼈(Hyoid bone)	1개

1. 머리뼈의 구성

　머리뼈(두개골, Skull/cranium)는 척주의 위쪽 끝에 놓여 있어 머리의 운동이 자유로이 일어나게 해 주고, 눈·귀·코 등의 특수감각기관을 보호하며, 머리뼈공간(두개강, Cranial cavity)을 형성하여 뇌를 보호하며 뇌머리뼈(뇌두개골, Cranial bone)와 눈확·코안·입안 등의 기초를 이루는 얼굴뼈(안면골, Facial bone)로 나눈다.

2. 얼굴뼈(facial bone)

　얼굴뼈는 불규칙한 모양의 8종 14개의 뼈로 이루어지는데, 내부군과 외부군으로 나누기도 한다

① 바깥쪽 얼굴뼈(외부안면골, External facial bone)……바깥쪽얼굴뼈는 머리뼈가쪽에서 볼 수 있는 것으로 위턱뼈(상악골, Maxilla), 아래턱뼈(하악골, Mandible), 광대뼈(관골, Zygomatic bone), 코뼈(비골, Nasal bone), 눈물뼈(누골, Lacrimal bone)로 이루어진다.

② 안쪽 얼굴뼈(내부안면골, Internal facial bone)……안쪽얼굴뼈는 머리뼈안쪽에서 관찰되며 머리뼈를 시상단면으로 절단하기 전에는 관찰하기가 어려운 것으로 보습뼈(서골, Vomer), 입천장뼈(구개골, Palatine bone), 아래코선반(하비갑개, Inferior nasal concha)로 구성되어 있다.

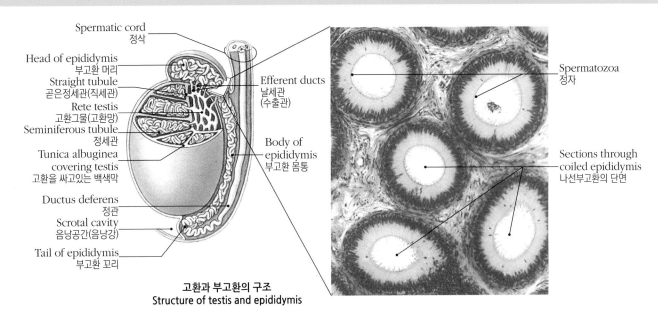

Spermatic cord
정삭

Head of epididymis
부고환 머리

Straight tubule
곧은정세관(직세관)

Rete testis
고환그물(고환망)

Seminiferous tubule
정세관

Tunica albuginea
covering testis
고환을 싸고있는 백색막

Ductus deferens
정관

Scrotal cavity
음낭공간(음낭강)

Tail of epididymis
부고환 꼬리

Efferent ducts
날세관
(수출관)

Body of
epididymis
부고환 몸통

Spermatozoa
정자

Sections through
coiled epididymis
나선부고환의 단면

고환과 부고환의 구조
Structure of testis and epididymis

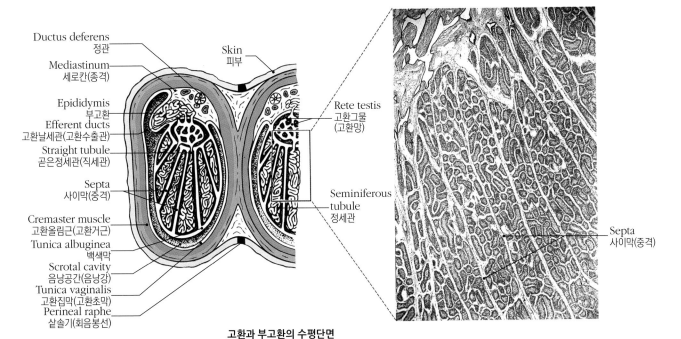

Ductus deferens
정관

Mediastinum
세로칸(종격)

Epididymis
부고환

Efferent ducts
고환날세관(고환수출관)

Straight tubule
곧은정세관(직세관)

Septa
사이막(중격)

Cremaster muscle
고환올림근(고환거근)

Tunica albuginea
백색막

Scrotal cavity
음낭공간(음낭강)

Tunica vaginalis
고환집막(고환초막)

Perineal raphe
샅솔기(회음봉선)

Skin
피부

Rete testis
고환그물
(고환망)

Seminiferous
tubule
정세관

Septa
사이막(중격)

고환과 부고환의 수평단면
Transverse section of testis and epididymis

고환(Testis)

고환은 남성의 생식기관이다. 기능은 정세관 내에서 정자세포를 형성하고, 수정난의 수정을 위해 여성생식관으로 운반하는 역할을 담당한다.

① 난형모양의 샘이며 생식샘이라고도 한다. 두 개의 초막으로 구성된다(연결조직관).

② 연결조직에 의해 나누어지는 작은 엽으로 구성되며, 꼼꼼하게 감긴 정세관이 포함된다.

③ 정세관이 결합해 고환망을 구성하며 원심성관계로 총으로 배액된다. 원심성관은 고환의 상단에서 시작되어 부고환으로 들어간다.

④ 정세관은 정자를 생산하는 상피세포와 지주세포가 포함된다.

⑤ 간질세포(cells of leydig)는 정세관 사이에 위치하며 남성호르몬을 생산한다.

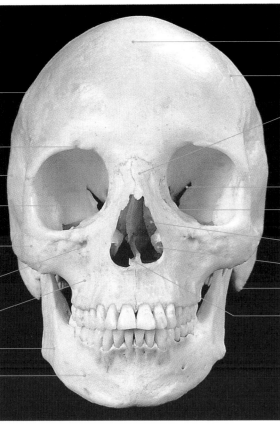

Frontal bone
이마뼈(전두골)

Coronal suture
관상봉합

Parietal bone
마루뼈(두정골)

Nasal bone
코뼈(비골)

Supraorbital foramen
눈확위구멍(안와상공)

Temporal bone
관자뼈(측두골)

Superior obital fissure
위눈확틈새(상안와열)

Sphenoid bone
나비뼈(접형골)

Lacrimal bone
눈물뼈(누골)

Zygomatic bone
광대뼈(관골)

Middle nasal concha
중간코선반(중비갑개)

Inferior nasal concha
아래코선반(하비갑개)

Infraorbital foramen
눈확아래구멍(안와하공)

Mastoid process
꼭지돌기(유양돌기)

Maxillary bone
위턱뼈(상악골)

Vomer
보습뼈(서골)

Mandible
아래턱뼈(하악골)

Mental foramen
턱끝구멍(이공)

성인의 머리뼈(앞면) Adult Skull(Anterior View)

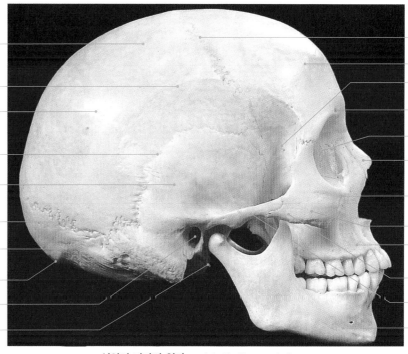

Parietal bone
마루뼈(두정골)

Superior
temporal line
위관자선(상측두선)

Parietal bone
마루뼈(두정골)

Squamosal suture
비늘봉합(인상봉합)

Squamous portion
of temporal bone
관자뼈비늘(측두골의 인부)

Lambdoidal suture
시옷자봉합(삼각봉합)

Occipital bone
후두골(뒤통수뼈)

External occipital protuberance
바깥뒤통수뼈융기(외후두융기)

External auditory meatus
바깥귀길(외이도)

Styloid process
붓돌기(경상돌기)

Coronal suture
관상봉합

Frontal bone
이마뼈(전두골)

Sphenoid bone
나비뼈(접형골)

Supraorbital foramen
눈확위구멍(안와상공)

Ethmoid bone
벌집뼈(사골)

Nasal bone
코뼈(비골)

Infraorbital foramen
눈확아래구멍(안와하공)

Zygomatic bone
광대뼈(관골)

Maxillary bone
위턱뼈(상악골)

Temporal process
관자돌기(측두돌기)

Zygomatic process
광대돌기(관골돌기)

Mandible
아래턱뼈(하악골)

성인의 머리뼈(옆면) Adult Skull(Lateral View)

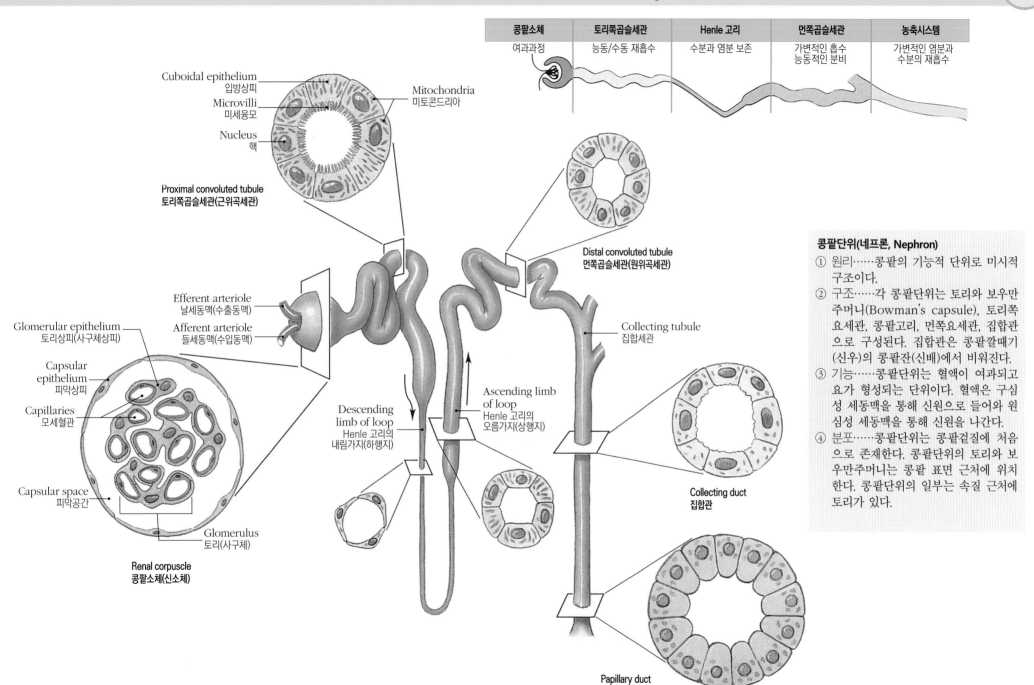

콩팥소체	토리쪽곱슬세관	Henle 고리	먼쪽곱슬세관	농축시스템
여과과정	능동/수동 재흡수	수분과 염분 보존	가변적인 흡수 능동적인 분비	가변적인 염분과 수분의 재흡수

Cuboidal epithelium
입방상피

Microvilli
미세융모

Nucleus
핵

Mitochondria
미토콘드리아

Proximal convoluted tubule
토리쪽곱슬세관(근위곡세관)

Distal convoluted tubule
먼쪽곱슬세관(원위곡세관)

Efferent arteriole
날세동맥(수출동맥)

Afferent arteriole
들세동맥(수입동맥)

Collecting tubule
집합세관

Glomerular epithelium
토리상피(사구체상피)

Capsular epithelium
피막상피

Capillaries
모세혈관

Descending limb of loop
Henle 고리의 내림가지(하행지)

Ascending limb of loop
Henle 고리의 오름가지(상행지)

Collecting duct
집합관

Capsular space
피막공간

Glomerulus
토리(사구체)

Renal corpuscle
콩팥소체(신소체)

Papillary duct
젖꼭지관(유두관)

콩팥단위(네프론, Nephron)
① 원리……콩팥의 기능적 단위로 미시적 구조이다.
② 구조……각 콩팥단위는 토리와 보우만 주머니(Bowman's capsule), 토리쪽 요세관, 콩팥고리, 먼쪽요세관, 집합관으로 구성된다. 집합관은 콩팥깔때기(신우)의 콩팥잔(신배)에서 비워진다.
③ 기능……콩팥단위는 혈액이 여과되고 요가 형성되는 단위이다. 혈액은 구심성 세동맥을 통해 신원으로 들어와 원심성 세동맥을 통해 신원을 나간다.
④ 분포……콩팥단위는 콩팥겉질에 처음으로 존재한다. 콩팥단위의 토리와 보우만주머니는 콩팥 표면 근처에 위치한다. 콩팥단위의 일부는 속질 근처에 토리가 있다.

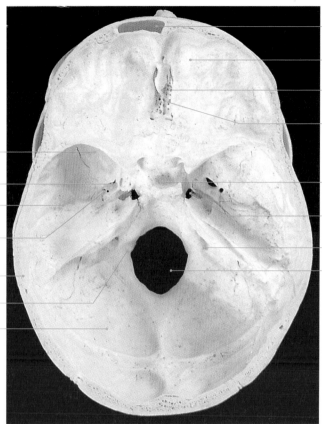

Frontal sinus
이마뼈동굴(전두동)

Frontal bone
이마뼈(전두골)

Crista galli
볏돌기(계관)

Cribriform plate
벌집체판(사판)

Sphenoid bone
나비뼈(접형골)

Foramen ovale
타원구멍(난원공)

Temporal bone
관자뼈(측두골)

Foramen spinosum
뇌막동맥구멍(극공)

Parietal bone
마루뼈(두정골)

Hypoglossal canal
혀밑신경관(설하신경관)

Occipital bone
뒤통수뼈(후두골)

Sella turcica
안장(터키안)

Foramen lacerum
파열구멍(파열공)

Jugular foramen
목정맥구멍(경정맥공)

Foramen magnum
큰뒤통수구멍(대후두공)

머리뼈 단면 해부(수평면)

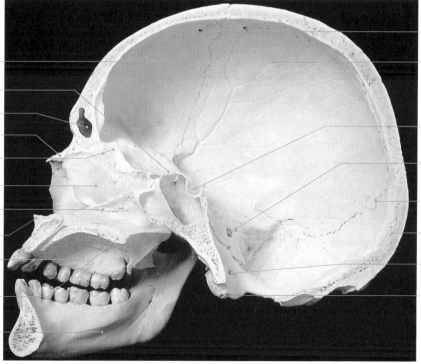

Frontal bone
이마뼈(전두골)

Sphenoid bone
나비뼈(접형골)

Frontal sinus
이마뼈동굴(전두동)

Nasal bone
코뼈(비골)

Crista galli
볏돌기(계관)

Perpendicular plate of ethmoid bone
벌집뼈의 수직판

Vomer
보습뼈(서골)

Anterior nasal spine
앞코가시(전비극)

Maxillary bone
위턱뼈(상악골)

Palatine bone
입천장뼈(구개골)

Mandible
아래턱뼈(하악골)

Coronal suture
관상봉합

Parietal bone
마루뼈(두정골)

Sella turcica
안장(터키안)

Internal acoustic meatus
속귓길(내이도)

Lambdoidal suture
시옷자봉합(삼각봉합)

Occipital bone
뒤통수뼈(후두골)

Hypoglossal canal
혀밑신경관(설하신경관)

Occipital condyle
뒤통수관절융기(후두과)

머리뼈 단면 해부(시상면)

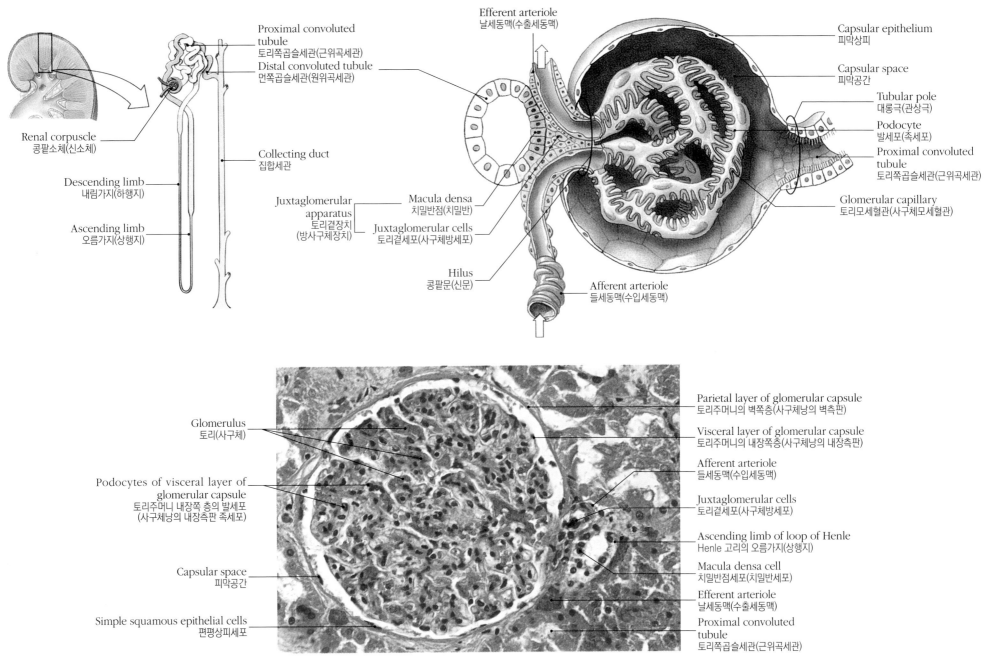

Proximal convoluted tubule
토리쪽곱슬세관(근위곡세관)

Distal convoluted tubule
먼쪽곱슬세관(원위곡세관)

Renal corpuscle
콩팥소체(신소체)

Descending limb
내림가지(하행지)

Ascending limb
오름가지(상행지)

Collecting duct
집합세관

Juxtaglomerular apparatus
토리곁장치
(방사구체장치)

Macula densa
치밀반점(치밀반)

Juxtaglomerular cells
토리곁세포(사구체방세포)

Hilus
콩팥문(신문)

Efferent arteriole
날세동맥(수출세동맥)

Afferent arteriole
들세동맥(수입세동맥)

Capsular epithelium
피막상피

Capsular space
피막공간

Tubular pole
대롱극(관상극)

Podocyte
발세포(족세포)

Proximal convoluted tubule
토리쪽곱슬세관(근위곡세관)

Glomerular capillary
토리모세혈관(사구체모세혈관)

Glomerulus
토리(사구체)

Podocytes of visceral layer of glomerular capsule
토리주머니 내장쪽 층의 발세포
(사구체낭의 내장측판 족세포)

Capsular space
피막공간

Simple squamous epithelial cells
편평상피세포

Parietal layer of glomerular capsule
토리주머니의 벽쪽층(사구체낭의 벽측판)

Visceral layer of glomerular capsule
토리주머니의 내장쪽층(사구체낭의 내장측판)

Afferent arteriole
들세동맥(수입세동맥)

Juxtaglomerular cells
토리곁세포(사구체방세포)

Ascending limb of loop of Henle
Henle 고리의 오름가지(상행지)

Macula densa cell
치밀반점세포(치밀반세포)

Efferent arteriole
날세동맥(수출세동맥)

Proximal convoluted tubule
토리쪽곱슬세관(근위곡세관)

콩팥소체의 전자현미경 사진(LM×1380)

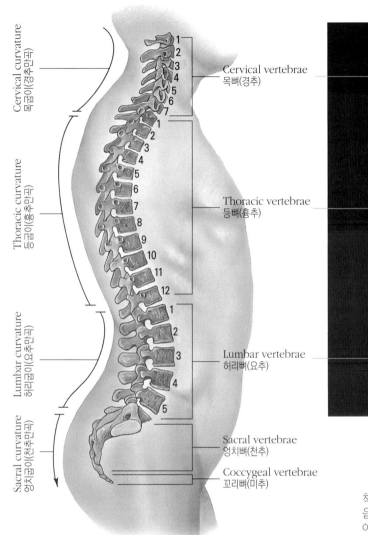

Cervical curvature
목굽이(경추만곡)

Cervical vertebrae
목뼈(경추)

Thoracic curvature
등굽이(흉추만곡)

Thoracic vertebrae
등뼈(흉추)

Lumbar curvature
허리굽이(요추만곡)

Lumbar vertebrae
허리뼈(요추)

Sacral curvature
엉치굽이(천추만곡)

Sacral vertebrae
엉치뼈(천추)

Coccygeal vertebrae
꼬리뼈(미추)

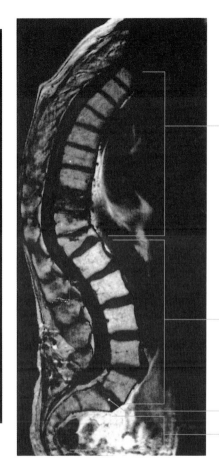

Thoracic vertebrae
등뼈(흉추)

Lumbar vertebrae
허리뼈(요추)

Intervertebral disc
척추뼈사이원반(추간판)

Sacral vertebrae
엉치뼈(천추)

척주의 굽이(만곡, curvature)

① 목뼈(Cervical) : 앞쪽볼록(Convex anteriorly), 등뼈 2에서 치아돌기 첨부까지

② 등뼈(Thoracic) : 앞쪽오목(Concave anteriorly), 등뼈 2에서 12번째 까지

③ 허리뼈(Lumbar) : 앞쪽볼록(Convex anteriorly), 등뼈 12에서 허리엉치 부위 까지이며, 가장 큰 볼록면은 허리뼈 4, 5, 허리엉치관절 부위

④ 엉치뼈(Sacral) : 앞꼬리쪽오목(Concave anteriorcaudally)

⑤ 발생과정의 척주의 굽이

◇ 1차굽이(Primary curvature) : C형 만곡으로 전방으로 오목하며, 장기보호 기능을 한다.

◇ 2차굽이(Secondary curvature) : 앞쪽으로 볼록한 대상성 만곡으로 다음의 두 가지로 나눈다.

－목굽이(경추만곡, Cervical curvature) : 생후 3~4개월 후 고개를 들 때와 앉을 때 형성된다.

－허리굽이(요추만곡, Lumbar curvature) : 12~18개월 후 보행 시 형성된다.

척주(Vertebral column)는 33개의 척추뼈(Vertebrae)로 구성되어 있으며, 머리와 몸통을 지지하는 기둥 역할을 하며, 척추뼈와 척추뼈 사이에는 섬유연골(Fibrous cartilage)인 척추뼈사이원반(Intervertebral disc)과 이들을 보강하는 인대(Ligament)에 의해 연결된다. 성인의 척주길이는 72~75cm 인데, 이 중에서 1/4은 척추뼈사이원반이 차지한다.

진성척추뼈와 가성척추뼈

① 진성척추뼈(True vertebrae)……일생 동안 각각의 척추뼈가 분리되어 있는 뼈를 진성척추뼈라 고 한다.

② 가성척추뼈(False vertebrae)……엉치뼈와 꼬리뼈처럼 융합되어 하나의 뼈를 형성하는 것을 가 성척추뼈라고 한다.

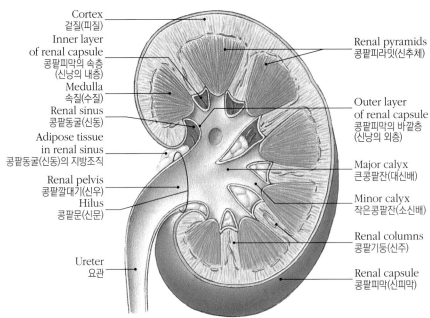

Cortex
겉질(피질)

Inner layer
of renal capsule
콩팥피막의 속층
(신낭의 내층)

Medulla
속질(수질)

Renal sinus
콩팥동굴(신동)

Adipose tissue
in renal sinus
콩팥동굴(신동)의 지방조직

Renal pelvis
콩팥깔대기(신우)

Hilus
콩팥문(신문)

Ureter
요관

Renal pyramids
콩팥피라밋(신추체)

Outer layer
of renal capsule
콩팥피막의 바깥층
(신낭의 외층)

Major calyx
큰콩팥잔(대신배)

Minor calyx
작은콩팥잔(소신배)

Renal columns
콩팥기둥(신주)

Renal capsule
콩팥피막(신피막)

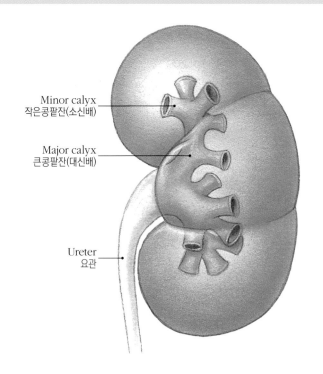

Minor calyx
작은콩팥잔(소신배)

Major calyx
큰콩팥잔(대신배)

Ureter
요관

콩팥(신장, Kidney)

① 콩팥의 기능……소변은 90%가 물로 되어 있고, 염류, 색소 및 호르몬 등이 용해되어 있다. 소변의 형성 및 배설에는 토리(사구체) 여과, 요세관 흡수, 요세관 분비 등 세 가지 과정이 필요하다.

② 외부구조……콩팥은 1쌍의 암적색의 강낭콩 모양의 실질성 기관으로 무게는 약 130g 정도이나(길이 10cm, 폭 5cm, 두께 4cm), 왼쪽 콩팥이 오른쪽 콩팥보다 약간 무겁다.

③ 내부구조……콩팥의 실질은 표면에 가까운 콩팥겉질(Renal cortex)과 요관에 가까운 속층인 콩팥속질(Renal medulla)로 구성되어 있다. 콩팥겉질은 수많은 작은 붉은 점인 과립모양으로 관찰되며, 콩팥속질은 줄무늬모양으로 하고 있으나 콩팥겉질에 비하여 색깔이 엷다.

④ 미세구조……콩팥단위(신원, Nephron)는 콩팥의 구조 및 기능상의 기본단위로 한 개의 콩팥에 약 100만개가 들어 있으며, 소변성분을 혈액에서 걸러내는 콩팥소체(Renal corpuscle)와 이를 운반하는 콩팥세관(Renal tubule)으로 구성된다.

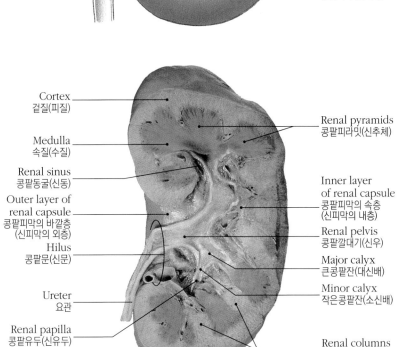

Cortex
겉질(피질)

Medulla
속질(수질)

Renal sinus
콩팥동굴(신동)

Outer layer of
renal capsule
콩팥피막의 바깥층
(신피막의 외층)

Hilus
콩팥문(신문)

Ureter
요관

Renal papilla
콩팥유두(신유두)

Renal capsule
콩팥피막(신피막)

Renal pyramids
콩팥피라밋(신추체)

Inner layer
of renal capsule
콩팥피막의 속층
(신피막의 내층)

Renal pelvis
콩팥깔대기(신우)

Major calyx
큰콩팥잔(대신배)

Minor calyx
작은콩팥잔(소신배)

Renal columns
콩팥기둥(신주)

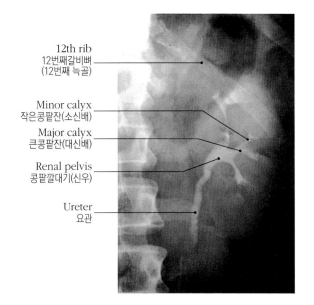

12th rib
12번째갈비뼈
(12번째 늑골)

Minor calyx
작은콩팥잔(소신배)

Major calyx
큰콩팥잔(대신배)

Renal pelvis
콩팥깔대기(신우)

Ureter
요관

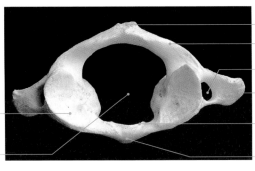

Posterior tubercle
뒤결절(후결절)

Posterior arch
뒤고리(후궁)

Transverse foramen
가로구멍(횡공)

Transverse process
가로돌기(횡돌기)

Articular facet
for dens of axis
치아돌기의 관절면

Anterior tubercle
앞결절(전결절)

Superior
articular facet
위관절면
(상관절면)

Vertebral
foramen
척추뼈구멍
(추공)

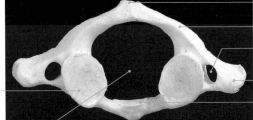

Posterior tubercle
뒤결절(후결절)

Posterior arch
뒤고리(후궁)

Transverse foramen
가로구멍(횡공)

Transverse process
가로돌기(횡돌기)

Articular facet
for dens of axis
치아돌기의 관절면

Inferior articular facet
아래관절면(하관절면)

Vertebral foramen
척추뼈구멍(추공)

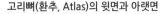

고리뼈(환추, Atlas)의 윗면과 아랫면

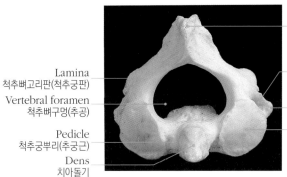

Spinous process
가시돌기(극돌기)

Transverse foramen
가로구멍(횡공)

Transverse process
가로돌기(횡돌기)

Superior articular facet
위관절면(상관절면)

Lamina
척추뼈고리판(척추궁판)

Vertebral foramen
척추뼈구멍(추공)

Pedicle
척추궁뿌리(추궁근)

Dens
치아돌기

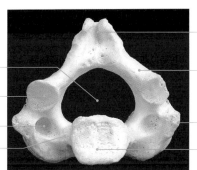

Spinous process
가시돌기(극돌기)

Lamina
척추뼈고리판(척추궁판)

Transverse process
가로돌기(횡돌기)

Superior articular facet
위관절면(상관절면)

Vertebral foramen
척추뼈구멍(추공)

Inferior articular facet
아래관절면(하관절면)

Transverse foramen
가로구멍(횡공)

Pedicle
척추뼈고리뿌리(추궁근)

중쇠뼈(축추, Axis)의 윗면과 아랫면

Superior articular process
위관절돌기(상관절돌기)

Vertebral body
척추뼈몸통(추체)

Inferior articular facet
아래관절면(하관절면)

Inferior articular process
아래관절돌기(하관절돌기)

Spinous process
가시돌기(극돌기)

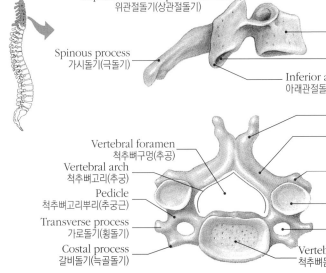

Vertebral foramen
척추뼈구멍(추공)

Vertebral arch
척추뼈고리(추궁)

Pedicle
척추뼈고리뿌리(추궁근)

Transverse process
가로돌기(횡돌기)

Costal process
갈비돌기(늑골돌기)

Spinous process
가시돌기(극돌기)

Lamina
척추뼈고리판(척추궁판)

Superior articular
process
위관절돌기(상관절돌기)

Superior articular facet
위관절면(상관절면)

Transverse foramen
가로돌기구멍(횡공)

Vertebral body
척추뼈몸통(추체)

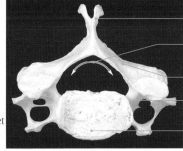

Spinous process
가시돌기(극돌기)

Vertebral arch
척추뼈고리(추궁)

Lamina
척추뼈고리판(척추궁판)

Pedicle
척추뼈고리뿌리(추궁근)

Vertebral body
척추뼈몸통(추체)

일반적인 목뼈(경추, Cervical vertebrae)의 구조

목뼈(Cervical vertebrae)

① 진성척추뼈(True vertebrae) 중에서 가장 작고 (small), 운동성이 크다.

② 가로돌기구멍(Transverse foramen)으로 척추동·정맥(Vertebral artery and vein)이 통과한다.

③ 가시돌기(Spinous process)가 짧고 2분화되어 있다 (C1, C7은 제외).

④ 척추뼈구멍(Vertebral foramen)은 크며, 삼각형이다.

⑤ 척추동맥(Vertebral artery)은 제6 목뼈의 가로돌기구멍(Transverse foramen)에서 출발하여 고리뼈 척추동맥고랑(Groove for vertebral artery of atlas)을 지나 뇌에 혈액공급을 한다.

1. 비뇨기계의 구성

비뇨기계는 체내의 배설물인 소변(요, urine)을 만드는 콩팥(신장, kidney) 과 이를 운반하여 체외로 배설하기까지의 통로인 요관(ureter)과 요도 (urethra), 그리고 소변을 보관하는 방광(urinary bladder)으로 구성되어 있다.

2. 비뇨기계의 기능

① 혈액 내의 노폐물을 소변을 통하여 배출한다.
② 소변의 배출량을 조절하여 수분함량과 삼투관계를 조절한다.
③ 전해질의 평형을 유지하는 역할을 담당하고 있다.

콩팥(Kidneys)

요와 에리쓰로포이에틴, 레닌, 칼시트리올 생산

요관(Ureters)

요가 방광으로 이동하는 통로

방광(Urinary bladder)

배설에 앞서 잠시 동안 요를 보관한다.

요도(Urethra)

방광에 저장된 요를 바깥으로 배출한다.

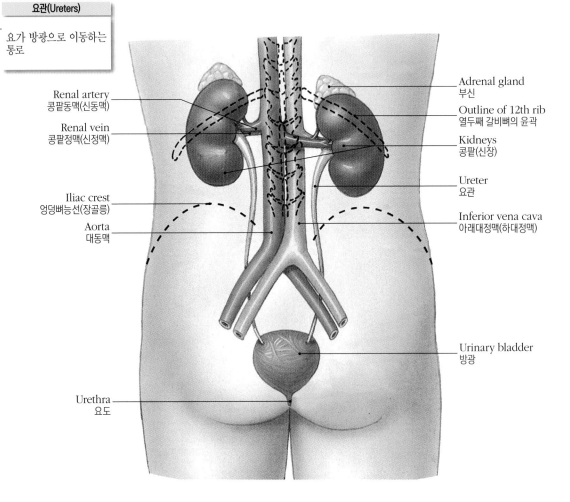

Renal artery
콩팥동맥(신동맥)

Renal vein
콩팥정맥(신정맥)

Iliac crest
엉덩뼈능선(장골릉)

Aorta
대동맥

Adrenal gland
부신

Outline of 12th rib
열두째 갈비뼈의 윤곽

Kidneys
콩팥(신장)

Ureter
요관

Inferior vena cava
아래대정맥(하대정맥)

Urinary bladder
방광

Urethra
요도

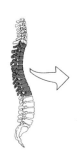

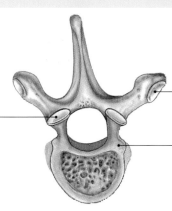

Superior articular facet
위관절면(상관절면)

Transverse costal facet
가로갈비뼈면(횡늑골면)

Inferior articular process
아래관절돌기(하관절돌기)

Superior demifacet
위반관절면(상반관절면)

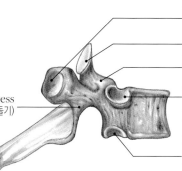

Transverse costal facet
가로갈비면(횡늑골면)

Superior articular facet
위관절면(상관절면)

Pedicle
척추뼈고리뿌리(추궁근)

Superior demifacet for head of rib
갈비뼈머리(늑골두)의 위반관절면(상반관절면)

Inferior demifacet for head of rib
갈비뼈머리(늑골두)의 아래반관절면(하반관절면)

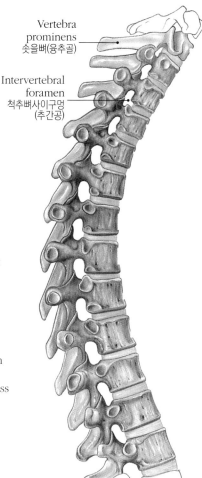

Vertebra prominens
솟을뼈(융추골)

Intervertebral foramen
척추뼈사이구멍(추간공)

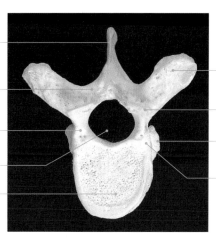

Spinous process
가시돌기(극돌기)

Lamina
척추뼈고리판(척추궁판)

Pedicle
척추뼈고리뿌리(추궁근)

Vertebral foramen
척추뼈구멍(추공)

Vertebral body
척추뼈몸통(추체)

Transverse process
가로돌기(횡돌기)

Superior articular facet
위관절면(상관절면)

Inferior demifacet
아래반관절면(하반관절면)

Superior demifacet
위반관절면(상반관절면)

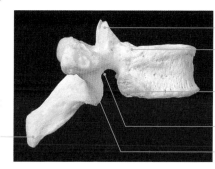

Superior articular facet
위관절면(상관절면)

Superior demifacet
위반관절면(상반관절면)

Inferior demifacet
아래반관절면(하반관절면)

Inferior vertebral notch
아래척추뼈패임(하추절흔)

Inferior articular process
아래관절돌기(하관절돌기)

Spinous process
가시돌기(극돌기)

등뼈(흉추, Thoracic vertebrae)

① 등뼈는 갈비뼈와 관절하기 위해 척추뼈몸통의 뒤 양쪽에 위아래갈비뼈머리면(상하늑골두면)이 있고, 가로돌기 끝부위에는 가로돌기갈비뼈면(횡돌늑골면)이 있다.

② 척추뼈몸통(Body)과 가로돌기(Transverse process)는 갈비뼈머리와 관절을 이루고 있다.

③ 척추뼈구멍(Vertebral foramen)은 작은 원형이며, 가시돌기는 서로 중첩되어 있으나 등뼈 12번은 수평으로 돌출되어 있다.

④ 등뼈의 위관절돌기의 관절면은 뒤쪽을 향하고 있으며, 아래관절돌기의 관절면은 앞쪽을 향한다.

⑤ 가슴우리(Thorax) : 가슴우리의 뼈대는 등뼈(Thoracic vertebrae), 척추뼈사이원반(Intervertebral disc), 갈비뼈(Rib), 갈비연골(Costal cartilage), 복장뼈(Sternum)로 이루어져 있으며, 허파·심장·혈관을 보호하며, 많은 근육이 부착되어 있다.

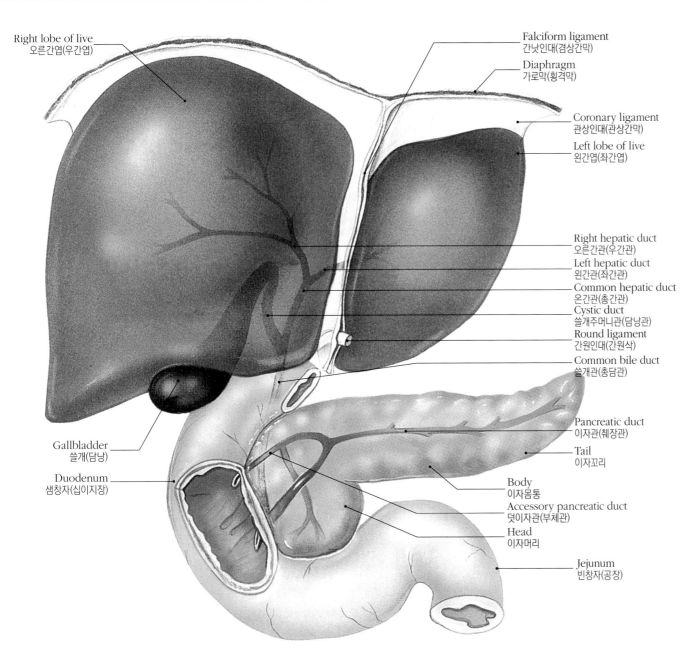

Right lobe of live
오른간엽(우간엽)

Falciform ligament
간낫인대(겸상간막)

Diaphragm
가로막(횡격막)

Coronary ligament
관상인대(관상간막)

Left lobe of live
왼간엽(좌간엽)

Right hepatic duct
오른간관(우간관)

Left hepatic duct
왼간관(좌간관)

Common hepatic duct
온간관(총간관)

Cystic duct
쓸개주머니관(담낭관)

Round ligament
간원인대(간원삭)

Common bile duct
쓸개관(총담관)

Pancreatic duct
이자관(췌장관)

Tail
이자꼬리

Body
이자몸통

Accessory pancreatic duct
덧이자관(부체관)

Head
이자머리

Jejunum
빈창자(공장)

Gallbladder
쓸개(담낭)

Duodenum
샘창자(십이지장)

1. 간(Liver)

　간은 인체에서 가장 큰 샘(Gland)으로 무게가 약 1.5kg이며, 가로막 아래의 오른쪽 위복부에 위치하여 정상인에서는 붉은 색을 띠고 있다. 인체에서 가장 필수적인 장기 중의 하나로 당원의 저장 및 해독작용, 담즙의 생산 등을 담당하며, 그 외에도 혈액응고 인자의 생성 및 비타민 K 합성 등의 역할을 담당한다.
　간은 앞으로는 갈비뼈에 의해 보호되고, 위로는 가로막과 맞닿아 있어 둥근 모양을 하고 있다. 간은 앞뒤로 걸쳐 있는 복막주름인 간낫인대(Falciform ligament)를 경계로 오른엽(Right lobe)과 왼엽(Left lobe)으로 구분되며, 두 엽 사이에 네모엽(Quadrate lobe)과 꼬리엽(Caudate lobe)이 위치한다.

2. 간과 쓸개의 기능

　간은 중간대사에서 여러 기능을 하며, 순환이 특이하여 위장관에서 흡수된 영양분을 신체의 다른 조직에서 필요한 물질로 변화시키는 역할도 한다.
① 간은 문맥을 통해 전신순환으로 혈액운반 및 혈액저장소 역할을 한다.
② 간문맥을 통해 소화산물을 받으며, 동시에 문맥을 통해 들어온 혈액은 간 큰포식세포의 작용에 의해 세균이 제거된다.
③ 간세포는 혈액에서 글루코스를 글리코겐으로 저장하며, 혈중 글루코스의 정상농도를 유지하기 위해 글루코스를 방출한다.
④ 간은 지방의 대사, 운반 및 혈중농도 유지에 중요한 역할을 수행한다.
⑤ 간은 혈장단백질을 합성한다.
⑥ 신체에 해로운 독성물질을 해독시킨다.
⑦ 빌리루빈(Bilirubin)을 분비한다.
⑧ 쓸개는 쓸개즙을 일시적으로 저장한다.

3. 이자(췌장, Pancreas)

　이자는 C자 모양을 이루는 샘창자에 둘러 싸여 위의 후방에 있으며, 길이는 12~15cm 인 회백색의 기관으로 외분비 및 내분비 기능을 모두 가진 기관으로 기능은 다음과 같다.
① 이자의 외분비조직은 효소를 분비한다.
② 이자액은 단백질, 탄수화물 및 지방에 작용하는 중요한 소화액이다.
③ 내분비조직은 인슐린(Insulin)과 글루카곤(Glucagon)을 분비하며, 인슐린은 탄수화물 대사에 관여하기 때문에 결핍되면 당뇨병(Diabetes mellitus)이 초래된다.

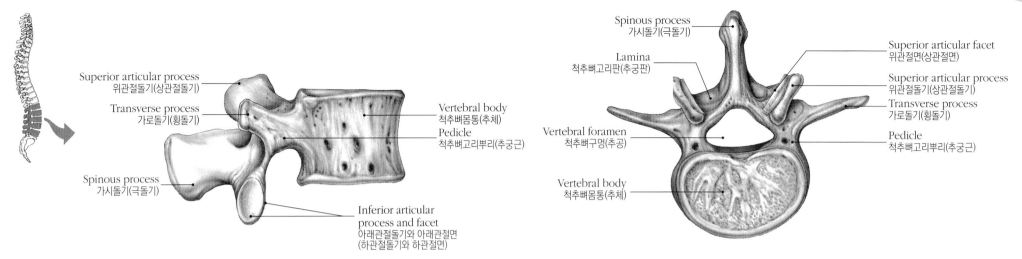

Superior articular process
위관절돌기(상관절돌기)

Transverse process
가로돌기(횡돌기)

Spinous process
가시돌기(극돌기)

Vertebral body
척추뼈몸통(추체)

Pedicle
척추뼈고리뿌리(추궁근)

Inferior articular
process and facet
아래관절돌기와 아래관절면
(하관절돌기와 하관절면)

Spinous process
가시돌기(극돌기)

Lamina
척추뼈고리판(추궁판)

Superior articular facet
위관절면(상관절면)

Superior articular process
위관절돌기(상관절돌기)

Transverse process
가로돌기(횡돌기)

Pedicle
척추뼈고리뿌리(추궁근)

Vertebral foramen
척추뼈구멍(추공)

Vertebral body
척추뼈몸통(추체)

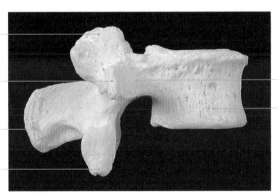

Superior articular process
위관절돌기(상관절돌기)

Transverse process
가로돌기(횡돌기)

Spinous process
가시돌기(극돌기)

Inferior articular
process and facet
아래관절돌기와 아래관절면
(하관절돌기와 하관절면)

Pedicle
척추뼈고리뿌리(추궁근)

Vertebral body
척추뼈몸통(추체)

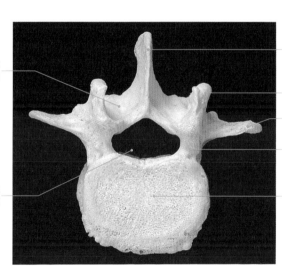

Lamina
척추뼈고리판(추궁판)

Vertebral foramen
척추뼈구멍(추공)

Spinous process
가시돌기(극돌기)

Superior articular process
위관절면(상관절면)

Transverse process
가로돌기(횡돌기)

Pedicle
척추뼈고리뿌리(추궁근)

Vertebral body
척추뼈몸통(추체)

허리뼈(요추, Lumbar vertebrae)
① 5개이 허리뼈는 척추뼈몸통 및 돌기가 크며, 가로돌기구멍(횡돌기공, Transverse foramen)과 반관절면(Demifacet)은 없다
② 가로돌기(횡돌기, Transverse process)의 꼭지돌기(유두돌기, Mammillary process)에서는 못갈래근(다열근)이 기시한다.
③ 면관절(Facet joint)의 형태는 90˚이며, 위관절돌기면(Surface of superioarticular process)은 뒷면의 안쪽방향(Directed dorsomedial)을 향하며, 아래관절돌기면(Surface of inferioarticular process)은 앞가쪽방향을 향하고 있으므로 허리부위에서는 회전운동이 실제적으로 제한된다.

큰창자는 소화관의 마지막 부분으로 전체 길이는 약 1.5m, 지름은 5~8cm로서, 수분을 흡수하고 배설물을 내보내는 역할을 담당한다.

큰창자의 구성은 돌창자와 연결되는 부위인 막창자과 그 밑의 막창자꼬리, 큰창자의 대부분을 형성하는 주름창자, 그리고 소화관의 끝부분인 곧창자 및 항문으로 구성되어 있다.

1. 막창자(맹장, Cecum)

막창자는 큰창자의 첫 부분이며 끝이 막힌 주머니 모양의 구조로서 아래쪽에는 막창자꼬리(Vermiform appendix)가 달려 있으며, 길이가 2~20cm(평균 8cm), 직경이 5~10mm이며, 복부의 오른쪽 아래에 위치한다.

2. 주름창자(결장, Colon)

주름창자는 부위에 따라 오름주름창자, 가로주름창자, 내림주름창자, 구불주름창자로 구분된다.

3. 곧창자(직장, Rectum)과 항문(Anus)

곧창자는 구불주름창자와 이어지는 길이가 약 12cm되는 소화관으로 엉치뼈 앞면을 따라 수직으로 내려가 항문으로 개구한다. 항문은 6~10개의 세로주름이 형성되어 있는 항문기둥(항문주, Column) 또는 곧창자기둥(직장주, Rectal column)이라 하며, 여기에는 풍부한 곧창자정맥얼기가 발달되어 있어서 치핵(Hemorrhoid)이 잘 생기는 부위이다.

4. 큰창자의 기능

결장에서는 주로 물이 흡수되며, 결장속에는 세균이 살고 있는데, 비타민 K와 B_{12}, B_1, B_2, 그리고 아미노산 같은 중요한 영양물질이 합성되며 흡수된다.

더 이상 필요하지 않은 물질은 대변으로 배출되며, 대변은 약 60%의 고형질과 40%의 물로 구성된다.

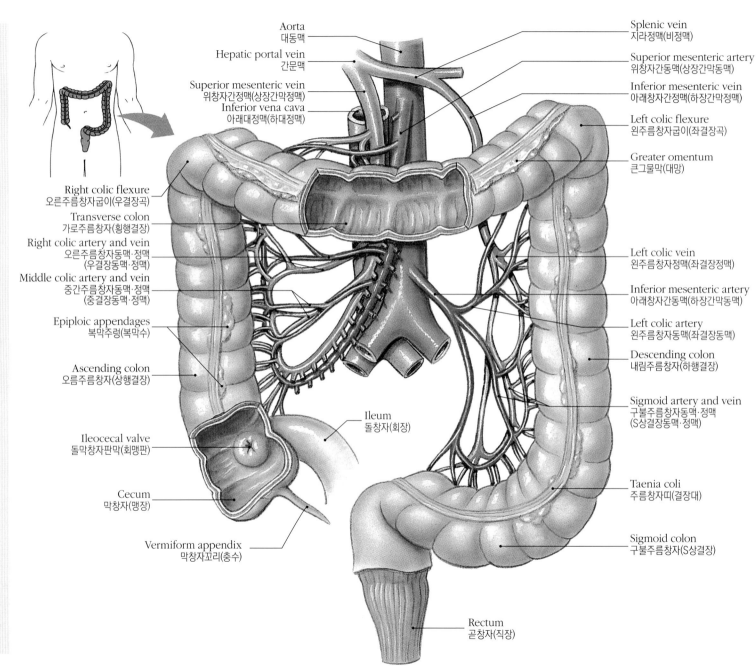

Aorta
대동맥

Hepatic portal vein
간문맥

Superior mesenteric vein
위창자간정맥(상장간막정맥)

Inferior vena cava
아래대정맥(하대정맥)

Right colic flexure
오른주름창자굽이(우결장곡)

Transverse colon
가로주름창자(횡행결장)

Right colic artery and vein
오른주름창자동맥·정맥
(우결장동맥·정맥)

Middle colic artery and vein
중간주름창자동맥·정맥
(중결장동맥·정맥)

Epiploic appendages
복막주렁(복막수)

Ascending colon
오름주름창자(상행결장)

Ileum
돌창자(회장)

Ileocecal valve
돌막창자판막(회맹판)

Cecum
막창자(맹장)

Vermiform appendix
막창자꼬리(충수)

Splenic vein
지라정맥(비정맥)

Superior mesenteric artery
위창자간동맥(상장간막동맥)

Inferior mesenteric vein
아래창자간정맥(하장간막정맥)

Left colic flexure
왼주름창자굽이(좌결장곡)

Greater omentum
큰그물막(대망)

Left colic vein
왼주름창자정맥(좌결장정맥)

Inferior mesenteric artery
아래창자간동맥(하장간막동맥)

Left colic artery
왼주름창자동맥(좌결장동맥)

Descending colon
내림주름창자(하행결장)

Sigmoid artery and vein
구불주름창자동맥·정맥
(S상결장동맥·정맥)

Taenia coli
주름창자띠(결장대)

Sigmoid colon
구불주름창자(S상결장)

Rectum
곧창자(직장)

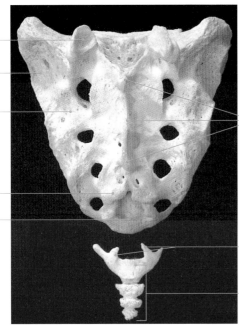

Articular facet of process
돌기의 관절면

Sacral tuberosity
엉치뼈 거친면(천골조면)

Lateral sacral crest
가쪽엉치뼈능선(외천골릉)

Sacral cornu
엉치뼈뿔(천골각)

Sacral hiatus
엉치뼈틈새(천골열공)

Medial sacral crest
정중엉치뼈능선(정중천골릉)

Coccygeal cornu
꼬리뼈뿔(미골각)

Coccyx
꼬리뼈(미골)

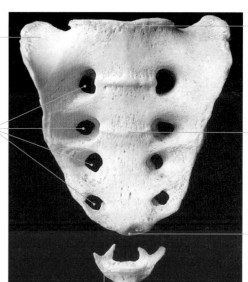

Ala of sacrum
엉치뼈날개(천골익)

Sacral foramina
엉치뼈구멍(천골공)

Sacral promontory
엉치뼈곶(천골갑각융기)

Sacral body
엉치뼈몸통(천골체)

Apex of sacrum
엉치뼈끝(천골첨)

Coccyx
꼬리뼈(미골)

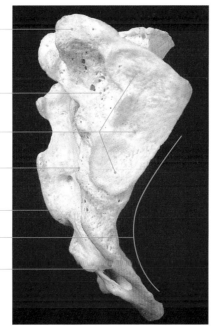

Articular facet of process
돌기의 관절면

Sacral tuberosity
엉치뼈거친면(천골조면)

Articular surface
관절면

Lateral sacral crest
가쪽엉치뼈능선(외천골릉)

Medial sacral crest
정중엉치뼈능선(정중천골릉)

Sacral curvature
엉치굽이(천골만곡)

Sacral cornu
엉치뼈뿔(천골각)

엉치뼈(천추골, Sacrum)와 꼬리뼈(미추골, Coccyx)
① 엉치뼈는 5개의 척추가 하나로 융합된 것이며, 제1엉치뼈 윗면을 엉치뼈바닥(천골저, Base of sacrum)이라 한다. 좌우로 엉치뼈구멍(천추공, Sacral foramen)이 있으며, 이곳으로 척수신경 및 혈관이 통과한다.
③ 꼬리뼈는 4개의 뼈가 하나고 융합되어 엉치뼈에 붙어 있다.

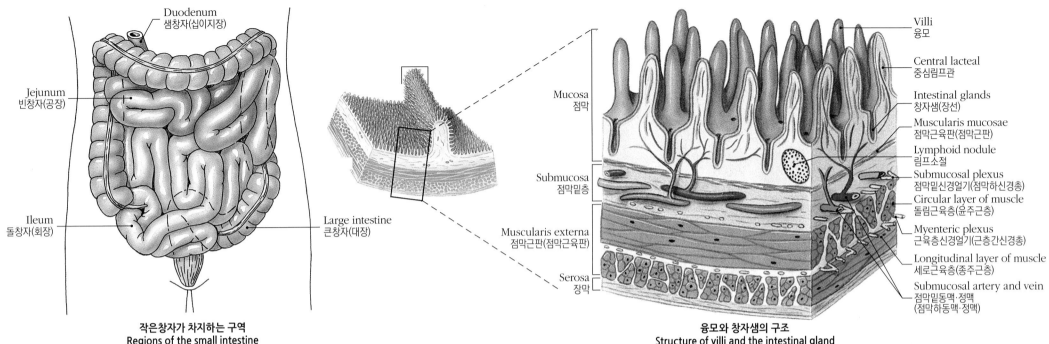

작은창자가 차지하는 구역
Regions of the small intestine

Duodenum
샘창자(십이지장)

Jejunum
빈창자(공장)

Ileum
돌창자(회장)

Large intestine
큰창자(대장)

Mucosa
점막

Submucosa
점막밑층

Muscularis externa
점막근판(점막근육판)

Serosa
장막

Villi
융모

Central lacteal
중심림프관

Intestinal glands
창자샘(장선)

Muscularis mucosae
점막근육판(점막근판)

Lymphoid nodule
림프소절

Submucosal plexus
점막밑신경얼기(점막하신경총)

Circular layer of muscle
돌림근육층(윤주근층)

Myenteric plexus
근육층신경얼기(근층간신경총)

Longitudinal layer of muscle
세로근육층(종주근층)

Submucosal artery and vein
점막밑동맥·정맥
(점막하동맥·정맥)

융모와 창자샘의 구조
Structure of villi and the intestinal gland

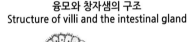

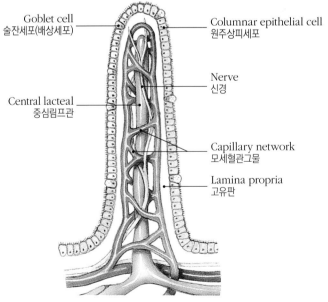

Goblet cell
술잔세포(배상세포)

Central lacteal
중심림프관

Columnar epithelial cell
원주상피세포

Nerve
신경

Capillary network
모세혈관그물

Lamina propria
고유판

융모의 모식도
Diagrammatic view of a single villus

1. 작은창자의 구분

① 샘창자(십이지장, Duodenum)……손가락 한 마디의 12배라는 의미에서 붙여진 이름으로, 길이 약 25cm로 가장 짧으며, 위의 날문부위에서 바로 연속되는 부분이다. 전체적으로 C자 모양이며, 이자의 두부를 싸고 있으며, 제2~3 허리뼈의 높이에 위치하고 있다.

② 빈창자와 돌창자……샘창자를 제외한 나머지 작은창자는 몸쪽의 약 2/5가 빈창자(Jejunum)이고, 먼쪽의 약 3/5이 돌창자(Ileum)이나 육안적으로 구분이 어렵다. 빈창자는 직경이 더 크고 벽이 두꺼우며 색이 짙으며 지방이 거의 없고, 돌창자는 마지막 부분으로 갈수록 지방이 많다.

2. 조직학적 구조

① 돌림주름(윤상주름, Circular fold)……날문을 조금 지나서부터 나타나기 시작해 샘창자와 빈창자의 시작부에서 가장 발달해 있으며, 돌창자의 중간부분 이후에는 없다.

② 융모(Villi)……융모는 점막에 작은 돌기들이 튀어나와 있는 것으로, 높이는 0.5~1.5mm 이다.

3. 작은창자의 기능

작은창자는 위에서 운반된 유미(암죽)에 소화효소를 작용시켜 소화를 완료하고 혈관과 림프관을 통해 소화산물을 선택적으로 흡수하는 기능을 가지고 있다. 샘창자샘의 알칼리성 분비물은 산성인 위액으로부터 장벽을 보호하여 장의 내용물에 이자의 효소가 작용할 수 있도록 적당한 pH로 조절한다.

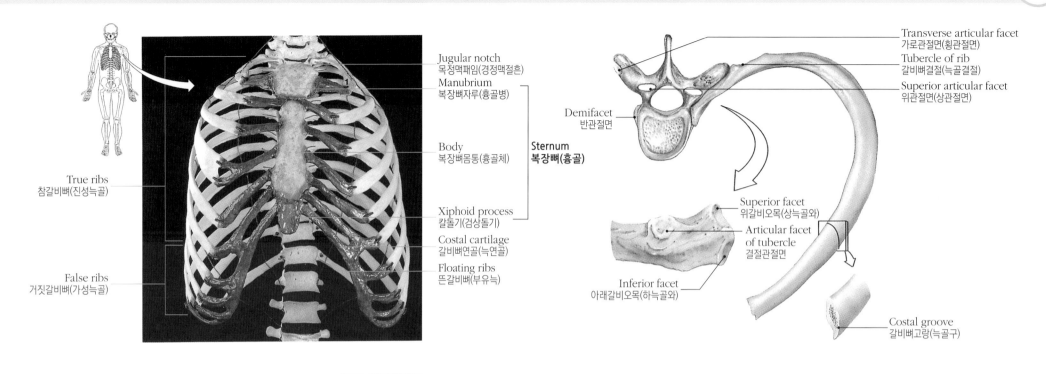

Jugular notch
목정맥패임(경정맥절흔)
Manubrium
복장뼈자루(흉골병)

Body
복장뼈몸통(흉골체)

Sternum
복장뼈(흉골)

Xiphoid process
칼돌기(검상돌기)

Costal cartilage
갈비뼈연골(늑연골)

Floating ribs
뜬갈비뼈(부유늑)

True ribs
참갈비뼈(진성늑골)

False ribs
거짓갈비뼈(가성늑골)

Transverse articular facet
가로관절면(횡관절면)
Tubercle of rib
갈비뼈결절(늑골결절)
Superior articular facet
위관절면(상관절면)

Demifacet
반관절면

Superior facet
위갈비오목(상늑골와)
Articular facet
of tubercle
결절관절면

Inferior facet
아래갈비오목(하늑골와)

Costal groove
갈비뼈고랑(늑골구)

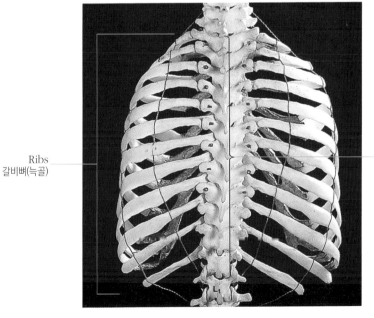

Ribs
갈비뼈(늑골)

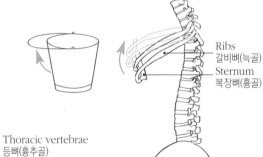

Ribs
갈비뼈(늑골)
Sternum
복장뼈(흉골)

Thoracic vertebrae
등뼈(흉추골)

복장뼈(흉골)와 갈비뼈(늑골)

① 복장뼈(흉골, Sternum) : 복장뼈자루(흉골병, Manubrium), 복장뼈몸통(흉골체, Body), 칼돌기(검상돌기, Xiphoid process)로 구성되어 있다.

② 갈비뼈(늑골, Rib) : 12쌍의 갈비뼈로 뒤로는 등뼈와 관절하고 앞으로는 복장뼈와 관절한다.
· 참갈비뼈(진성늑골, True rib) ············· 1-7 갈비뼈
· 거짓갈비뼈(가성늑골, False rib) ······ 8-10 갈비뼈
· 뜬갈비뼈(부유늑골, Floating rib) ······ 11-12 갈비뼈

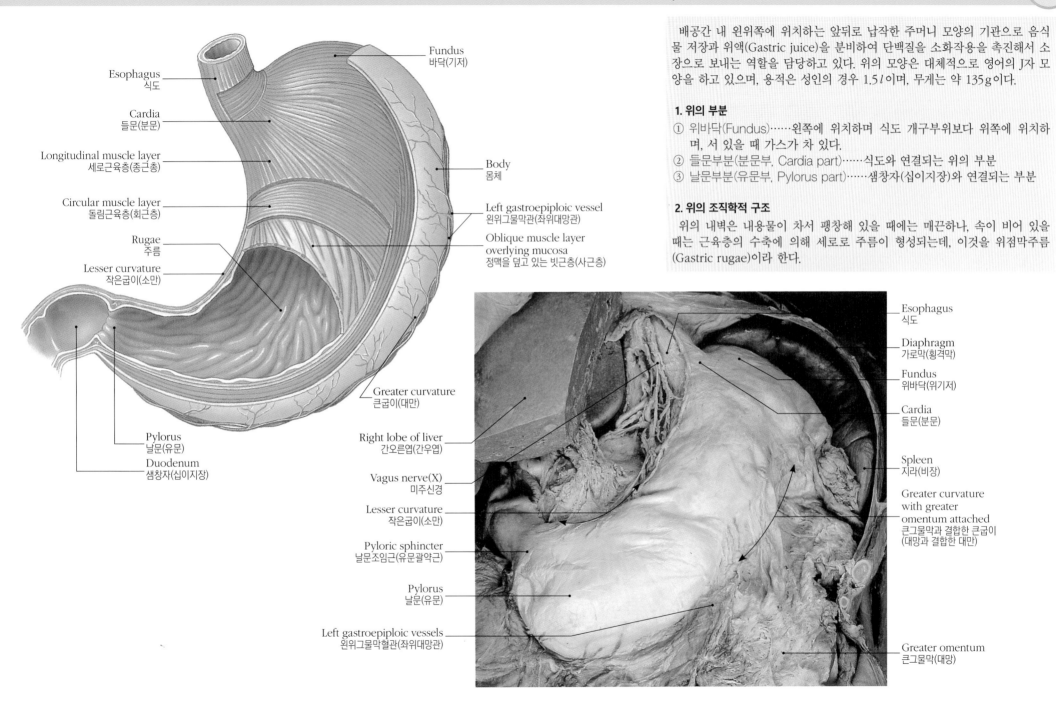

배공간 내 왼위쪽에 위치하는 앞뒤로 납작한 주머니 모양의 기관으로 음식물 저장과 위액(Gastric juice)을 분비하여 단백질을 소화작용을 촉진해서 소장으로 보내는 역할을 담당하고 있다. 위의 모양은 대체적으로 영어의 J자 모양을 하고 있으며, 용적은 성인의 경우 1.5ℓ이며, 무게는 약 135g이다.

1. 위의 부분

① 위바닥(Fundus)……왼쪽에 위치하며 식도 개구부위보다 위쪽에 위치하며, 서 있을 때 가스가 차 있다.
② 들문부분(분문부, Cardia part)……식도와 연결되는 위의 부분
③ 날문부분(유문부, Pylorus part)……샘창자(십이지장)와 연결되는 부분

2. 위의 조직학적 구조

위의 내벽은 내용물이 차서 팽창해 있을 때에는 매끈하나, 속이 비어 있을 때는 근육층의 수축에 의해 세로로 주름이 형성되는데, 이것을 위점막주름(Gastric rugae)이라 한다.

Fundus
바닥(기저)

Esophagus
식도

Cardia
들문(분문)

Longitudinal muscle layer
세로근육층(종근층)

Circular muscle layer
돌림근육층(회근층)

Rugae
주름

Lesser curvature
작은굽이(소만)

Body
몸체

Left gastroepiploic vessel
왼위그물막관(좌위대망관)

Oblique muscle layer
overlying mucosa
정맥을 덮고 있는 빗근층(사근층)

Greater curvature
큰굽이(대만)

Pylorus
날문(유문)

Duodenum
샘창자(십이지장)

Right lobe of liver
간오른엽(간우엽)

Vagus nerve(X)
미주신경

Lesser curvature
작은굽이(소만)

Pyloric sphincter
날문조임근(유문괄약근)

Pylorus
날문(유문)

Left gastroepiploic vessels
왼위그물막혈관(좌위대망관)

Esophagus
식도

Diaphragm
가로막(횡격막)

Fundus
위바닥(위기저)

Cardia
들문(분문)

Spleen
지라(비장)

Greater curvature
with greater
omentum attached
큰그물막과 결합한 큰굽이
(대망과 결합한 대만)

Greater omentum
큰그물막(대망)

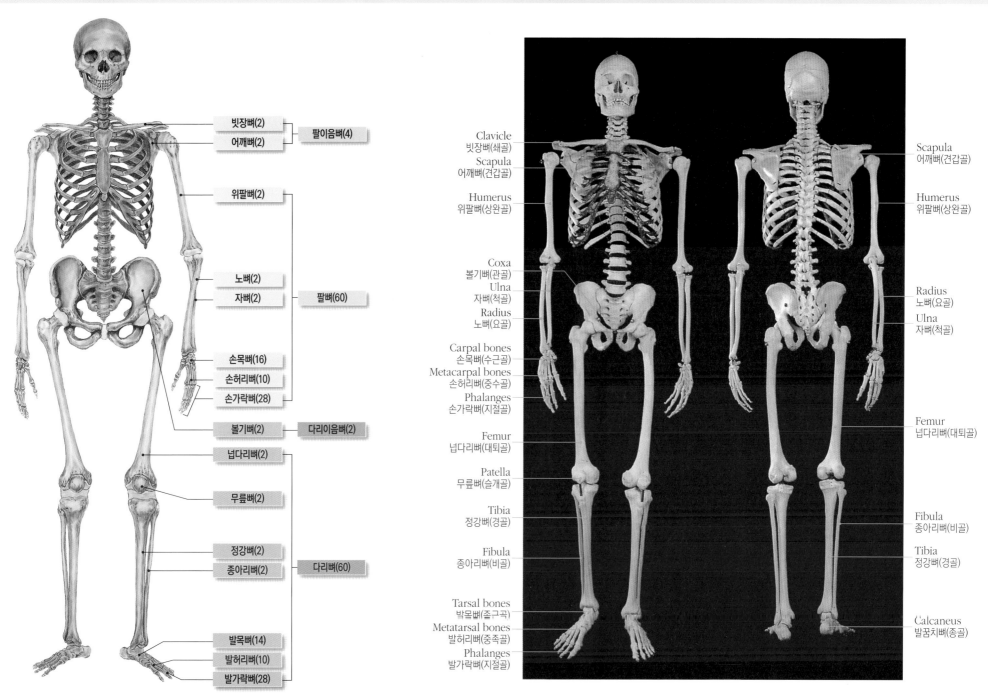

빗장뼈(2)
어깨뼈(2)] 팔이음뼈(4)

위팔뼈(2)

노뼈(2)
자뼈(2)] 팔뼈(60)

손목뼈(16)
손허리뼈(10)
손가락뼈(28)

볼기뼈(2)] 다리이음뼈(2)

넙다리뼈(2)

무릎뼈(2)

정강뼈(2)
종아리뼈(2)] 다리뼈(60)

발목뼈(14)
발허리뼈(10)
발가락뼈(28)

Clavicle
빗장뼈(쇄골)
Scapula
어깨뼈(견갑골)
Humerus
위팔뼈(상완골)

Coxa
볼기뼈(관골)
Ulna
자뼈(척골)
Radius
노뼈(요골)

Carpal bones
손목뼈(수근골)
Metacarpal bones
손허리뼈(중수골)
Phalanges
손가락뼈(지절골)

Femur
넙다리뼈(대퇴골)

Patella
무릎뼈(슬개골)

Tibia
정강뼈(경골)

Fibula
종아리뼈(비골)

Tarsal bones
발목뼈(족근골)
Metatarsal bones
발허리뼈(중족골)
Phalanges
발가락뼈(지절골)

Scapula
어깨뼈(견갑골)

Humerus
위팔뼈(상완골)

Radius
노뼈(요골)
Ulna
자뼈(척골)

Femur
넙다리뼈(대퇴골)

Fibula
종아리뼈(비골)
Tibia
정강뼈(경골)

Calcaneus
발꿈치뼈(종골)

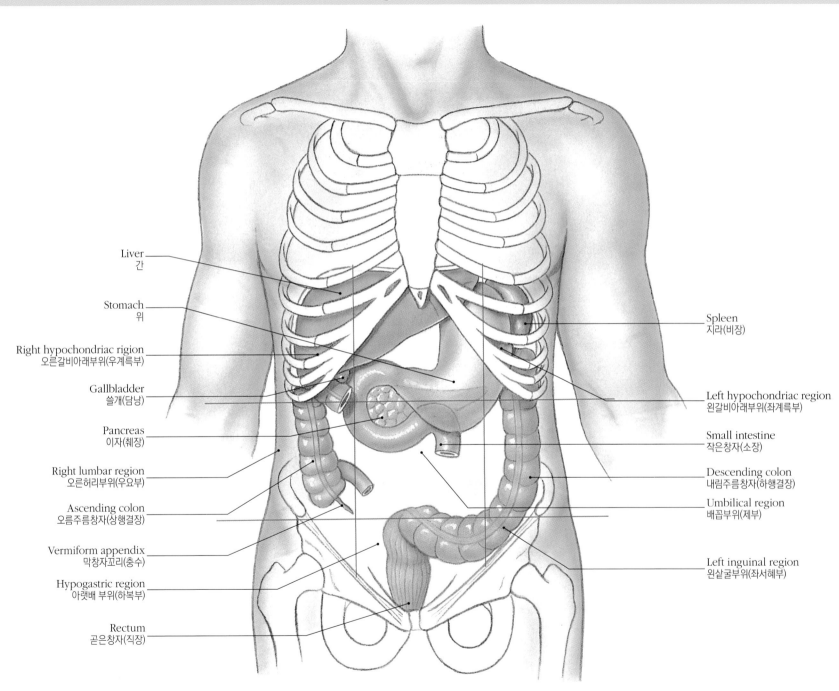

Liver
간

Stomach
위

Right hypochondriac rigion
오른갈비아래부위(우계륵부)

Gallbladder
쓸개(담낭)

Pancreas
이자(췌장)

Right lumbar region
오른허리부위(우요부)

Ascending colon
오름주름창자(상행결장)

Vermiform appendix
막창자꼬리(충수)

Hypogastric region
아랫배 부위(하복부)

Rectum
곧은창자(직장)

Spleen
지라(비장)

Left hypochondriac region
왼갈비아래부위(좌계륵부)

Small intestine
작은창자(소장)

Descending colon
내림주름창자(하행결장)

Umbilical region
배꼽부위(제부)

Left inguinal region
왼샅굴부위(좌서혜부)

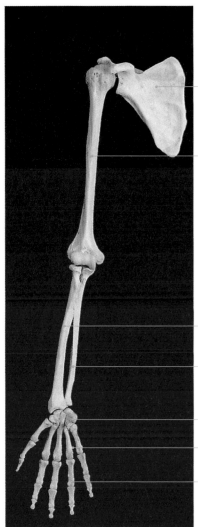

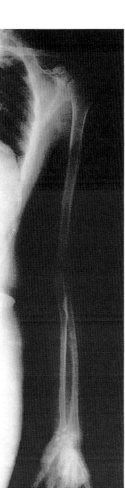

Scapula
어깨뼈(견갑골)

Humerus
위팔뼈(상완골)

Radius
노뼈(요골)

Ulna
자뼈(척골)

Carpal bone
손목뼈(수근골)

Metacarpal bone
손허리뼈(중수골)

Phalanges
손가락뼈(지절골)

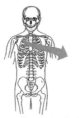

Facet for articulation
with sternum
복장뼈(흉골)의 관절면

Sternal end
복장뼈끝(흉골단)

Sternal end(medial)
안쪽 복장뼈끝
(내측 흉골단)

Costal tuberosity
갈비뼈 거친면(늑골조면)

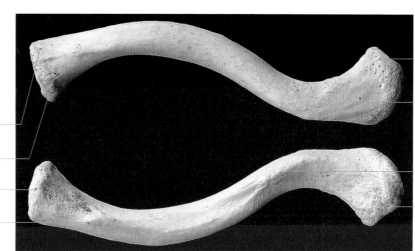

Facet for articulation
with acromion
어깨봉우리(견봉)의
관절면

Acromial end
어깨봉우리끝(견봉단)

Conoid tubercle
원뿔인대결절
(원추인대결절)

Acromial end(lateral)
가쪽 어깨봉우리끝
(외측 견봉단)

빗장뼈(쇄골, Clavicle)

1. 팔이음뼈(상지대, Shoulder girdle)

① 빗장뼈(쇄골, Clavicle)······긴 S자 모양으로 안쪽으로는 SC관절(Sternoclavicular joint), 가쪽으로는 AC관절(Acromioclavicular joint)을 형성하며, S자의 굽이는 팔의 충격을 완충시키는 작용을 한다.

② 어깨뼈(견갑골, Scapula)······삼각형의 납작한 뼈로 가슴우리 뒷벽 제2-7갈비뼈 사이에 위치하며, 3각(Angle)과 3모서리(Border)로 구성되어 있으며, 빗장뼈 및 위팔뼈와 연결되어 있다.

2. 팔뼈

① 위팔뼈(상완골, Humerus)······위팔을 이루는 긴 뼈로 신장의 약 1/5 정도이며, 몸쪽끝은 어깨뼈의 관절오목(Glenoid fossa)에 관절하며 먼쪽끝은 두 개의 관절융기로 안쪽관절융기(Medial condyle)는 자뼈(Ulna)와 관절을 이루며, 가쪽관절융기(Lateral condyle)는 노뼈머리(Radial head)와 관절한다.

② 자뼈(척골, Ulna)······아래팔의 두 뼈 가운데 안쪽에 있으며, 몸쪽끝은 팔꿈치머리(Olecranon)와 앞쪽의 갈고리돌기(Coronoid process)가 있으며, 먼쪽끝에는 원추모양으로 돌출된 붓돌기(Styloid process)가 있다.

③ 노뼈(요골, Radius)······아래팔의 가쪽에 있는 뼈로 자뼈보다 짧고 아래쪽이 넓으며, 노뼈 거친면(Radial tuberosity)은 위팔두갈래근(Biceps brachii)의 닿는 부위가 되며, 먼쪽끝에는 노뼈의 붓돌기(Styloid process of radius)가 있다.

④ 손목뼈(수근골, Carpals)······손목을 만드는 8개의 작은 뼈로 이루어졌으며, 각각 4개씩 몸쪽부위, 먼쪽부위로 배열되어 있다.

⑤ 손허리뼈(중수골, Metacarpals)······손허리뼈는 5개의 작은 긴뼈로 가쪽에서 안쪽으로 번호가 붙여진 손의 골성 구조를 형성한다.

⑥ 손가락뼈(지절골, Phalanges)······손가락뼈는 14개의 작은 긴뼈로 엄지 및 기타 손가락을 형성하여, 엄지는 손가락뼈가 2개, 나머지는 3개이며, 3개의 뼈 중 몸쪽끝에서부터 첫마디뼈(Proximal phalanx), 가운데 뼈를 중간마디뼈(Middle phalanx), 가장 먼쪽끝의 뼈를 끝마디뼈(Distal phalanx)라 한다.

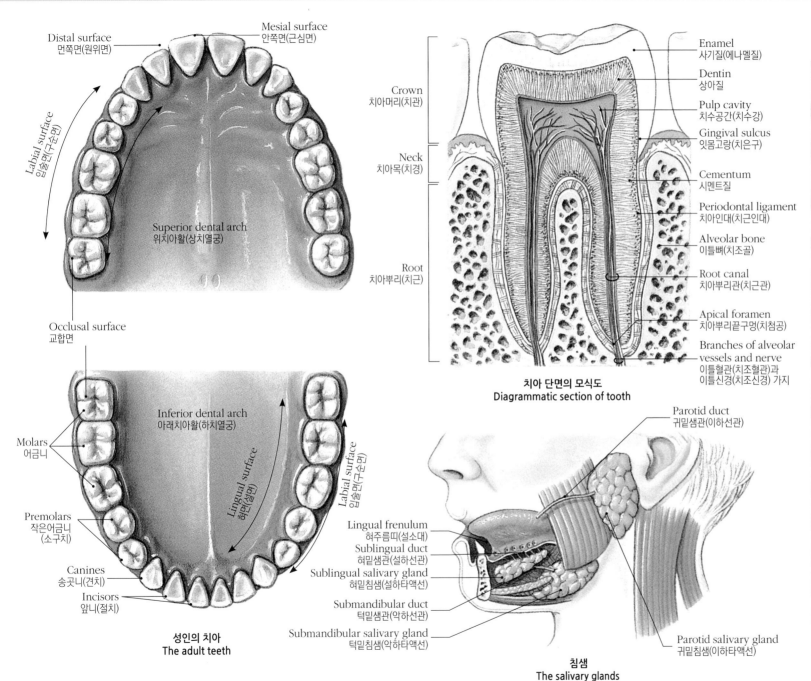

Distal surface
먼쪽면(원위면)

Mesial surface
안쪽면(근심면)

Labial surface
입술면(구순면)

Superior dental arch
위치아활(상치열궁)

Occlusal surface
교합면

성인의 치아
The adult teeth

Molars
어금니

Premolars
작은어금니
(소구치)

Canines
송곳니(견치)

Incisors
앞니(절치)

Inferior dental arch
아래치아활(하치열궁)

Lingual surface
하면(설면)

Labial surface
입술면(구순면)

Crown
치아머리(치관)

Neck
치아목(치경)

Root
치아뿌리(치근)

Enamel
사기질(에나멜질)

Dentin
상아질

Pulp cavity
치수공간(치수강)

Gingival sulcus
잇몸고랑(치은구)

Cementum
시멘트질

Periodontal ligament
치아인대(치근인대)

Alveolar bone
이틀뼈(치조골)

Root canal
치아뿌리관(치근관)

Apical foramen
치아뿌리끝구멍(치첨공)

Branches of alveolar
vessels and nerve
이틀혈관(치조혈관)과
이틀신경(치조신경) 가지

치아 단면의 모식도
Diagrammatic section of tooth

Parotid duct
귀밑샘관(이하선관)

Lingual frenulum
혀주름띠(설소대)

Sublingual duct
혀밑샘관(설하선관)

Sublingual salivary gland
혀밑침샘(설하타액선)

Submandibular duct
턱밑샘관(악하선관)

Submandibular salivary gland
턱밑침샘(악하타액선)

Parotid salivary gland
귀밑침샘(이하타액선)

침샘
The salivary glands

3. 치아(Teeth)

위턱뼈와 아래턱뼈의 이틀(Dental alveolus)에 이의 뿌리 부분이 박혀있어 이틀관절(Gomphosis)을 형성한다.

치아는 유치(Deciduous teeth)와 영구치(Permanent teeth)의 두 종류로 나누며, 각각 20개와 32개이다.

위턱치아(Maxillary teeth)는 위턱뼈에, 아래턱치아(Mandibular teeth)는 아래턱뼈에 각각 박혀있으며, 그 모양에 따라 다음과 같이 구분한다.

-앞니(Incisor) ………… 8
-송곳니(Canine) ………… 4
-작은어금니(Premolar) … 8
-큰어금니(Molar) ………… 12

4. 침샘(Salivary gland)

구강으로 분비물을 배출하는 분비선을 통틀어 침샘선(타액선, Salivary gland)이라 하며, 주요 침샘으로는 귀밑샘(이하선, Parotid gland), 턱밑샘(악하선, Submandibular gland) 혀밑샘(설하선, Sublingual gland)이 있다.

① 귀밑샘(Parotid gland)……바깥귀의 앞쪽 아래에 위치하는 가장 큰 침샘으로, 맑은 액체인 장액성 침을 분비한다. 귀밑샘에 염증이 생기면 귀밑샘염 혹은 볼거리(Mumps)라 한다.

② 턱밑샘(Submandibular gland)…… 하악골 밑에 위치하는 혼합샘(Mixed gland)이며, 끈적끈적한 액체를 분비한다.

③ 혀밑샘(Sublingual gland)…… 혀 양쪽의 점막 아래에 위치하며, 점액이 많은 혼합성 분비물을 분비한다.

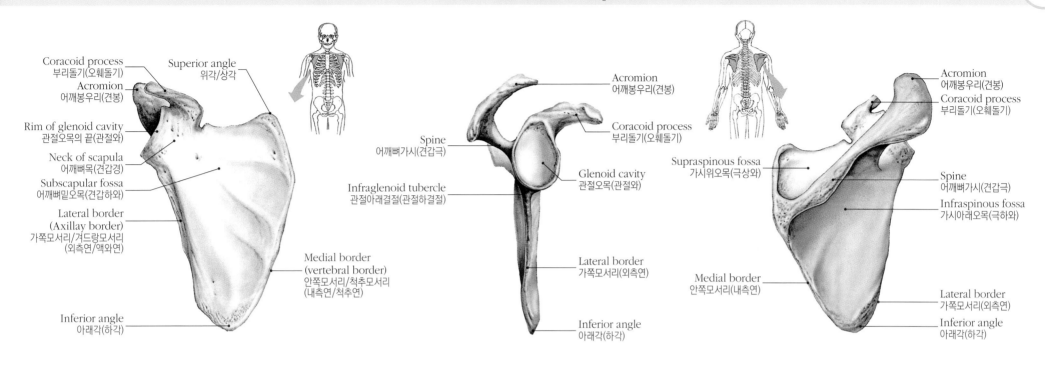

Coracoid process
부리돌기(오훼돌기)

Acromion
어깨봉우리(견봉)

Superior angle
위각/상각

Rim of glenoid cavity
관절오목의 끝(관절와)

Neck of scapula
어깨뼈목(견갑경)

Subscapular fossa
어깨뼈밑오목(견갑하와)

Lateral border
(Axillay border)
가쪽모서리/겨드랑모서리
(외측연/액와연)

Medial border
(vertebral border)
안쪽모서리/척추모서리
(내측연/척추연)

Inferior angle
아래각(하각)

Acromion
어깨봉우리(견봉)

Coracoid process
부리돌기(오훼돌기)

Spine
어깨뼈가시(견갑극)

Glenoid cavity
관절오목(관절와)

Infraglenoid tubercle
관절아래결절(관절하결절)

Lateral border
가쪽모서리(외측연)

Inferior angle
아래각(하각)

Acromion
어깨봉우리(견봉)

Coracoid process
부리돌기(오훼돌기)

Supraspinous fossa
가시위오목(극상와)

Spine
어깨뼈가시(견갑극)

Infraspinous fossa
가시아래오목(극하와)

Medial border
안쪽모서리(내측연)

Lateral border
가쪽모서리(외측연)

Inferior angle
아래각(하각)

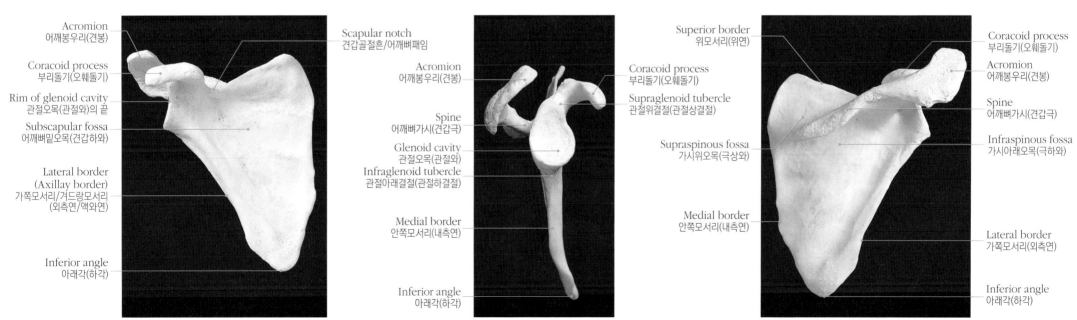

Acromion
어깨봉우리(견봉)

Scapular notch
견갑골절흔/어깨뼈패임

Coracoid process
부리돌기(오훼돌기)

Rim of glenoid cavity
관절오목(관절와)의 끝

Subscapular fossa
어깨뼈밑오목(견갑하와)

Lateral border
(Axillay border)
가쪽모서리/겨드랑모서리
(외측연/액와연)

Inferior angle
아래각(하각)

Acromion
어깨봉우리(견봉)

Spine
어깨뼈가시(견갑극)

Glenoid cavity
관절오목(관절와)

Infraglenoid tubercle
관절아래결절(관절하결절)

Medial border
안쪽모서리(내측연)

Inferior angle
아래각(하각)

Coracoid process
부리돌기(오훼돌기)

Supraglenoid tubercle
관절위결절(관절상결절)

Superior border
위모서리(위연)

Coracoid process
부리돌기(오훼돌기)

Acromion
어깨봉우리(견봉)

Spine
어깨뼈가시(견갑극)

Infraspinous fossa
가시아래오목(극하와)

Supraspinous fossa
가시위오목(극상와)

Medial border
안쪽모서리(내측연)

Lateral border
가쪽모서리(외측연)

Inferior angle
아래각(하각)

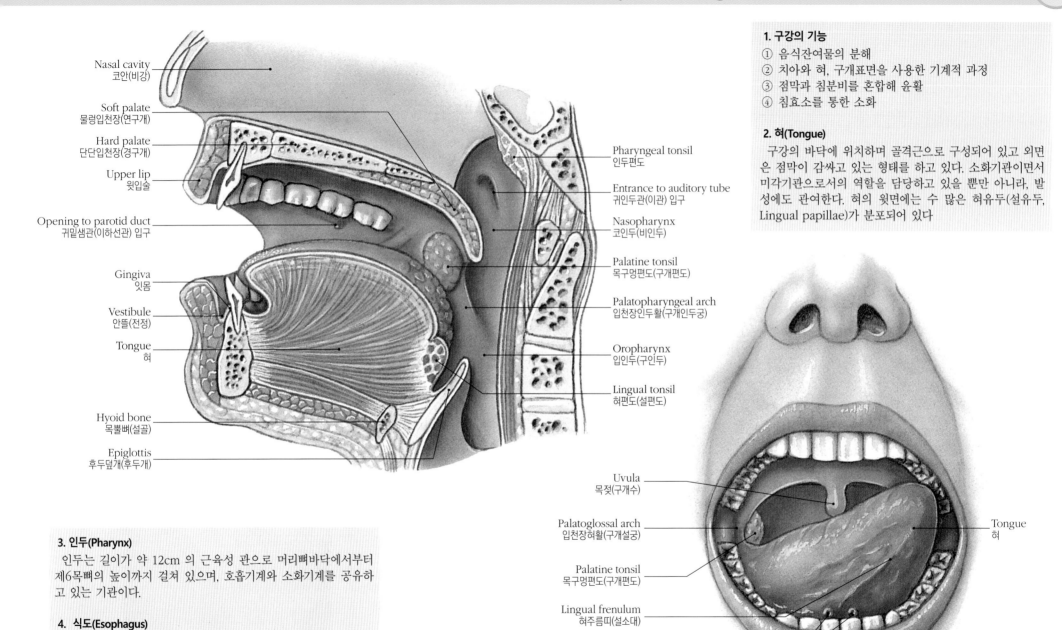

Nasal cavity
코안(비강)

Soft palate
물렁입천장(연구개)

Hard palate
단단입천장(경구개)

Upper lip
윗입술

Opening to parotid duct
귀밑샘관(이하선관) 입구

Gingiva
잇몸

Vestibule
안뜰(전정)

Tongue
혀

Hyoid bone
목뿔뼈(설골)

Epiglottis
후두덮개(후두개)

Pharyngeal tonsil
인두편도

Entrance to auditory tube
귀인두관(이관) 입구

Nasopharynx
코인두(비인두)

Palatine tonsil
목구멍편도(구개편도)

Palatopharyngeal arch
입천장인두활(구개인두궁)

Oropharynx
입인두(구인두)

Lingual tonsil
혀편도(설편도)

1. 구강의 기능
① 음식잔여물의 분해
② 치아와 혀, 구개표면을 사용한 기계적 과정
③ 점막과 침분비를 혼합해 윤활
④ 침효소를 통한 소화

2. 혀(Tongue)
　구강의 바닥에 위치하며 골격근으로 구성되어 있고 외면
은 점막이 감싸고 있는 형태를 하고 있다. 소화기관이면서
미각기관으로서의 역할을 담당하고 있을 뿐만 아니라, 발
성에도 관여한다. 혀의 윗면에는 수 많은 혀유두(설유두,
Lingual papillae)가 분포되어 있다

Uvula
목젖(구개수)

Palatoglossal arch
입천장혀활(구개설궁)

Palatine tonsil
목구멍편도(구개편도)

Lingual frenulum
혀주름띠(설소대)

Opening of
submandibular ducts
턱밑샘관(악하선관)의 입구

Tongue
혀

3. 인두(Pharynx)
　인두는 길이가 약 12cm 의 근육성 관으로 머리뼈바닥에서부터
제6목뼈의 높이까지 걸쳐 있으며, 호흡기계와 소화기계를 공유하
고 있는 기관이다.

4. 식도(Esophagus)
　가슴공간 안에 위치하며 위로는 인두와 아래로는 위(Stomach)
와 연결되는 길이 약 25cm 정도의 근육층으로 된 관으로, 음식
을 위로 운반하는 역할을 하고 있다.

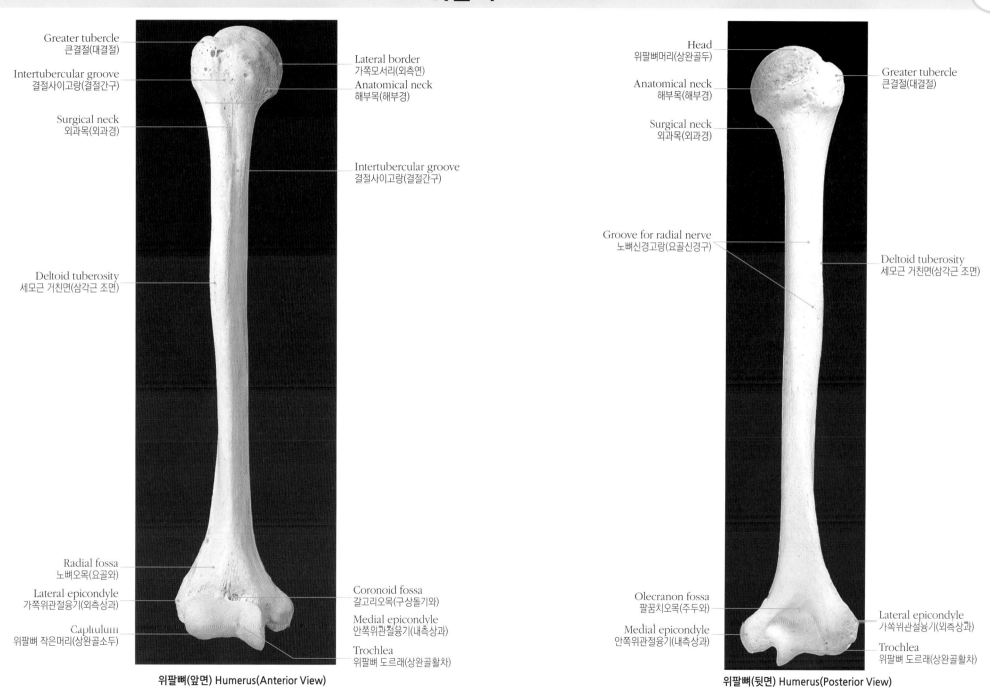

Greater tubercle
큰결절(대결절)

Intertubercular groove
결절사이고랑(결절간구)

Surgical neck
외과목(외과경)

Deltoid tuberosity
세모근 거친면(삼각근 조면)

Radial fossa
노뼈오목(요골와)

Lateral epicondyle
가쪽위관절융기(외측상과)

Capitulum
위팔뼈 작은머리(상완골소두)

Lateral border
가쪽모서리(외측연)

Anatomical neck
해부목(해부경)

Intertubercular groove
결절사이고랑(결절간구)

Coronoid fossa
갈고리오목(구상돌기와)

Medial epicondyle
안쪽위관절융기(내측상과)

Trochlea
위팔뼈 도르래(상완골활차)

위팔뼈(앞면) Humerus(Anterior View)

Head
위팔뼈머리(상완골두)

Anatomical neck
해부목(해부경)

Surgical neck
외과목(외과경)

Groove for radial nerve
노뼈신경고랑(요골신경구)

Greater tubercle
큰결절(대결절)

Deltoid tuberosity
세모근 거친면(삼각근 조면)

Olecranon fossa
팔꿈치오목(주두와)

Medial epicondyle
안쪽위관절융기(내측상과)

Lateral epicondyle
가쪽위관절융기(외측상과)

Trochlea
위팔뼈 도르래(상완골활차)

위팔뼈(뒷면) Humerus(Posterior View)

9-01. 소화기계통의 구성요소 Components of Digestive System

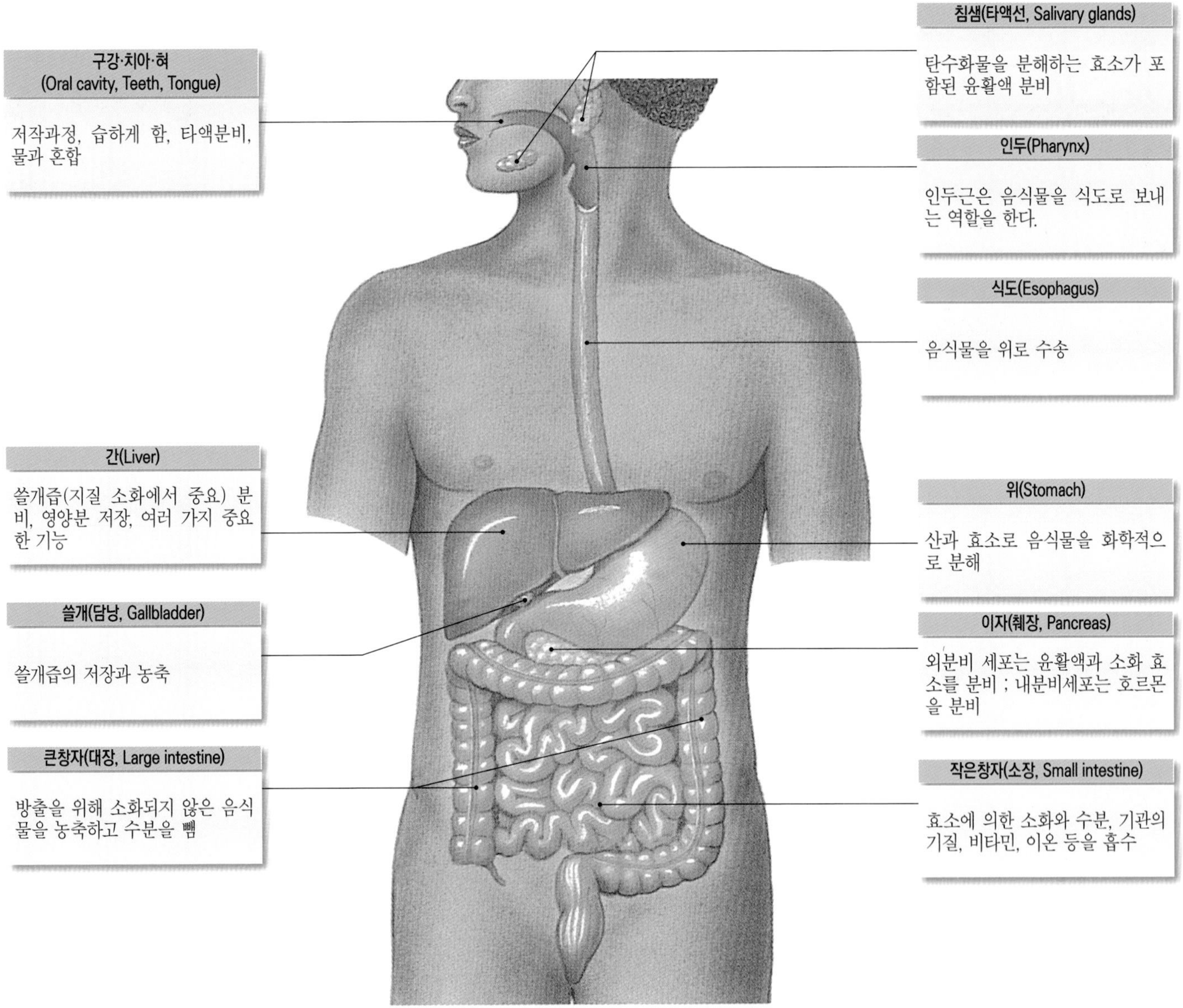

구강·치아·혀 (Oral cavity, Teeth, Tongue)
저작과정, 습하게 함, 타액분비, 물과 혼합
침샘(타액선, Salivary glands)
탄수화물을 분해하는 효소가 포함된 윤활액 분비
인두(Pharynx)
인두근은 음식물을 식도로 보내는 역할을 한다.
식도(Esophagus)
음식물을 위로 수송
간(Liver)
쓸개즙(지질 소화에서 중요) 분비, 영양분 저장, 여러 가지 중요한 기능
위(Stomach)
산과 효소로 음식물을 화학적으로 분해
쓸개(담낭, Gallbladder)
쓸개즙의 저장과 농축
이자(췌장, Pancreas)
외분비 세포는 윤활액과 소화 효소를 분비 ; 내분비세포는 호르몬을 분비
큰창자(대장, Large intestine)
방출을 위해 소화되지 않은 음식물을 농축하고 수분을 뺌
작은창자(소장, Small intestine)
효소에 의한 소화와 수분, 기관의 기질, 비타민, 이온 등을 흡수

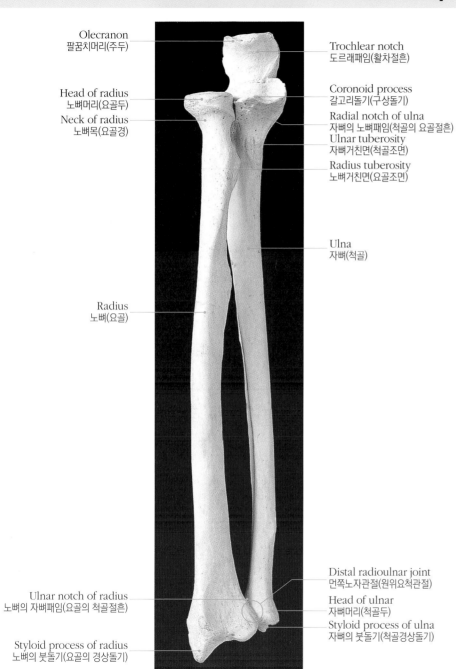

Olecranon
팔꿈치머리(주두)

Trochlear notch
도르래패임(활차절흔)

Head of radius
노뼈머리(요골두)

Coronoid process
갈고리돌기(구상돌기)

Neck of radius
노뼈목(요골경)

Radial notch of ulna
자뼈의 노뼈패임(척골의 요골절흔)

Ulnar tuberosity
자뼈거친면(척골조면)

Radius tuberosity
노뼈거친면(요골조면)

Ulna
자뼈(척골)

Radius
노뼈(요골)

Distal radioulnar joint
먼쪽노자관절(원위요척관절)

Head of ulnar
자뼈머리(척골두)

Styloid process of ulna
자뼈의 붓돌기(척골경상돌기)

Ulnar notch of radius
노뼈의 자뼈패임(요골의 척골절흔)

Styloid process of radius
노뼈의 붓돌기(요골의 경상돌기)

노뼈와 자뼈(앞면) Radius and Ulna(Anterior View)

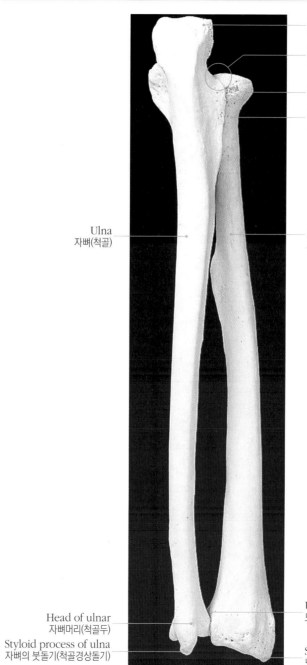

Olecranon
팔꿈치머리(주두)

Proximal radioulnar joint
몸쪽노자관절(근위요척관절)

Head of radius
노뼈머리(요골두)

Neck of radius
노뼈목(요골경)

Ulna
자뼈(척골)

Radius
노뼈(요골)

Head of ulnar
자뼈머리(척골두)

Styloid process of ulna
자뼈의 붓돌기(척골경상돌기)

Ulnar notch of radius
노뼈의 자뼈패임(요골의 척골절흔)

Styloid process of radius
노뼈의 붓돌기(요골의 경상돌기)

노뼈와 자뼈(뒷면) Radius and Ulna(Posterior View)

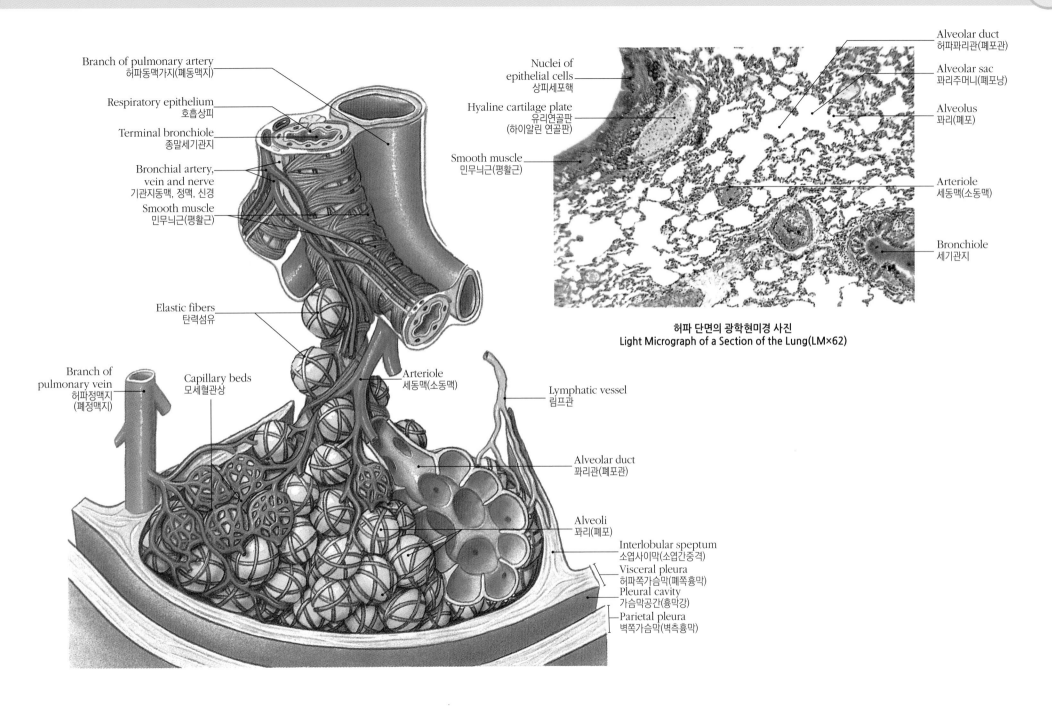

Branch of pulmonary artery
허파동맥가지(폐동맥지)

Respiratory epithelium
호흡상피

Terminal bronchiole
종말세기관지

Bronchial artery,
vein and nerve
기관지동맥, 정맥, 신경

Smooth muscle
민무늬근(평활근)

Elastic fibers
탄력섬유

Branch of
pulmonary vein
허파정맥지
(폐정맥지)

Capillary beds
모세혈관상

Arteriole
세동맥(소동맥)

Lymphatic vessel
림프관

Alveolar duct
꽈리관(폐포관)

Alveoli
꽈리(폐포)

Interlobular speptum
소엽사이막(소엽간중격)

Visceral pleura
허파쪽가슴막(폐쪽흉막)

Pleural cavity
가슴막공간(흉막강)

Parietal pleura
벽쪽가슴막(벽측흉막)

Nuclei of
epithelial cells
상피세포핵

Hyaline cartilage plate
유리연골판
(하이알린 연골판)

Smooth muscle
민무늬근(평활근)

Alveolar duct
허파꽈리관(폐포관)

Alveolar sac
꽈리주머니(폐포낭)

Alveolus
꽈리(폐포)

Arteriole
세동맥(소동맥)

Bronchiole
세기관지

허파 단면의 광학현미경 사진
Light Micrograph of a Section of the Lung(LM×62)

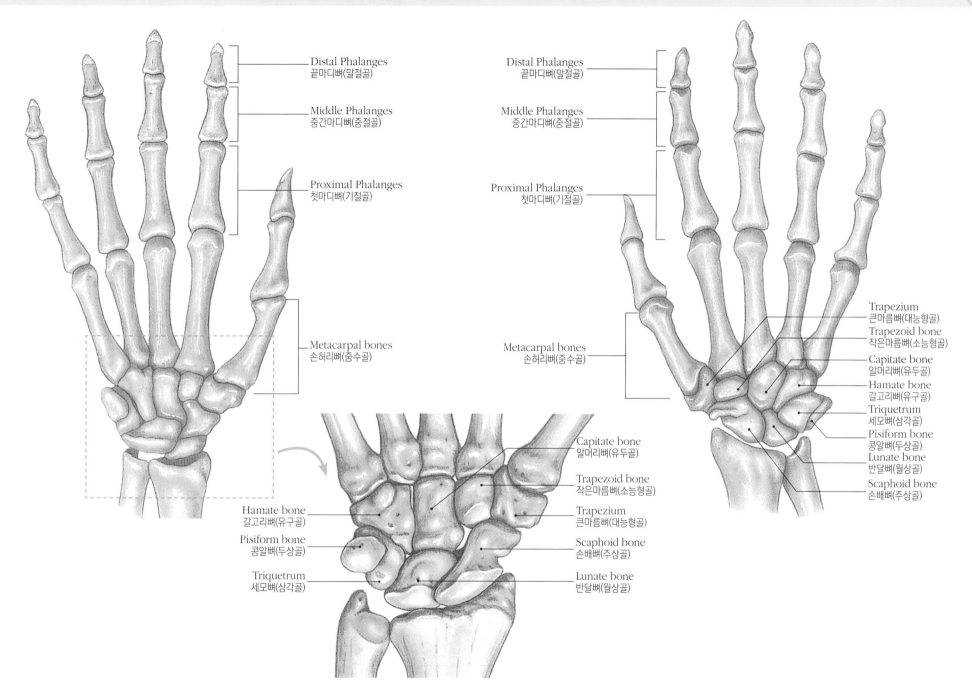

Distal Phalanges
끝마디뼈(말절골)

Middle Phalanges
중간마디뼈(중절골)

Proximal Phalanges
첫마디뼈(기절골)

Metacarpal bones
손허리뼈(중수골)

Distal Phalanges
끝마디뼈(말절골)

Middle Phalanges
중간마디뼈(중절골)

Proximal Phalanges
첫마디뼈(기절골)

Metacarpal bones
손허리뼈(중수골)

Trapezium
큰마름뼈(대능형골)

Trapezoid bone
작은마름뼈(소능형골)

Capitate bone
알머리뼈(유두골)

Hamate bone
갈고리뼈(유구골)

Triquetrum
세모뼈(삼각골)

Pisiform bone
콩알뼈(두상골)

Lunate bone
반달뼈(월상골)

Scaphoid bone
손배뼈(주상골)

Capitate bone
알머리뼈(유두골)

Trapezoid bone
작은마름뼈(소능형골)

Trapezium
큰마름뼈(대능형골)

Scaphoid bone
손배뼈(주상골)

Lunate bone
반달뼈(월상골)

Hamate bone
갈고리뼈(유구골)

Pisiform bone
콩알뼈(두상골)

Triquetrum
세모뼈(삼각골)

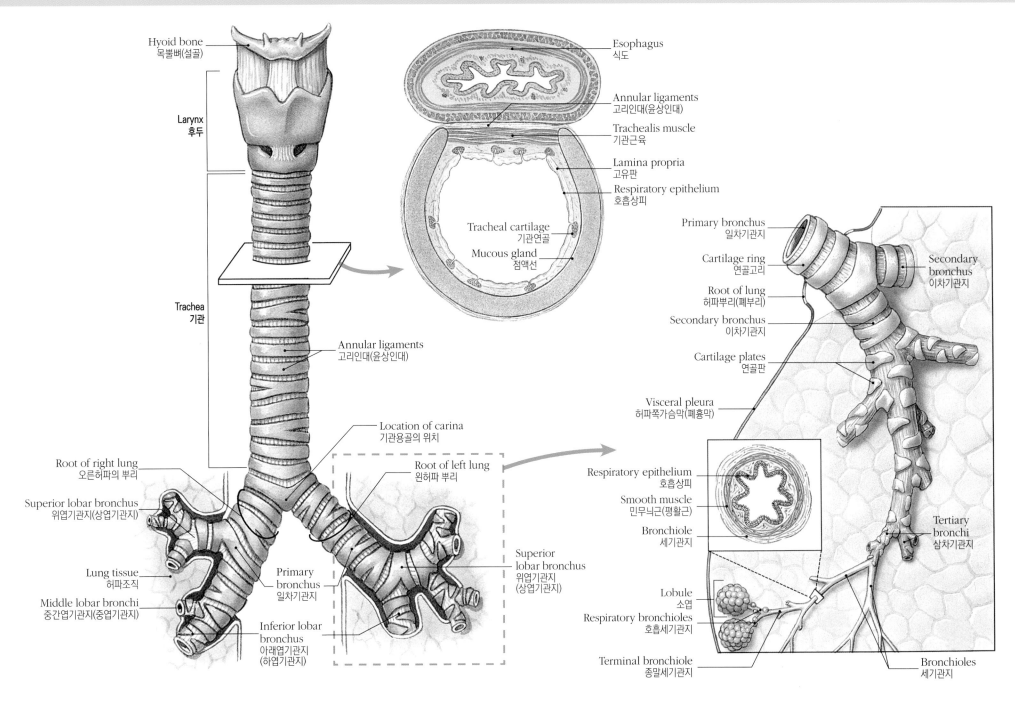

Hyoid bone
목뿔뼈(설골)

Larynx
후두

Trachea
기관

Esophagus
식도

Annular ligaments
고리인대(윤상인대)

Trachealis muscle
기관근육

Lamina propria
고유판

Respiratory epithelium
호흡상피

Tracheal cartilage
기관연골

Mucous gland
점액선

Primary bronchus
일차기관지

Cartilage ring
연골고리

Root of lung
허파뿌리(폐부리)

Secondary bronchus
이차기관지

Secondary bronchus
이차기관지

Cartilage plates
연골판

Visceral pleura
허파쪽가슴막(폐흉막)

Annular ligaments
고리인대(윤상인대)

Location of carina
기관용골의 위치

Root of left lung
왼허파 뿌리

Root of right lung
오른허파의 뿌리

Superior lobar bronchus
위엽기관지(상엽기관지)

Lung tissue
허파조직

Middle lobar bronchi
중간엽기관지(중엽기관지)

Primary bronchus
일차기관지

Inferior lobar bronchus
아래엽기관지(하엽기관지)

Superior lobar bronchus
위엽기관지(상엽기관지)

Respiratory epithelium
호흡상피

Smooth muscle
민무늬근(평활근)

Bronchiole
세기관지

Tertiary bronchi
삼차기관지

Lobule
소엽

Respiratory bronchioles
호흡세기관지

Terminal bronchiole
종말세기관지

Bronchioles
세기관지

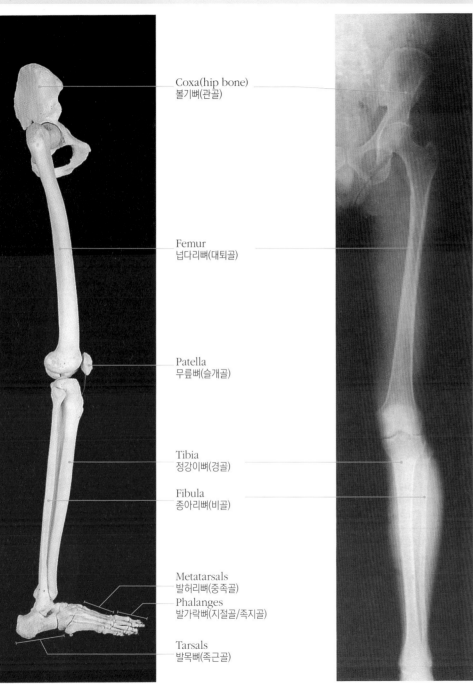

Coxa(hip bone)
볼기뼈(관골)

Femur
넙다리뼈(대퇴골)

Patella
무릎뼈(슬개골)

Tibia
정강이뼈(경골)

Fibula
종아리뼈(비골)

Metatarsals
발허리뼈(중족골)

Phalanges
발가락뼈(지절골/족지골)

Tarsals
발목뼈(족근골)

다리이음뼈와 다리의 뼈

① 볼기뼈(관골, Hip bone)……볼기뼈는 크고 불규칙한 뼈로 엉덩뼈(Ilium), 궁둥뼈(Ischium), 두덩뼈(Pubis)가 하나로 융합된 것이며, 볼기뼈절구(Acetabulum)를 형성하여 넙다리관절(Hip joint)을 이룬다.

② 넙다리뼈(대퇴골, Femur)……넙다리뼈는 인체에서 가장 길고 강한 뼈이며, 골반뼈의 몸쪽끝과 연결되어 있으며 정강뼈의 먼쪽끝과 연결된다. 둥근 넙다리뼈머리는 볼기뼈절구의 골반뼈와 연결되어 있다.

③ 무릎뼈(슬개골, Patella)……무릎관절 중앙에 있는 삼각형 모양의 뼈

④ 정강이뼈(경골, Tibia)……정강이 중앙의 큰 뼈로 다리 무게의 주요 부분을 차지한다.

⑤ 종아리뼈(비골, Fibula)……가쪽 정강뼈와 평행하며, 정강뼈보다 작다.

⑥ 발목뼈(족근골, Tarsals)……발목을 구성하는 7개의 뼈

⑦ 발허리뼈(중족골, Metatarsals)……발등을 형성하는 뼈. 가쪽으로부터 I부터 V까지 번호가 붙는다.

⑧ 발가락뼈(지절골/족지골, Phalanges)……발가락을 형성하는 14개의 작은 뼈. 엄지발가락(2개)을 제외한 각 발가락은 3개의 발가락뼈를 가진다.

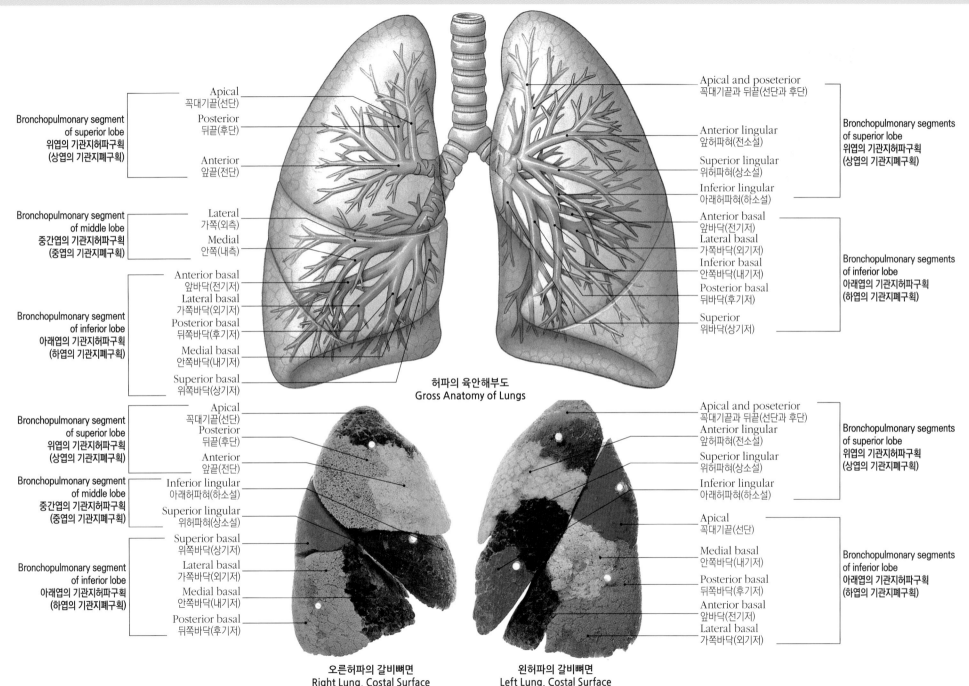

Bronchopulmonary segment
of superior lobe
위엽의 기관지허파구획
(상엽의 기관지폐구획)

Apical
꼭대기끝(선단)
Posterior
뒤끝(후단)
Anterior
앞끝(전단)

Bronchopulmonary segment
of middle lobe
중간엽의 기관지허파구획
(중엽의 기관지폐구획)

Lateral
가쪽(외측)
Medial
안쪽(내측)

Bronchopulmonary segment
of inferior lobe
아래엽의 기관지허파구획
(하엽의 기관지폐구획)

Anterior basal
앞바닥(전기저)
Lateral basal
가쪽바닥(외기저)
Posterior basal
뒤쪽바닥(후기저)
Medial basal
안쪽바닥(내기저)
Superior basal
위쪽바닥(상기저)

Apical and poseterior
꼭대기끝과 뒤끝(선단과 후단)

Anterior lingular
앞허파혀(전소설)
Superior lingular
위허파혀(상소설)
Inferior lingular
아래허파혀(하소설)

Bronchopulmonary segments
of superior lobe
위엽의 기관지허파구획
(상엽의 기관지폐구획)

Anterior basal
앞바닥(전기저)
Lateral basal
가쪽바닥(외기저)
Inferior basal
안쪽바닥(내기저)
Posterior basal
뒤바닥(후기저)
Superior
위바닥(상기저)

Bronchopulmonary segments
of inferior lobe
아래엽의 기관지허파구획
(하엽의 기관지폐구획)

허파의 육안해부도
Gross Anatomy of Lungs

Bronchopulmonary segment
of superior lobe
위엽의 기관지허파구획
(상엽의 기관지폐구획)

Apical
꼭대기끝(선단)
Posterior
뒤끝(후단)
Anterior
앞끝(전단)

Bronchopulmonary segment
of middle lobe
중간엽의 기관지허파구획
(중엽의 기관지폐구획)

Inferior lingular
아래허파혀(하소설)
Superior lingular
위허파혀(상소설)

Bronchopulmonary segment
of inferior lobe
아래엽의 기관지허파구획
(하엽의 기관지폐구획)

Superior basal
위쪽바닥(상기저)
Lateral basal
가쪽바닥(외기저)
Medial basal
안쪽바닥(내기저)
Posterior basal
뒤쪽바닥(후기저)

Apical and poseterior
꼭대기끝과 뒤끝(선단과 후단)
Anterior lingular
앞허파혀(전소설)
Superior lingular
위허파혀(상소설)
Inferior lingular
아래허파혀(하소설)

Bronchopulmonary segments
of superior lobe
위엽의 기관지허파구획
(상엽의 기관지폐구획)

Apical
꼭대기끝(선단)

Medial basal
안쪽바닥(내기저)

Posterior basal
뒤쪽바닥(후기저)

Anterior basal
앞바닥(전기저)

Lateral basal
가쪽바닥(외기저)

Bronchopulmonary segments
of inferior lobe
아래엽의 기관지허파구획
(하엽의 기관지폐구획)

오른허파의 갈비뼈면
Right Lung, Costal Surface

왼허파의 갈비뼈면
Left Lung, Costal Surface

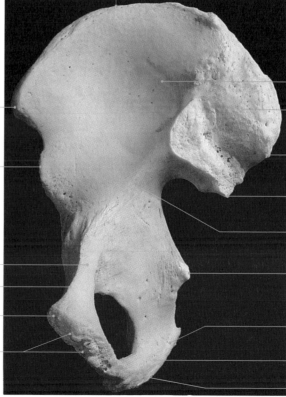

Iliac crest
엉덩뼈능선(장골릉)

Anterior gluteal line
앞볼기근선(전둔근선)

Anterior superior iliac spine
위앞엉덩뼈가시(상전장골극)

Posterior gluteal line
뒤볼기근선(후둔근선)

Posterior superior
iliac spine
위뒤엉덩뼈가시(상후장골극)

Anterior inferior iliac spine
아래앞엉덩뼈가시(하전장골극)

Posterior inferion
iliac spine
아래뒤엉덩뼈가시(하후장골극)

Lunate surface of acetabulum
볼기뼈절구의 반달면(관골월상면)

Greater sciatic notch
큰궁둥뼈패임(대좌골절흔)

Acetabular fossa
볼기뼈오목(관골와)

Ischial spine
궁둥뼈가시(좌골극)

Acetabulum
볼기뼈절구(관골구)

Lesser sciatic notch
작은궁둥뼈패임(소좌골절흔)

Pubic tubercle
두덩뼈결절(치골결절)

Obturator foramen
폐쇄구멍(폐쇄공)

Inferior ramus of pubis
두덩뼈아래가지(치골하지)

Ischial tuberosity
궁둥뼈 거친면(좌골조면)

Ischial ramus
궁둥뼈가지(좌골지)

볼기뼈(가쪽) Coxa/Hip Bone(Lateral View)

Iliac crest
장골릉/엉덩뼈능선

Iliac fossa
엉덩뼈오목(장골와)

Anterior superior
iliac spine
위앞엉덩뼈가시
(상전장골극)

Iliac tuberosity
엉덩뼈거친면(장골조면)

Anterior inferior
iliac spine
아래앞엉덩뼈가시
(하전장골극)

Posterior superior
iliac spine
위뒤엉덩뼈가시(상후장골극)

Posterior inferior
iliac spine
아래뒤엉덩뼈가시(하후장골극)

Greater sciatic notch
큰궁둥뼈패임(대좌골절흔)

Superior pubic ramus
두덩뼈위가지(치골상지)

Spine of ischium
궁둥뼈가시(좌골극)

Iliopectineal line
엉덩두덩선(장골치골선)

Pubic tubercle
두덩뼈결절(치골결절)

Ischial tuberosity
궁둥뼈거친면(좌골조면)

Pubic symphysys
두덩결합(치골결합)

Ischial ramus
궁둥뼈가지(좌골지)

Inferior pubic ramus
두덩뼈아래가지(치골하지)

볼기뼈(안쪽) Coxa/Hip Bone(Medial View)

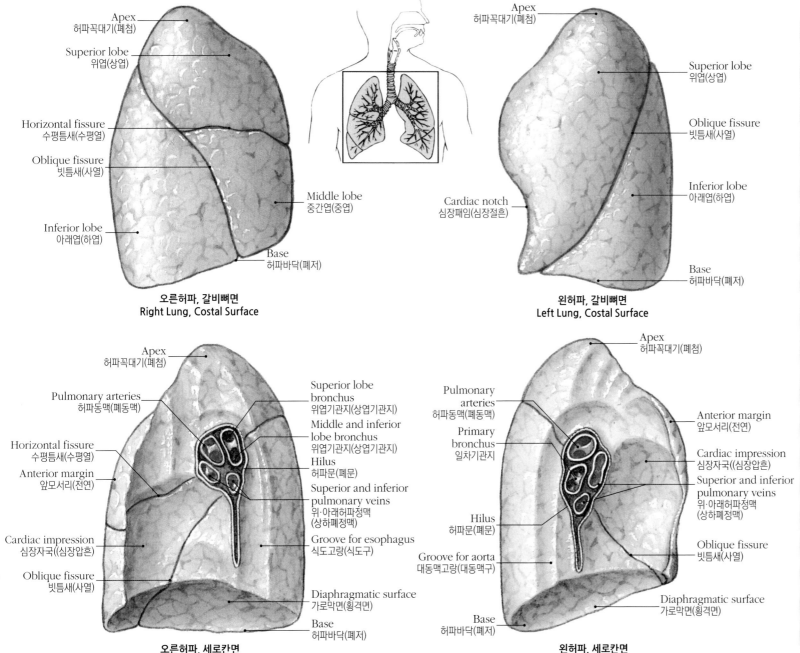

Right Lung, Costal Surface
Apex — 허파꼭대기(폐첨)
Superior lobe — 위엽(상엽)
Horizontal fissure — 수평틈새(수평열)
Oblique fissure — 빗틈새(사열)
Middle lobe — 중간엽(중엽)
Inferior lobe — 아래엽(하엽)
Base — 허파바닥(폐저)
오른허파, 갈비뼈면
Right Lung, Costal Surface

Left Lung, Costal Surface
Apex — 허파꼭대기(폐첨)
Superior lobe — 위엽(상엽)
Oblique fissure — 빗틈새(사열)
Cardiac notch — 심장패임(심장절흔)
Inferior lobe — 아래엽(하엽)
Base — 허파바닥(폐저)
왼허파, 갈비뼈면
Left Lung, Costal Surface

Right Lung, Mediastinal Surface
Apex — 허파꼭대기(폐첨)
Pulmonary arteries — 허파동맥(폐동맥)
Superior lobe bronchus — 위엽기관지(상엽기관지)
Middle and inferior lobe bronchus — 위엽기관지(상엽기관지)
Hilus — 허파문(폐문)
Horizontal fissure — 수평틈새(수평열)
Anterior margin — 앞모서리(전연)
Superior and inferior pulmonary veins — 위·아래허파정맥(상하폐정맥)
Cardiac impression — 심장자국((심장압흔)
Groove for esophagus — 식도고랑(식도구)
Oblique fissure — 빗틈새(사열)
Diaphragmatic surface — 가로막면(횡격면)
Base — 허파바닥(폐저)
오른허파, 세로칸면
Right Lung, Mediastinal Surface

Left Lung, Mediastinal Surface
Apex — 허파꼭대기(폐첨)
Pulmonary arteries — 허파동맥(폐동맥)
Primary bronchus — 일차기관지
Anterior margin — 앞모서리(전연)
Cardiac impression — 심장자국(심장압흔)
Superior and inferior pulmonary veins — 위·아래허파정맥(상하폐정맥)
Hilus — 허파문(폐문)
Groove for aorta — 대동맥고랑(대동맥구)
Oblique fissure — 빗틈새(사열)
Diaphragmatic surface — 가로막면(횡격면)
Base — 허파바닥(폐저)
왼허파, 세로칸면
Left Lung, Mediastinal Surface

1. 허파의 위치

허파는 산소와 이산화탄소를 교환하는 호흡기 계통에서 가장 중요한 기관으로, 가슴공간(흉강, Thoracic cavity) 내에 위치하며, 반원추모양을 하고 있는 한쌍의 기관이다.

2. 허파의 외부구조

허파의 좁은 윗부분을 허파꼭대기(폐첨, Apex of lung), 넓은 아래부분을 허파바닥(폐저, Base of lung)이라 하며, 내측 중앙부에는 허파문(Pulmonary hilus)이 있어 이 곳으로 기관지, 허파동맥, 허파정맥, 기관지동맥, 기관지정맥, 림프관 및 신경 등이 들어온다.

3. 허파구역(Bronchopulmonary segment)

기관지가 허파문으로 들어가면 허파의 각 엽 기관지(Lobar bronchus)로 갈라진 후 왼허파에는 9개의 구획기관지(Segmental bronchus)로, 오른폐에서는 10개의 구획기관지로 갈라진다.

4. 허파의 내부구조

구획기관지는 다시 폐속에서 여러 개의 세기관지가 되며, 세기관지(Bronchus)의 끝은 여러 개의 허파꽈리관(폐포관, Alveolar duct)에 의해 허파꽈리(폐포, Alveolus)와 연결된다. 호흡에 의하여 허파꽈리에 도달한 산소는 허파꽈리의 호흡상피와 모세혈관의 내피세포를 통과하여 혈액속으로 들어가며, 탄산가스는 이와 반대의 경로를 통해 허파꽈리로 배출된다.

5. 허파를 싸는 막(가슴막, pleura)

허파는 얇고 투명한 2겹의 가슴막(흉막)에 의해 둘러 싸여 있으며, 이 사이에 있는 공간에는 가슴막공간(흉막강, Pleural cavity)을 형성하여 가슴막액(Pleural fluid)이 들어 있다.
가슴막액은 호흡에 의해 허파가 움직일 때 벽쪽가슴막과 내장쪽가슴막이 서로 마찰되는 것을 방지하는 역할을 한다.

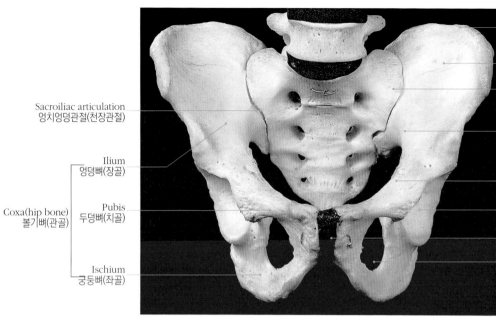

Iliac crest
엉덩뼈능선(장골릉)

Iliac fossa
엉덩뼈오목(장골와)

Sacrum
엉치뼈(천골)

Acruate line
활꼴선(궁상선)

Iliopectineal line
엉덩두덩뼈선(장골치골선)

Acetabulum
볼기뼈절구(관골구)

Pubic symphysis
두덩결합(치골결합)

Obturator foramen
폐쇄구멍(폐쇄공)

Sacroiliac articulation
엉치엉덩관절(천장관절)

Ilium
엉덩뼈(장골)

Coxa(hip bone)
볼기뼈(관골)

Pubis
두덩뼈(치골)

Ischium
궁둥뼈(좌골)

남성의 골반(앞쪽) Male Pelvis(Anterior View)

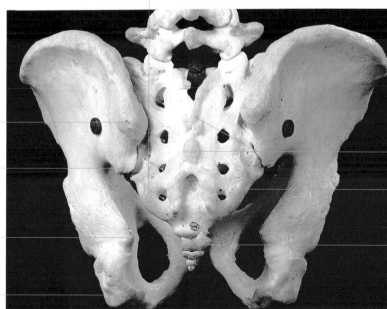

Dorsal sacral foramina
등쪽엉치뼈구멍(후천골공)

Posterior superior
iliac spine
위뒤엉덩뼈가시(상후장골극)

Posterior inferior
iliac spine
아래뒤엉덩뼈가시(하후장골극)

Ischial spine
궁둥뼈가시(좌골극)

Ischial tuberosity
궁둥뼈거친면(좌골조면)

Median sacral crest
정중엉치뼈능선(정중천골릉)

Sacrum
엉치뼈(천골)

Coccyx
꼬리뼈(미골)

남성의 골반(뒤쪽) Male Pelvis(Posterior View)

살아 있는 세포는 산소를 흡수하고 이산화탄소를 방출한다. 이처럼 산소 및 이산화탄소를 운반하는 계통이 호흡기계통인데, 이것은 결국 허파(폐)에서 산소와 이산화탄소를 교환하여 말초조직에 산소를 공급하는 역할을 한다. 허파에서 가스의 확산은 모세혈관의 벽을 통하여 이루어지며, 허파표면의 가스교환면적은 $140mm^2$ 정도로, 전체 체표면의 80배 정도나 된다.

호흡기 계통은 코안(비강, Nasal cavity), 인두(Pharynx), 후두(Larynx), 기관(Trachea), 기관지, 세기관지(Bronchus) 및 종말세기관지(Bronchiole) 등의 전도부(Conduction part)와 호흡세기관지, 폐포관(Alveolar duct) 및 허파꽈리(폐포, Alveolus) 등의 호흡부(Respiratory part)로 이루어진다.

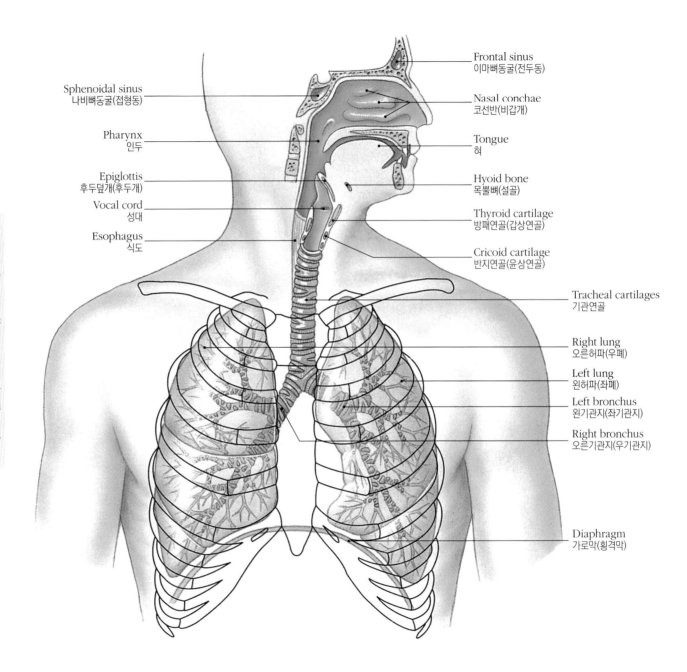

Frontal sinus
이마뼈동굴(전두동)

Sphenoidal sinus
나비뼈동굴(접형동)

Nasal conchae
코선반(비갑개)

Pharynx
인두

Tongue
혀

Epiglottis
후두덮개(후두개)

Hyoid bone
목뿔뼈(설골)

Vocal cord
성대

Thyroid cartilage
방패연골(갑상연골)

Esophagus
식도

Cricoid cartilage
반지연골(윤상연골)

Tracheal cartilages
기관연골

Right lung
오른허파(우폐)

Left lung
왼허파(좌폐)

Left bronchus
왼기관지(좌기관지)

Right bronchus
오른기관지(우기관지)

Diaphragm
가로막(횡격막)

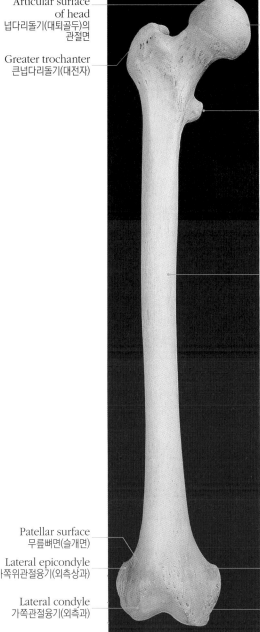

Articular surface
of head
넙다리돌기(대퇴골두)의
관절면

Greater trochanter
큰넙다리돌기(대전자)

Fovea capitis
넙다리뼈머리오목(대퇴골두와)

Lesser trochanter
작은넙다리돌기(소전자)

Shaft of femur
넙다리뼈몸통(대퇴골간)

Patellar surface
무릎뼈면(슬개면)

Lateral epicondyle
가쪽위관절융기(외측상과)

Lateral condyle
가쪽관절융기(외측과)

Medial epicondyle
안쪽위관절융기(내측상과)

Medial condyle
안쪽관절융기(내측과)

넙다리뼈(앞쪽) Femur(Anterior View)

Base of patella
무릎뼈바닥(슬개골저)

Anterior surface
앞쪽 표면
(넙다리네갈래근힘줄과
무릎인대에 붙는 부분)

Apex of patella
무릎뼈꼭지(슬개골첨)

Base of patella
무릎뼈바닥(슬개골저)

Medial facet, for medial
condyle of femur
넙다리뼈 안쪽관절융기와
접하는 안쪽면

Lateral facet, for lateral
condyle of femur
넙다리뼈가쪽관절융기와
접하는 가쪽면

Articular surface
of patella
무릎뼈(슬개골)
의 관절면

Apex
무릎뼈꼭지(슬개골첨)

무릎뼈의 앞면(위)과 뒷면(아래)

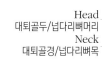

Head
대퇴골두/넙다리뼈머리

Neck
대퇴골경/넙다리뼈목

Greater trochanter
큰대퇴돌기(대전자)

Intertrochanteric crest
돌기사이능선(전자간릉)

Lesser trochanter
작은넙다리돌기(소전자)

Gluteal tuberosity
볼기근거친면(둔근조면)

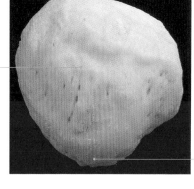

Linea aspera
거친선(조선)

Medial supracondylar
ridge
안쪽관절융기위능선
(내측과상릉)

Lateral supracondylar
ridge
가쪽관절융기위능선
(외측과상릉)

Popliteal surface
오금면(슬와면)

Intercondylar fossa
관절융기사이오목(과간와)

Adductor tubercle
모음근결절(내전근결절)

Medial epicondyle
안쪽위관절융기(내측상과)

Medial condyle
안쪽관절융기(내측과)

Lateral epicondyle
가쪽위관절융기(외측상과)

Lateral condyle
가쪽관절융기(외측과)

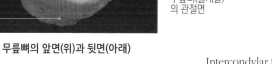

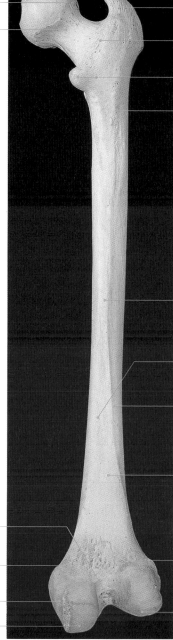

넙다리뼈(뒤쪽) Femur(Posterior View)

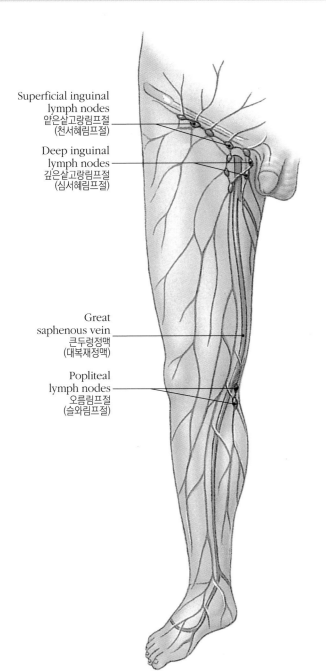

Superficial inguinal
lymph nodes
얕은샅고랑림프절
(천서혜림프절)

Deep inguinal
lymph nodes
깊은샅고랑림프절
(심서혜림프절)

Great
saphenous vein
큰두렁정맥
(대복재정맥)

Popliteal
lymph nodes
오름림프절
(슬와림프절)

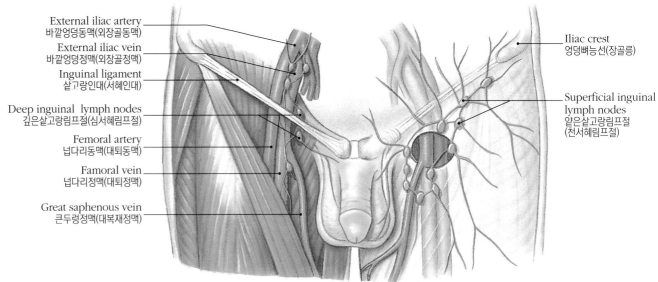

External iliac artery
바깥엉덩동맥(외장골동맥)

External iliac vein
바깥엉덩정맥(외장골정맥)

Inguinal ligament
샅고랑인대(서혜인대)

Deep inguinal lymph nodes
깊은샅고랑림프절(심서혜림프절)

Femoral artery
넙다리동맥(대퇴동맥)

Famoral vein
넙다리정맥(대퇴정맥)

Great saphenous vein
큰두렁정맥(대복재정맥)

Iliac crest
엉덩뼈능선(장골릉)

Superficial inguinal
lymph nodes
얕은샅고랑림프절
(천서혜림프절)

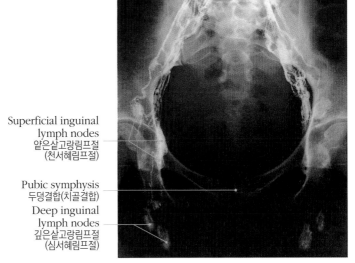

Superficial inguinal
lymph nodes
얕은샅고랑림프절
(천서혜림프절)

Pubic symphysis
두덩결합(치골결합)

Deep inguinal
lymph nodes
깊은샅고랑림프절
(심서혜림프절)

골반의 림프절과 림프관

Lateral condyle of tibia
정강뼈의 가쪽관절융기
(경골의 외측과)

Superior tibiofibular joint
위정강종아리관절(상경비관절)

Head of fibula
종아리뼈머리(비골두)

Shaft of fibula
종아리뼈몸통(비골간)

Inferior tibiofibular joint
아래정강종아리관절(하경비관절)

Lateral malleolus
가쪽복사(외과)

Medial condyle of tibia
정강뼈의 안쪽관절융기
(경골의 내측과)

Tibial tuberosity
정강뼈거친면(경골조면)

Interosseous border of fibula
종아리뼈의 뼈사이모서리
(비골의 골간연)

Interosseous border of tibia
정강뼈의 뼈사이모서리
(경골의 골간연)

Anterior crest
앞능선(전릉)

Medial malleolus
정강뼈의 안쪽복사(경골내과)

Inferior articular surface
아래관절면(하관절면)

Medial tubercle of intercondylar eminence
융기사이융기(과간융기)의 안쪽결절
Lateral tubercles of intercondylar eminence
융기사이융기(과간융기)의 가쪽결절

Articular surface
관절면

Popliteal line
오금근선(슬와근선)

Tibia
정강뼈(경골)

Medial malleolus
안쪽복사(내과)

Articular surface
of tibia and fibula
정강뼈와 종아리뼈의 관절면

intercondylar eminence
융기사이융기(과간융기)

Head of fibula
(종아리뼈머리)비골두

Fibula
종아리뼈(비골)

Lateral malleolus
가쪽복사(외과)

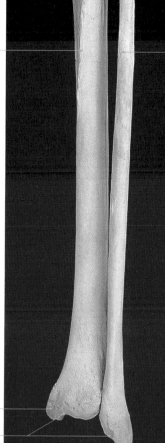

정강뼈와 종아리뼈(앞면) Tibia and Fibula(Anterior View)

정강뼈와 종아리뼈(뒷면) Tibia and Fibula(posterior View)

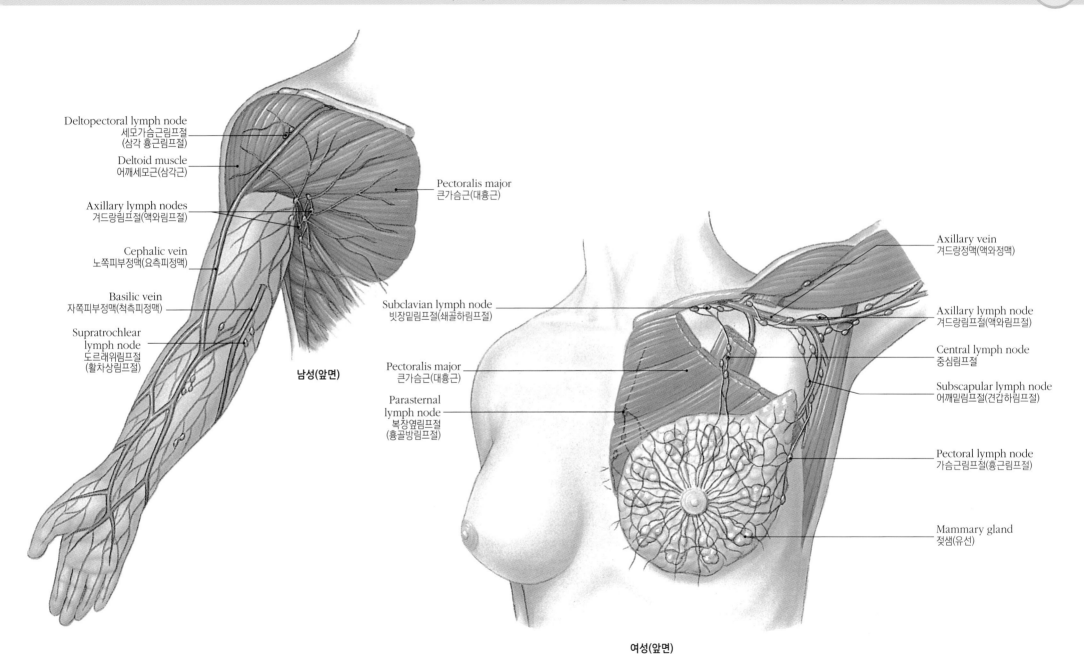

Deltopectoral lymph node
세모가슴근림프절
(삼각 흉근림프절)

Deltoid muscle
어깨세모근(삼각근)

Axillary lymph nodes
겨드랑림프절(액와림프절)

Cephalic vein
노쪽피부정맥(요측피정맥)

Basilic vein
자쪽피부정맥(척측피정맥)

Supratrochlear
lymph node
도르래위림프절
(활차상림프절)

남성(앞면)

Pectoralis major
큰가슴근(대흉근)

Subclavian lymph node
빗장밑림프절(쇄골하림프절)

Pectoralis major
큰가슴근(대흉근)

Parasternal
lymph node
복장옆림프절
(흉골방림프절)

Axillary vein
겨드랑정맥(액와정맥)

Axillary lymph node
겨드랑림프절(액와림프절)

Central lymph node
중심림프절

Subscapular lymph node
어깨밑림프절(견갑하림프절)

Pectoral lymph node
가슴근림프절(흉근림프절)

Mammary gland
젖샘(유선)

여성(앞면)

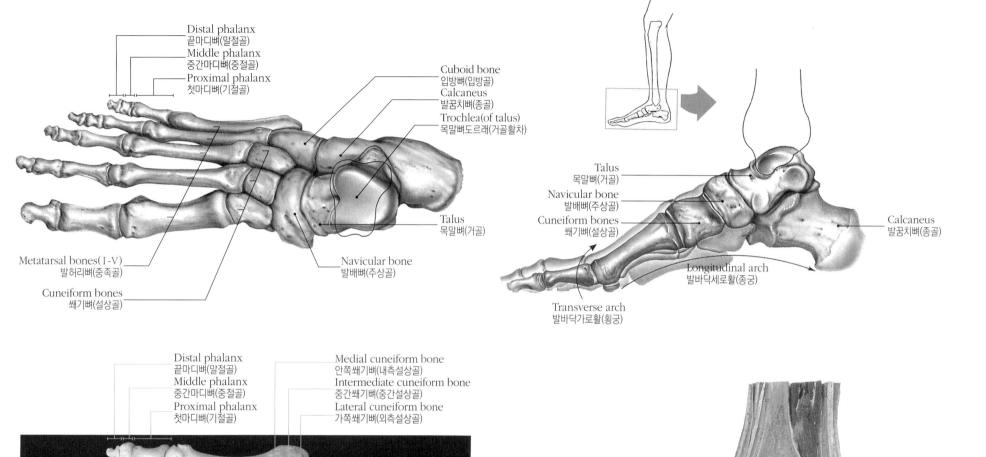

Distal phalanx
끝마디뼈(말절골)
Middle phalanx
중간마디뼈(중절골)
Proximal phalanx
첫마디뼈(기절골)

Cuboid bone
입방뼈(입방골)
Calcaneus
발꿈치뼈(종골)
Trochlea(of talus)
목말뼈도르래(거골활차)

Talus
목말뼈(거골)

Metatarsal bones(I-V)
발허리뼈(중족골)

Navicular bone
발배뼈(주상골)

Cuneiform bones
쐐기뼈(설상골)

Talus
목말뼈(거골)
Navicular bone
발배뼈(주상골)
Cuneiform bones
쐐기뼈(설상골)

Calcaneus
발꿈치뼈(종골)

Longitudinal arch
발바닥세로활(종궁)

Transverse arch
발바닥가로활(횡궁)

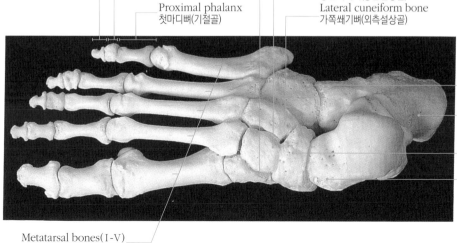

Distal phalanx
끝마디뼈(말절골)
Middle phalanx
중간마디뼈(중절골)
Proximal phalanx
첫마디뼈(기절골)

Medial cuneiform bone
안쪽쐐기뼈(내측설상골)
Intermediate cuneiform bone
중간쐐기뼈(중간설상골)
Lateral cuneiform bone
가쪽쐐기뼈(외측설상골)

Cuboid bone
입방뼈(입방골)
Calcaneus
발꿈치뼈(종골)
Navicular bone
발배뼈(주상골)
Talus
목말뼈(거골)

Metatarsal bones(I-V)
발허리뼈(중족골)

Talocrural joint
발목관절(거퇴관절)
Subtalar joint
목말뼈아래관절(거골하관절)
Tarsometatarsal joint
발목발허리관절(족근중족관절)
Metatarsophalangeal joint
발허리발가락관절(중족지절관절)
Interphalangeal joint
발가락사이관절(지절간관절)

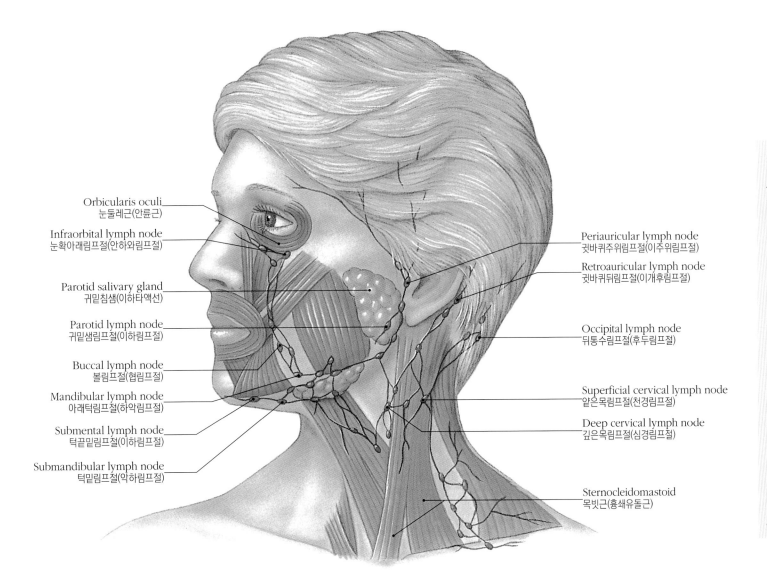

Orbicularis oculi
눈둘레근(안륜근)

Infraorbital lymph node
눈확아래림프절(안하와림프절)

Parotid salivary gland
귀밑침샘(이하타액선)

Parotid lymph node
귀밑샘림프절(이하림프절)

Buccal lymph node
볼림프절(협림프절)

Mandibular lymph node
아래턱림프절(하악림프절)

Submental lymph node
턱끝밑림프절(이하림프절)

Submandibular lymph node
턱밑림프절(악하림프절)

Periauricular lymph node
귓바퀴주위림프절(이주위림프절)

Retroauricular lymph node
귓바퀴뒤림프절(이개후림프절)

Occipital lymph node
뒤통수림프절(후두림프절)

Superficial cervical lymph node
얕은목림프절(천경림프절)

Deep cervical lymph node
깊은목림프절(심경림프절)

Sternocleidomastoid
목빗근(흉쇄유돌근)

신체내 림프관과 림프절의 분포

우리 몸에 분포되어 있는 수많은 림프관과 림프절
은 신체내의 얕은 곳과 깊은 곳에 위치하는 2종류가
있다.

① 얕은림프관(Superficial lymphatic vessel)과 림
프절(Lymph node)……피부밑조직에 있는 얕
은림프관은 피부의 얕은정맥을 따라서 주행하
며, 얕은림프절은 특히 목·겨드랑이·샅인대부위
에 집단적으로 분포되어 있다. 머리와 목부위에
서 시작되는 것을 목림프절(경림프절, Cervical
lymph node), 배꼽, 어깨와 팔에서 시작되는 것
을 겨드랑림프절(액와림프절, Axillary lymph
node)이라 하며, 다리와 배꼽 아래에서 시작되
는 것을 샅림프절(서혜림프절, Inguinal lymph
node)이라 한다. 이러한 걸림프절은 깊은림프관
을 통해서 깊은 림프절로 들어간다.

② 깊은림프관(Deep lymphatic vessel)과 림프절
(Lymph node)……깊은림프관은 몸속의 깊은혈
관을 따라서 주행하고 있으며, 깊은림프절은 몸
속의 장기주위에서 집단적으로 분포되어 있다.
깊은림프관은 크게 가슴림프관(Thoracic duct)
과 오른림프관(Right lymphatic duct)으로 구분
되며, 인체의 모든 림프는 이 두 개의 경로를 통
해서 혈관계로 들어간다.

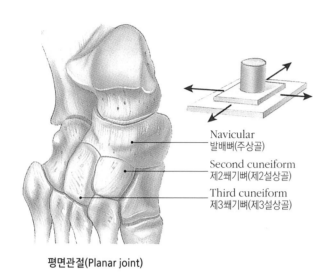

Navicular
발배뼈(주상골)

Second cuneiform
제2쐐기뼈(제2설상골)

Third cuneiform
제3쐐기뼈(제3설상골)

평면관절(Planar joint)

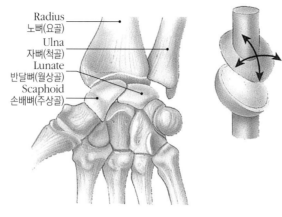

Radius
노뼈(요골)

Ulna
자뼈(척골)

Lunate
반달뼈(월상골)

Scaphoid
손배뼈(주상골)

융기관절(과상관절)
(Condyloid joint)

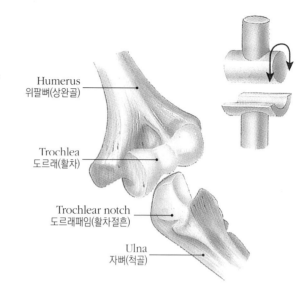

Humerus
위팔뼈(상완골)

Trochlea
도르래(활차)

Trochlear notch
도르래패임(활차절흔)

Ulna
자뼈(척골)

경첩관절(접번관절)
(Hinge joint)

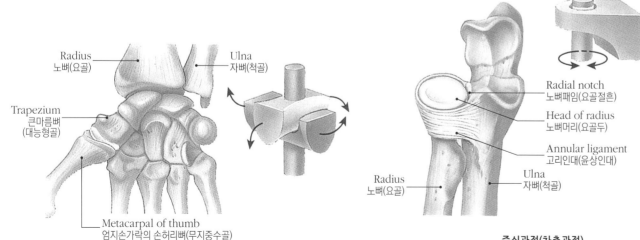

Radius
노뼈(요골)

Ulna
자뼈(척골)

Trapezium
큰마름뼈
(대능형골)

Metacarpal of thumb
엄지손가락의 손허리뼈(무지중수골)

안장관절(Saddle joint)

Radial notch
노뼈패임(요골절흔)

Head of radius
노뼈머리(요골두)

Annular ligament
고리인대(윤상인대)

Radius
노뼈(요골)

Ulna
자뼈(척골)

중쇠관절(차축관절)
(Pivot joint)

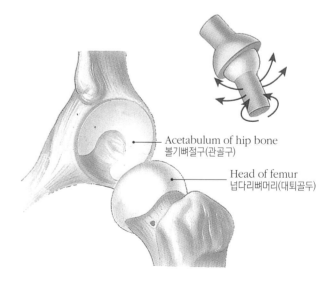

Acetabulum of hip bone
볼기뼈절구(관골구)

Head of femur
넙다리뼈머리(대퇴골두)

절구관절(구관절)
(Ball and socket joint)

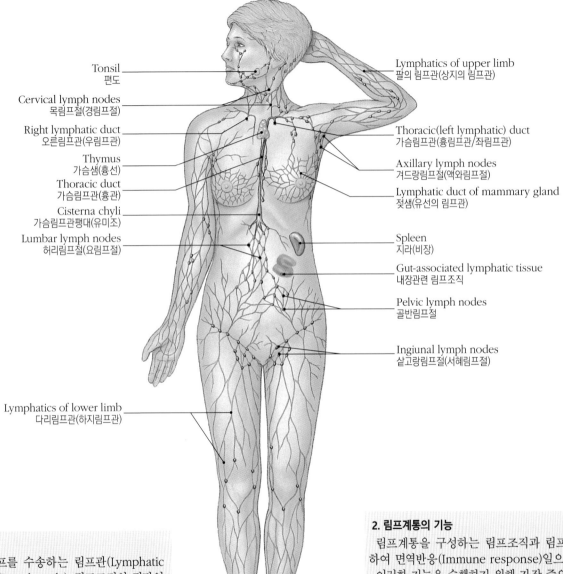

Tonsil
편도

Cervical lymph nodes
목림프절(경림프절)

Right lymphatic duct
오른림프관(우림프관)

Thymus
가슴샘(흉선)

Thoracic duct
가슴림프관(흉관)

Cisterna chyli
가슴림프관팽대(유미조)

Lumbar lymph nodes
허리림프절(요림프절)

Lymphatics of lower limb
다리림프관(하지림프관)

Lymphatics of upper limb
팔의 림프관(상지의 림프관)

Thoracic(left lymphatic) duct
가슴림프관(흉림프관/좌림프관)

Axillary lymph nodes
겨드랑림프절(액와림프절)

Lymphatic duct of mammary gland
젖샘(유선의 림프관)

Spleen
지라(비장)

Gut-associated lymphatic tissue
내장관련 림프조직

Pelvic lymph nodes
골반림프절

Ingiunal lymph nodes
샅고랑림프절(서혜림프절)

1. 림프계통의 구성

림프계통은 액체성분인 림프(Lymph), 림프를 수송하는 림프관(Lymphatic vessel), 림프관 사이사이에 분포하는 림프절(Lymph node), 림프조직의 집단인 편도(Tonsil), 지라(비장, Spleen), 가슴샘(흉선, Thymus)이 포함된다.

림프관계통은 조직액을 혈액순환으로 운반하는 보조계통이며, 모세혈관, 림프관, 림프본관 및 림프절로 이루어진다. 림프계통에는 림프(Lymph), 림프구(Lymphocyte), 림프관(Lymphatic vessel), 림프절(Lymphatic node), 편도(Tonsil), 지라(비장, Spleen), 그리고 가슴샘(흉선, Thymus)이 포함된다.

2. 림프계통의 기능

림프계통을 구성하는 림프조직과 림프기관들은 외부의 항원(Antigen), 자극에 대하여 면역반응(Immune response)일으켜 생체를 방어하는 기능을 가지고 있다.

이러한 기능을 수행하기 위해 가장 중요한 역할을 하는 세포가 림프구(Lymphocyte)인데, 이는 골수에서 생산되며 B-림프구가 된다. 어떤 림프구는 가슴샘(Thymus)으로 운반되어 T-림프구가 된다. T와 B- 림프구는 혈관을 통하여 림프조직과 림프기관으로 이동된 후 활발한 기능을 수행하게 된다.

즉 세균이나 이물질이 신체내부로 들어오면 그 항원과 특이적으로 결합하는 항체(Antibody)가 형성된 후 변역반응을 일으켜 신체를 보호하게 된다.

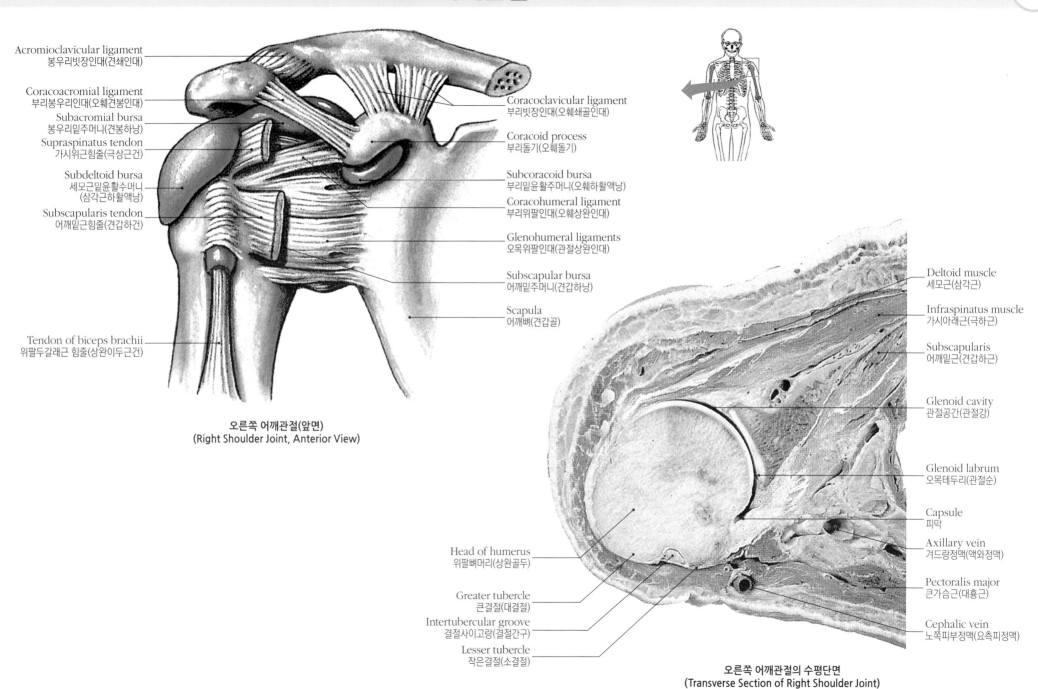

Acromioclavicular ligament
봉우리빗장인대(견쇄인대)

Coracoacromial ligament
부리봉우리인대(오훼견봉인대)

Subacromial bursa
봉우리밑주머니(견봉하낭)

Supraspinatus tendon
가시위근힘줄(극상근건)

Subdeltoid bursa
세모근밑윤활수머니
(삼각근하활액낭)

Subscapularis tendon
어깨밑근힘줄(견갑하건)

Tendon of biceps brachii
위팔두갈래근 힘줄(상완이두근건)

Coracoclavicular ligament
부리빗장인대(오훼쇄골인대)

Coracoid process
부리돌기(오훼돌기)

Subcoracoid bursa
부리밑윤활주머니(오훼하활액낭)

Coracohumeral ligament
부리위팔인대(오훼상완인대)

Glenohumeral ligaments
오목위팔인대(관절상완인대)

Subscapular bursa
어깨밑주머니(견갑하낭)

Scapula
어깨뼈(견갑골)

오른쪽 어깨관절(앞면)
(Right Shoulder Joint, Anterior View)

Deltoid muscle
세모근(삼각근)

Infraspinatus muscle
가시아래근(극하근)

Subscapularis
어깨밑근(견갑하근)

Glenoid cavity
관절공간(관절강)

Glenoid labrum
오목테두리(관절순)

Capsule
피막

Axillary vein
겨드랑정맥(액와정맥)

Pectoralis major
큰가슴근(대흉근)

Cephalic vein
노쪽피부정맥(요측피부정맥)

Head of humerus
위팔뼈머리(상완골두)

Greater tubercle
큰결절(대결절)

Intertubercular groove
결절사이고랑(결절간구)

Lesser tubercle
작은결절(소결절)

오른쪽 어깨관절의 수평단면
(Transverse Section of Right Shoulder Joint)

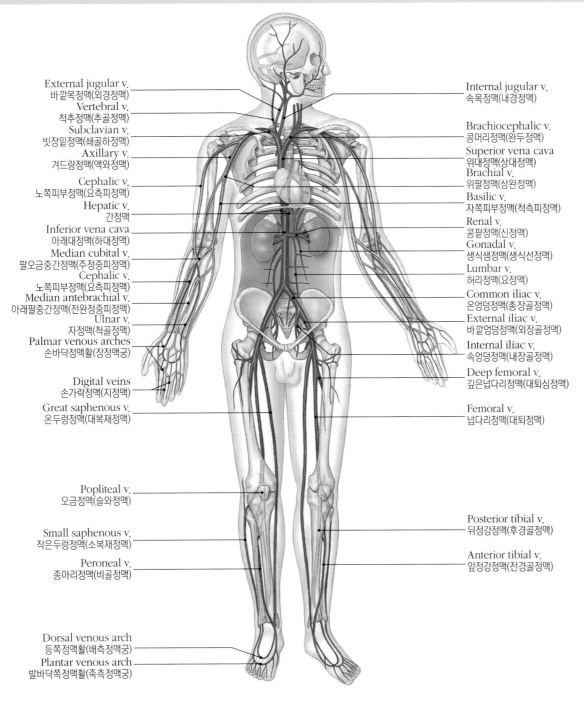

External jugular v.
바깥목정맥(외경정맥)
Vertebral v.
척추정맥(추골정맥)
Subclavian v.
빗장밑정맥(쇄골하정맥)
Axillary v.
겨드랑정맥(액와정맥)
Cephalic v.
노쪽피부정맥(요측피정맥)
Hepatic v.
간정맥
Inferior vena cava
아래대정맥(하대정맥)
Median cubital v.
팔오금중간정맥(주정중피정맥)
Cephalic v.
노쪽피부정맥(요측피정맥)
Median antebrachial v.
아래팔중간정맥(전완정중피정맥)
Ulnar v.
자정맥(척골정맥)
Palmar venous arches
손바닥정맥활(장장맥궁)

Digital veins
손가락정맥(지정맥)

Great saphenous v.
온두렁정맥(대복재정맥)

Popliteal v.
오금정맥(슬와정맥)

Small saphenous v.
작은두렁정맥(소복재정맥)

Peroneal v.
종아리정맥(비골정맥)

Dorsal venous arch
등쪽정맥활(배측정맥궁)
Plantar venous arch
발바닥쪽정맥활(족측정맥궁)

Internal jugular v.
속목정맥(내경정맥)

Brachiocephalic v.
콩머리정맥(완두정맥)
Superior vena cava
위대정맥(상대정맥)
Brachial v.
위팔정맥(상완정맥)
Basilic v.
자쪽피부정맥(척측피정맥)
Renal v.
콩팥정맥(신정맥)
Gonadal v.
생식샘정맥(생식선정맥)
Lumbar v.
허리정맥(요정맥)
Common iliac v.
온엉덩정맥(총장골정맥)
External iliac v.
바깥엉덩정맥(외장골정맥)
Internal iliac v.
속엉덩정맥(내장골정맥)
Deep femoral v.
깊은넙다리정맥(대퇴심정맥)

Femoral v.
넙다리정맥(대퇴정맥)

Posterior tibial v.
뒤정강정맥(후경골정맥)

Anterior tibial v.
앞정강정맥(전경골정맥)

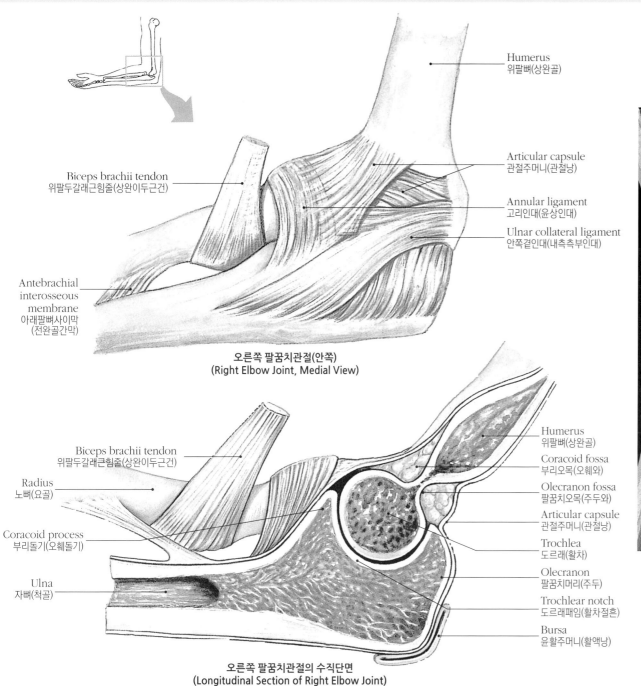

Humerus
위팔뼈(상완골)

Articular capsule
관절주머니(관절낭)

Biceps brachii tendon
위팔두갈래근힘줄(상완이두근건)

Annular ligament
고리인대(윤상인대)

Ulnar collateral ligament
안쪽곁인대(내측측부인대)

Antebrachial
interosseous
membrane
아래팔뼈사이막
(전완골간막)

오른쪽 팔꿈치관절(안쪽)
(Right Elbow Joint, Medial View)

Biceps brachii tendon
위팔두갈래근힘줄(상완이두근건)

Humerus
위팔뼈(상완골)

Coracoid fossa
부리오목(오훼와)

Radius
노뼈(요골)

Olecranon fossa
팔꿈치오목(주두와)

Articular capsule
관절주머니(관절낭)

Coracoid process
부리돌기(오훼돌기)

Trochlea
도르래(활차)

Olecranon
팔꿈치머리(주두)

Ulna
자뼈(척골)

Trochlear notch
도르래패임(활차절흔)

Bursa
윤활주머니(활액낭)

오른쪽 팔꿈치관절의 수직단면
(Longitudinal Section of Right Elbow Joint)

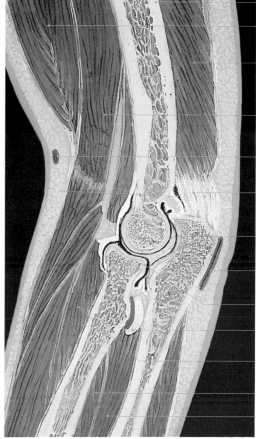

Humerus
위팔뼈(상완골)

Biceps brachii
상완이두근/위팔두갈래근

Triceps brachii
위팔세갈래근(상완삼두근)

Brachialis
위팔근(상완근)

Radial artery
노동맥(요골동맥)

Tendon of
triceps brachii
위팔세갈래근힘줄
(상완삼두근건)

Articular cartilage
of olecranon
팔꿈치머리(주두)의
관절연골

Bursa
윤활주머니(활액낭)

Articular cartilage
of radius
노뼈(요골)의 관절연골

Ulnar artery
자동맥(척골동맥)

Pronator teres
원엎침근(원회내근)

Flexor digitorum superficialis
얕은손가락굽힘근(천지굴근)

Flexor digitorum
profunds
깊은손가락굽힘근(심지굴근)

오른쪽 팔꿈치관절의 관상단면
(Coronal Section of Right Elbow Joint)

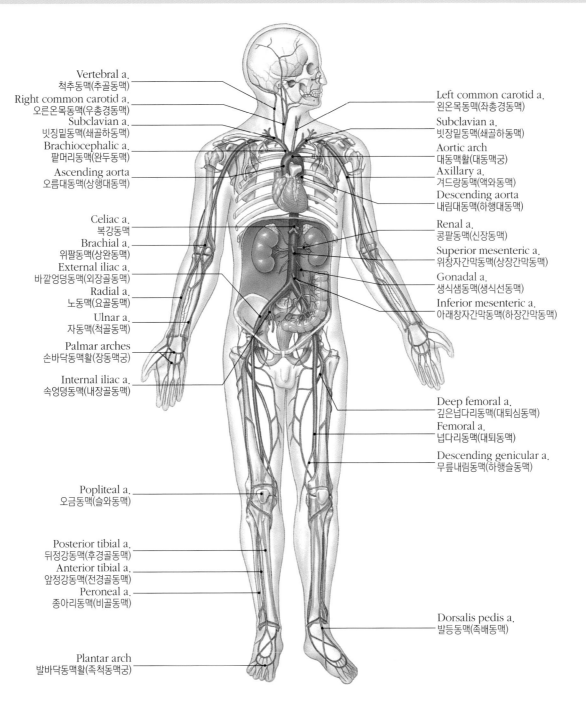

Vertebral a.
척추동맥(추골동맥)

Right common carotid a.
오른온목동맥(우총경동맥)

Subclavian a.
빗징밑동맥(쇄골하동맥)

Brachiocephalic a.
팔머리동맥(완두동맥)

Ascending aorta
오름대동맥(상행대동맥)

Celiac a.
복강동맥

Brachial a.
위팔동맥(상완동맥)

External iliac a.
바깥엉덩동맥(외장골동맥)

Radial a.
노동맥(요골동맥)

Ulnar a.
자동맥(척골동맥)

Palmar arches
손바닥동맥활(장동맥궁)

Internal iliac a.
속엉덩동맥(내장골동맥)

Popliteal a.
오금동맥(슬와동맥)

Posterior tibial a.
뒤정강동맥(후경골동맥)

Anterior tibial a.
앞정강동맥(전경골동맥)

Peroneal a.
종아리동맥(비골동맥)

Plantar arch
발바닥동맥활(족척동맥궁)

Left common carotid a.
왼온목동맥(좌총경동맥)

Subclavian a.
빗장밑동맥(쇄골하동맥)

Aortic arch
대동맥활(대동맥궁)

Axillary a.
겨드랑동맥(액와동맥)

Descending aorta
내림대동맥(하행대동맥)

Renal a.
콩팥동맥(신장동맥)

Superior mesenteric a.
위창자간막동맥(상장간막동맥)

Gonadal a.
생식샘동맥(생식선동맥)

Inferior mesenteric a.
아래창자간막동맥(하장간막동맥)

Deep femoral a.
깊은넙다리동맥(대퇴심동맥)

Femoral a.
넙다리동맥(대퇴동맥)

Descending genicular a.
무릎내림동맥(하행슬동맥)

Dorsalis pedis a.
발등동맥(족배동맥)

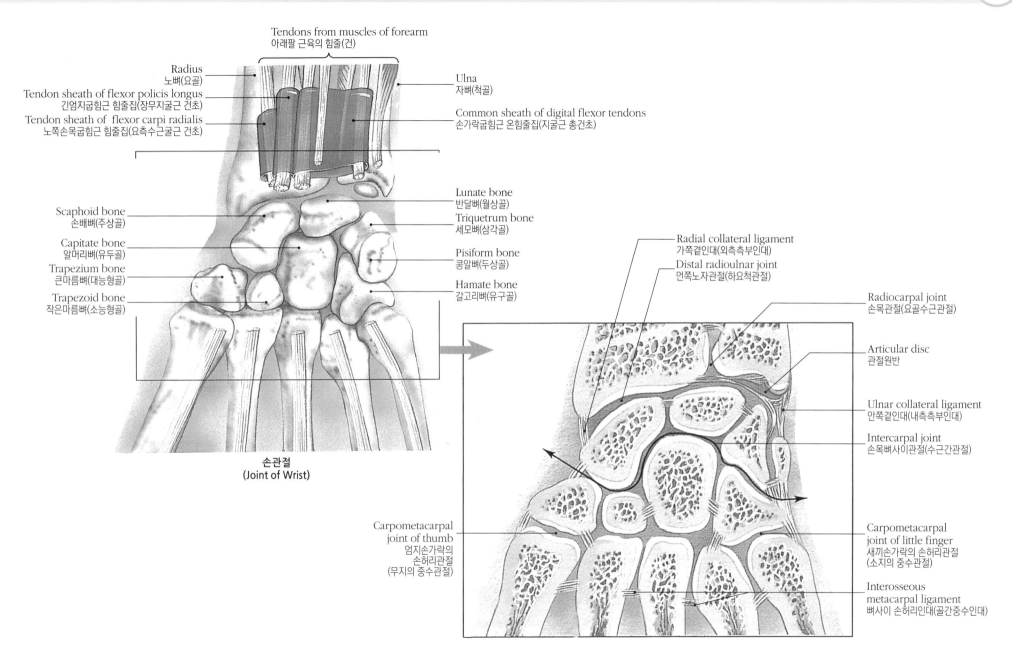

Tendons from muscles of forearm
아래팔 근육의 힘줄(건)

Radius
노뼈(요골)

Tendon sheath of flexor policis longus
긴엄지굽힘근 힘줄집(장무지굴근 건초)

Tendon sheath of flexor carpi radialis
노쪽손목굽힘근 힘줄집(요측수근굴근 건초)

Ulna
자뼈(척골)

Common sheath of digital flexor tendons
손가락굽힘근 온힘줄집(지굴근 총건초)

Scaphoid bone
손배뼈(주상골)

Capitate bone
알머리뼈(유두골)

Trapezium bone
큰마름뼈(대능형골)

Trapezoid bone
작은마름뼈(소능형골)

Lunate bone
반달뼈(월상골)

Triquetrum bone
세모뼈(삼각골)

Pisiform bone
콩알뼈(두상골)

Hamate bone
갈고리뼈(유구골)

손관절
(Joint of Wrist)

Radial collateral ligament
가쪽곁인대(외측측부인대)

Distal radioulnar joint
먼쪽노자관절(하요척관절)

Radiocarpal joint
손목관절(요골수근관절)

Articular disc
관절원반

Ulnar collateral ligament
안쪽곁인대(내측측부인대)

Intercarpal joint
손목뼈사이관절(수근간관절)

Carpometacarpal
joint of thumb
엄지손가락의
손허리관절
(무지의 중수관절)

Carpometacarpal
joint of little finger
새끼손가락의 손허리관절
(소지의 중수관절)

Interosseous
metacarpal ligament
뼈사이 손허리인대(골간중수인대)

손목관절, 손목뼈사이관절, 손허리관절
(Radiocarpal joint, Carpometacarpal joint & Carpometacarpal joint)

1. 혈액순환 경로(Circulatory routes)

① 온몸순환(체순환, Systemic circulation)……산소가 풍부한 혈액을 심장에서 운반해 대동맥을 통해 폐를 포함한 모든 신체기관으로 전달하고 산소가 적은 혈액을 심장으로 가져온다. 온몸순환은 심장순환(관상순환)과 간문맥순환으로 세분된다.

② 허파순환(폐순환, Pulmonary circulation)……산소가 적은 혈액을 심장에서 폐의 폐포로 운반한 후 산소가 풍부한 혈액을 다시 폐에서 심장으로 운반한다.

③ 간문맥순환(Hepatic portal circulation)……소화기관에서 간으로 가는 유일한 경로이며, 내장과 이자, 다른 소화기관에서 간으로 가는 혈행이며, 영양분을 간으로 운반한다.

④ 태아순환(fetal circulation)……태아와 임신한 모체 사이의 순환으로, 산소와 영양분을 태반으로 운반하고 이산화탄소와 노폐물을 태반에서 제거한다.

2. 혈액순환의 지표

① 맥박(Pulse)……심장박동에 따라 혈관을 팽창시키고 다시 수축시킨다.

② 혈압(Blood pressure)……심장이 수축하고 이완할 때 동맥벽으로 혈액이 들어오며 초래되는 압력이며, 혈압계로 측정한다. 수축기압은 심장수축을 표시하며, 이완기압은 심장이완을 표시한다. 정상혈압은 약 120/80기압이다.

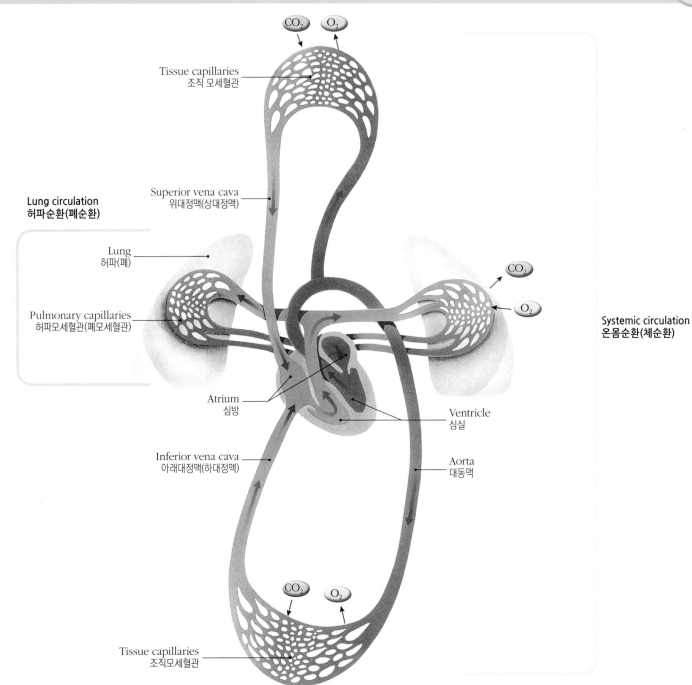

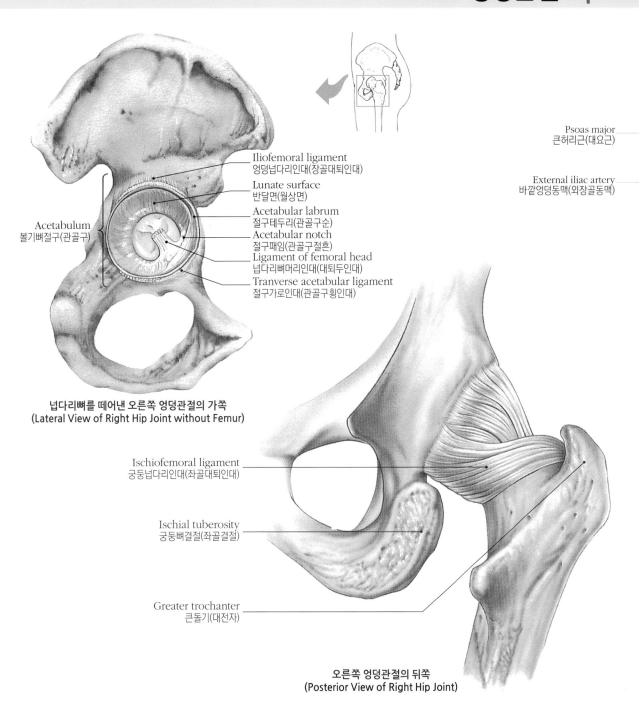

Acetabulum
볼기뼈절구(관골구)

Iliofemoral ligament
엉덩넙다리인대(장골대퇴인대)

Lunate surface
반달면(월상면)

Acetabular labrum
절구테두리(관골구순)

Acetabular notch
절구패임(관골구절흔)

Ligament of femoral head
넙다리뼈머리인대(대퇴두인대)

Tranverse acetabular ligament
절구가로인대(관골구횡인대)

넙다리뼈를 떼어낸 오른쪽 엉덩관절의 가쪽
(Lateral View of Right Hip Joint without Femur)

Ischiofemoral ligament
궁둥넙다리인대(좌골대퇴인대)

Ischial tuberosity
궁둥뼈결절(좌골결절)

Greater trochanter
큰돌기(대전자)

오른쪽 엉덩관절의 뒤쪽
(Posterior View of Right Hip Joint)

Psoas major
큰허리근(대요근)

External iliac artery
바깥엉덩동맥(외장골동맥)

iliac crest
엉덩뼈능선(장골릉)

Iliacus
엉덩근(장골근)

Gluteus medius
중간볼기근(중둔근)

Gluteus minimus
작은볼기근(소둔근)

Articular cartilage of acetabulum
볼기뼈절구(관골구)의 관절연골

Articular cartilage of head of femur
넙다리뼈머리(대퇴골두)의 관절연골

Head of femur
넙다리뼈머리(대퇴골두)

Greater trochanter
큰돌기(대전자)

Neck of femur
넙다리뼈목(대퇴골경)

Articular capsule
관절주머니(관절낭)

Iliacus
엉덩근(장골근)

Pectineus
두덩근(치골근)

Vastus lateralis
가쪽넓은근(외측광근)

Adductor longus
긴모음근(장내전근)

Vastus medialis
안쪽넓은근(내측광근)

엉덩관절의 구성요소
(Components of Hip Joint)

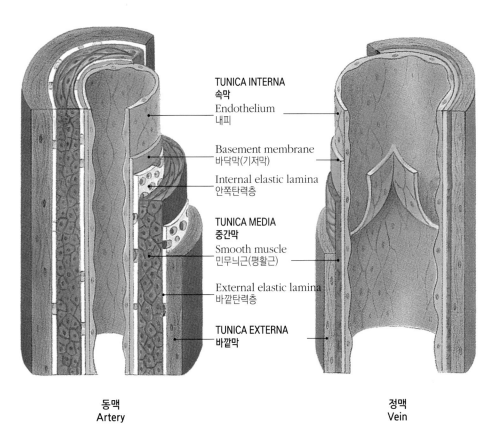

TUNICA INTERNA
속막
Endothelium
내피

Basement membrane
바닥막(기저막)

Internal elastic lamina
안쪽탄력층

TUNICA MEDIA
중간막
Smooth muscle
민무늬근(평활근)

External elastic lamina
바깥탄력층

TUNICA EXTERNA
바깥막

동맥
Artery

정맥
Vein

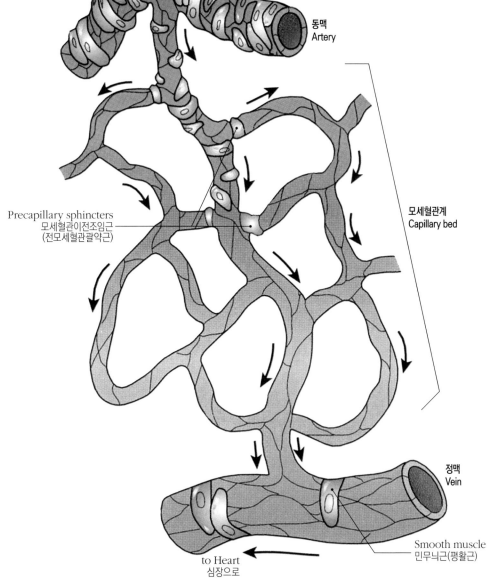

from Heart
심장에서

Smooth muscle
민무늬근(평활근)

동맥
Artery

모세혈관계
Capillary bed

Precapillary sphincters
모세혈관이전조임근
(전모세혈관괄약근)

정맥
Vein

Smooth muscle
민무늬근(평활근)

to Heart
심장으로

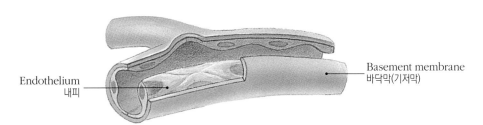

Endothelium
내피

Basement membrane
바닥막(기저막)

모세혈관
Capillary

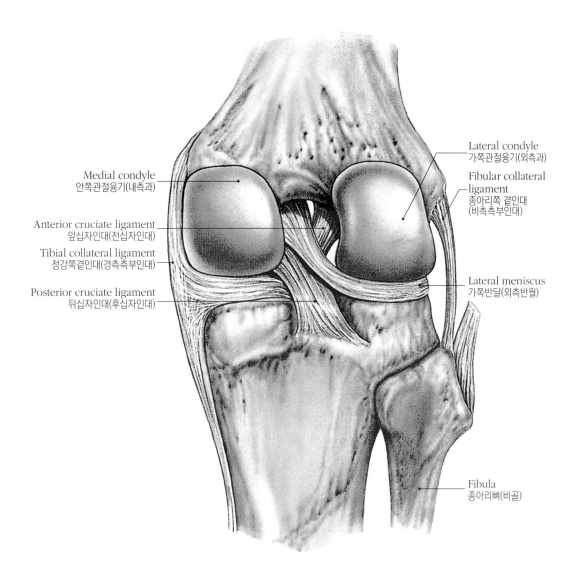

Medial condyle
안쪽관절융기(내측과)

Anterior cruciate ligament
앞십자인대(전십자인대)

Tibial collateral ligament
정강쪽곁인대(경측측부인대)

Posterior cruciate ligament
뒤십자인대(후십자인대)

Lateral condyle
가쪽관절융기(외측과)

Fibular collateral
ligament
종아리쪽 곁인대
(비측측부인대)

Lateral meniscus
가쪽반달(외측반월)

Fibula
종아리뼈(비골)

완전히 폈을 때(왼쪽)의 오른무릎(앞면)
(Knee Joint, Anterior View)

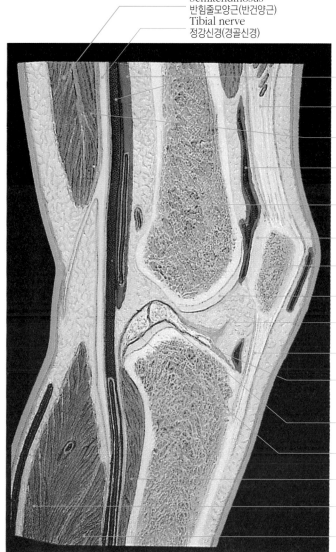

Semitendinosus
반힘줄모양근(반건양근)
Tibial nerve
정강신경(경골신경)

Popliteal artery and vein
오금동맥·정맥(슬와동맥·정맥)

Tendons of quadriceps femoris
넙다리네갈래근힘줄(대퇴사두근건)

Semimembranosus
반막모양근(반막양근)

Suprapatellar bursa
무릎위주머니(슬개상활액낭)

Femur
넙다리뼈(대퇴골)

Articular cartilage of patella
무릎뼈(슬개골)의 관절연골

Patella
무릎뼈(슬개골)

Articular cartilage of Femur
넙다리뼈(대퇴골)의 관절연골

Fat pad of patella
무릎지방체

Patellar ligament
무릎인대(슬개인대)

Lateral meniscus
가쪽반달(외측반월)

Anterior cruciate ligament
앞십자인대(전십자인대)

Posterior cruciate ligament
뒤십자인대(후십자인대)

Popliteus
오금근(슬와근)

Pronator teres
원엎침근(원회내근)

Flexor digitorum superficialis
얕은발가락굽힘근(천지굴근)

무릎관절의 시상 단면
(Sagittal Section of Knee Joint)

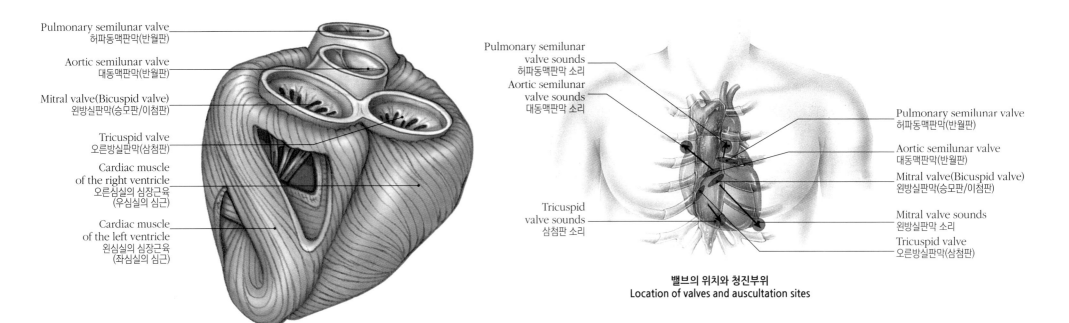

Pulmonary semilunar valve
허파동맥판막(반월판)

Aortic semilunar valve
대동맥판막(반월판)

Mitral valve(Bicuspid valve)
왼방실판막(승모판/이첨판)

Tricuspid valve
오른방실판막(삼첨판)

Cardiac muscle
of the right ventricle
오른심실의 심장근육
(우심실의 심근)

Cardiac muscle
of the left ventricle
왼심실의 심장근육
(좌심실의 심근)

Pulmonary semilunar
valve sounds
허파동맥판막 소리
Aortic semilunar
valve sounds
대동맥판막 소리

Tricuspid
valve sounds
삼첨판 소리

Pulmonary semilunar valve
허파동맥판막(반월판)

Aortic semilunar valve
대동맥판막(반월판)

Mitral valve(Bicuspid valve)
왼방실판막(승모판/이첨판)

Mitral valve sounds
왼방실판막 소리

Tricuspid valve
오른방실판막(삼첨판)

밸브의 위치와 청진부위
Location of valves and auscultation sites

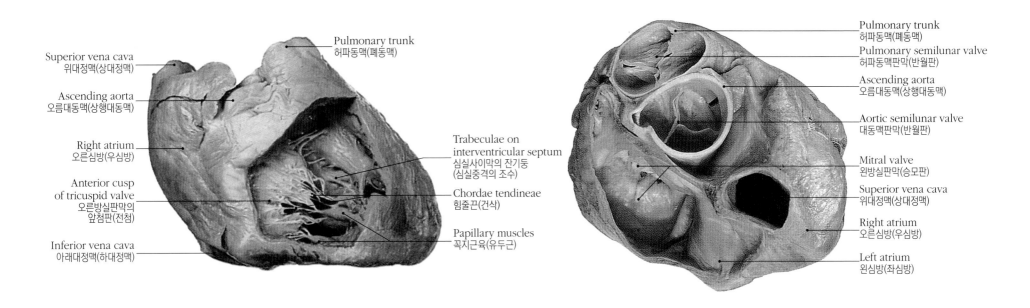

Superior vena cava
위대정맥(상대정맥)

Ascending aorta
오름대동맥(상행대동맥)

Right atrium
오른심방(우심방)

Anterior cusp
of tricuspid valve
오른방실판막의
앞첨판(전첨)

Inferior vena cava
아래대정맥(하대정맥)

Pulmonary trunk
허파동맥(폐동맥)

Trabeculae on
interventricular septum
심실사이막의 잔기둥
(심실중격의 조수)

Chordae tendineae
힘줄끈(건삭)

Papillary muscles
꼭지근육(유두근)

Pulmonary trunk
허파동맥(폐동맥)

Pulmonary semilunar valve
허파동맥판막(반월판)

Ascending aorta
오름대동맥(상행대동맥)

Aortic semilunar valve
대동맥판막(반월판)

Mitral valve
왼방실판막(승모판)

Superior vena cava
위대정맥(상대정맥)

Right atrium
오른심방(우심방)

Left atrium
왼심방(좌심방)

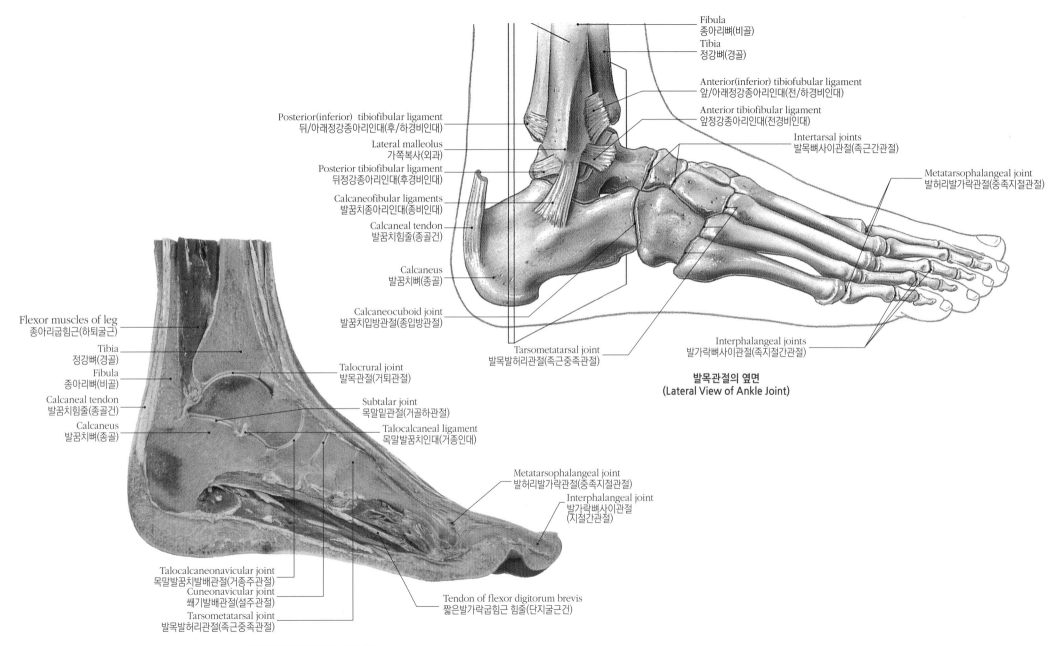

Fibula
종아리뼈(비골)

Tibia
정강뼈(경골)

Anterior(inferior) tibiofubular ligament
앞/아래정강종아리인대(전/하경비인대)

Anterior tibiofibular ligament
앞정강종아리인대(전경비인대)

Posterior(inferior) tibiofibular ligament
뒤/아래정강종아리인대(후/하경비인대)

Lateral malleolus
가쪽복사(외과)

Posterior tibiofibular ligament
뒤정강종아리인대(후경비인대)

Calcaneofibular ligaments
발꿈치종아리인대(종비인대)

Calcaneal tendon
발꿈치힘줄(종골건)

Calcaneus
발꿈치뼈(종골)

Calcaneocuboid joint
발꿈치입방관절(종입방관절)

Tarsometatarsal joint
발목발허리관절(족근중족관절)

Intertarsal joints
발목뼈사이관절(족근간관절)

Metatarsophalangeal joint
발허리발가락관절(중족지절관절)

Interphalangeal joints
발가락뼈사이관절(족지절간관절)

발목관절의 옆면
(Lateral View of Ankle Joint)

Flexor muscles of leg
종아리굽힘근(하퇴굴근)

Tibia
정강뼈(경골)

Fibula
종아리뼈(비골)

Calcaneal tendon
발꿈치힘줄(종골건)

Calcaneus
발꿈치뼈(종골)

Talocrural joint
발목관절(거퇴관절)

Subtalar joint
목말밑관절(거골하관절)

Talocalcaneal ligament
목말발꿈치인대(거종인대)

Metatarsophalangeal joint
발허리발가락관절(중족지절관절)

Interphalangeal joint
발가락뼈사이관절
(지절간관절)

Talocalcaneonavicular joint
목말발꿈치발배관절(거종주관절)

Cuneonavicular joint
쐐기발배관절(설주관절)

Tarsometatarsal joint
발목발허리관절(족근중족관절)

Tendon of flexor digitorum brevis
짧은발가락굽힘근 힘줄(단지굴근건)

발목관절과 발관절의 시상단면
(Sagittal Section of Ankle Joint and Foot)

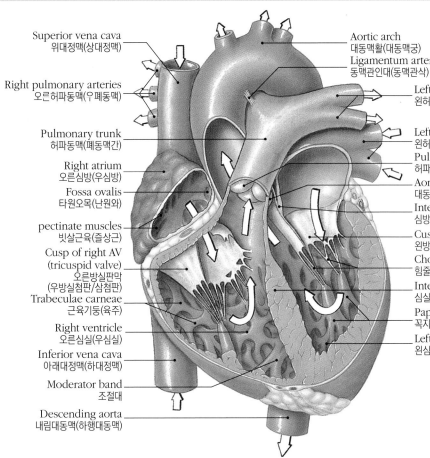

Superior vena cava
위대정맥(상대정맥)

Right pulmonary arteries
오른허파동맥(우폐동맥)

Pulmonary trunk
허파동맥(폐동맥간)

Right atrium
오른심방(우심방)

Fossa ovalis
타원오목(난원와)

pectinate muscles
빗살근육(즐상근)

Cusp of right AV
(tricuspid valve)
오른방실판막
(우방실첨판/삼첨판)

Trabeculae carneae
근육기둥(육주)

Right ventricle
오른심실(우심실)

Inferior vena cava
아래대정맥(하대정맥)

Moderator band
조절대

Descending aorta
내림대동맥(하행대동맥)

Aortic arch
대동맥활(대동맥궁)

Ligamentum arteriosum
동맥관인대(동맥관삭)

Left pulmonary arteries
왼허파동맥(좌폐동맥)

Left pulmonary veins
왼허파정맥(좌폐정맥)

Pulmonary semilunar valve
허파동맥판막(폐동맥반월판)

Aortic semilunar valve
대동맥판막(대동맥반월판)

Interatrial septum
심방사이막(심방중격)

Cusp of left AV(biscuspid valve)
왼방실판막(좌방실첨판/이첨판)

Chordae tendineae
힘줄끈(건삭)

Interventricular septum
심실사이막(심실중격)

Papillary muscles
꼭지근육(유두근)

Left ventricle
왼심실(좌심실)

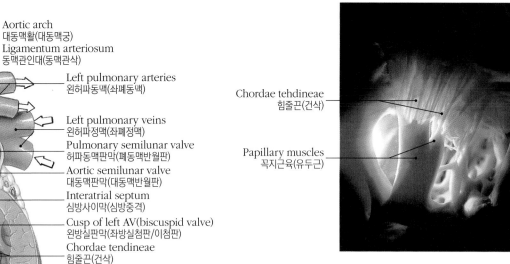

Chordae tehdineae
힘줄끈(건삭)

Papillary muscles
꼭지근육(유두근)

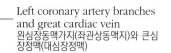

Ascending aorta
오름대동맥(상행대동맥)

Cusp of aortic valve
대동맥첨판

Pectinate muscles
빗살근육(즐상근)

Fossa ovalis
타원오목(난원와)

Coronary sinus
심장정맥동굴(관상정맥동)

Right atrium
오른심방(우심방)

Cusps of right AV valve
오른방실판막(우방실첨판)

Trabeculae carneae
근육기둥(육주)

Right ventricle
오른심실(우심실)

Left coronary artery branches
and great cardiac vein
왼심장동맥가지(좌관상동맥지)와 큰심
장정맥(대심장정맥)

Cusp of left AV valve
왼방실판막(좌방실첨판)

Chordae tendineae
힘줄끈(건삭)

Papillary muscles
꼭지근육(유두근)

Left ventricle
왼심실(좌심실)

Interventricular septum
심실사이막(심실중격)

심장판막(heart valves)

우심방과 우심실 사이에는 삼첨판막(tricuspid valve)이 있고, 좌심방과 좌심실 사이에 위치한 판막은 이첨판막(bicuspid valve)이며, 혈액이 심방에서 심실로 흐를 수 있도록 조절하고, 혈액이 심방으로 역류하지 못하도록 해준다. 심방에서 심실로 혈류가 흐를 때 판막을 밀어 열리면 심실로 혈액이 들어가지만, 심실이 수축할 때는 혈액이 심방쪽으로 판막을 밀어서 역류하지 못하도록 판막이 닫힌다.

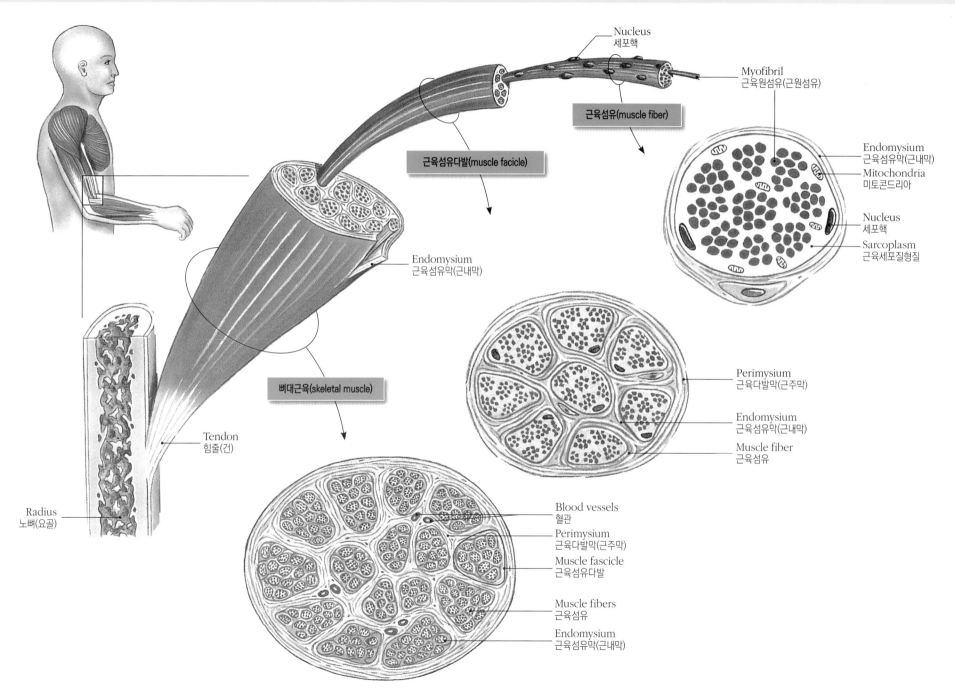

Nucleus
세포핵

Myofibril
근육원섬유(근원섬유)

근육섬유(muscle fiber)

Endomysium
근육섬유막(근내막)

Mitochondria
미토콘드리아

Nucleus
세포핵

Sarcoplasm
근육세포질형질

근육섬유다발(muscle facicle)

Endomysium
근육섬유막(근내막)

뼈대근육(skeletal muscle)

Perimysium
근육다발막(근주막)

Endomysium
근육섬유막(근내막)

Muscle fiber
근육섬유

Tendon
힘줄(건)

Radius
노뼈(요골)

Blood vessels
혈관

Perimysium
근육다발막(근주막)

Muscle fascicle
근육섬유다발

Muscle fibers
근육섬유

Endomysium
근육섬유막(근내막)

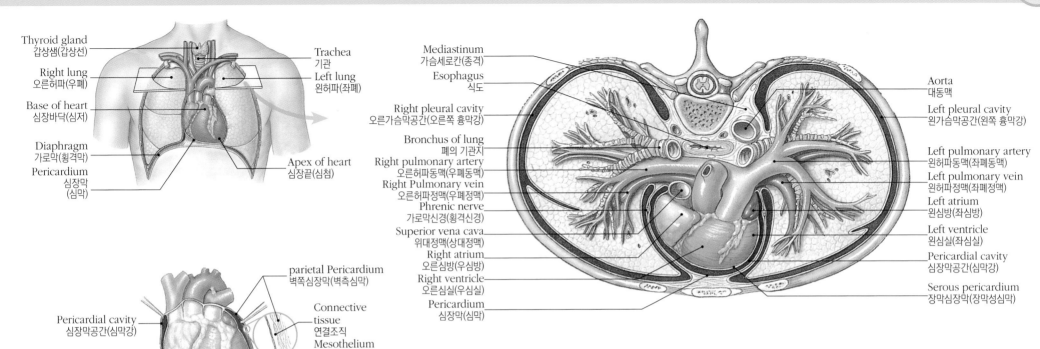

Thyroid gland
갑상샘(갑상선)

Right lung
오른허파(우폐)

Base of heart
심장바닥(심저)

Diaphragm
가로막(횡격막)

Pericardium
심장막
(심막)

Trachea
기관

Left lung
왼허파(좌폐)

Apex of heart
심장끝(심첨)

parietal Pericardium
벽쪽심장막(벽측심막)

Connective tissue
연결조직

Mesothelium
중피

End of Epicardium
심장가깥막(심외막)의
끝부분

Pericardial cavity
심장막공간(심막강)

Diaphragm
가로막(횡격막)

Mediastinum
가슴세로칸(종격)

Esophagus
식도

Right pleural cavity
오른가슴막공간(오른쪽 흉막강)

Bronchus of lung
폐의 기관지

Right pulmonary artery
오른허파동맥(우폐동맥)

Right Pulmonary vein
오른허파정맥(우폐정맥)

Phrenic nerve
가로막신경(횡격신경)

Superior vena cava
위대정맥(상대정맥)

Right atrium
오른심방(우심방)

Right ventricle
오른심실(우심실)

Pericardium
심장막(심막)

Aorta
대동맥

Left pleural cavity
왼가슴막공간(왼쪽 흉막강)

Left pulmonary artery
왼허파동맥(좌폐동맥)

Left pulmonary vein
왼허파정맥(좌폐정맥)

Left atrium
왼심방(좌심방)

Left ventricle
왼심실(좌심실)

Pericardial cavity
심장막공간(심막강)

Serous pericardium
장막심장막(장막성심막)

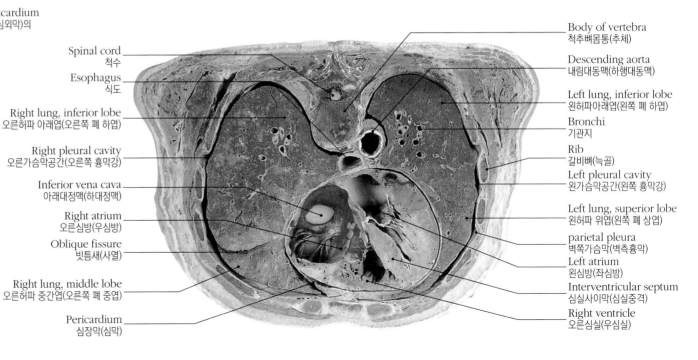

Spinal cord
척수

Esophagus
식도

Right lung, inferior lobe
오른허파 아래엽(오른쪽 폐 하엽)

Right pleural cavity
오른가슴막공간(오른쪽 흉막강)

Inferior vena cava
아래대정맥(하대정맥)

Right atrium
오른심방(우심방)

Oblique fissure
빗틈새(사열)

Right lung, middle lobe
오른허파 중간엽(오른쪽 폐 중엽)

Pericardium
심장막(심막)

Body of vertebra
척추뼈몸통(추체)

Descending aorta
내림대동맥(하행대동맥)

Left lung, inferior lobe
왼허파아래엽(왼쪽 폐 하엽)

Bronchi
기관지

Rib
갈비뼈(늑골)

Left pleural cavity
왼가슴막공간(왼쪽 흉막강)

Left lung, superior lobe
왼허파 위엽(왼쪽 폐 상엽)

parietal pleura
벽쪽가슴막(벽측흉막)

Left atrium
왼심방(좌심방)

Interventricular septum
심실사이막(심실중격)

Right ventricle
오른심실(우심실)

심장은 전신의 혈관을 통해 혈액을 펌프질하기 위해 강하게 수축하며, 휴식 시 심장은 1분에 약 5ℓ의 혈액을 펌프질하며, 운동 시에는 펌프질하는 혈액의 양은 더 증가한다. 심장의 해부학적 구조 및 생리학적 원리를 이해하는 것은 매우 중요한 일이다. 심장의 기능부전은 흔한 건강문제이므로 정상적인 심장의 이해는 질병의 대처에 필수적인 과정이다.

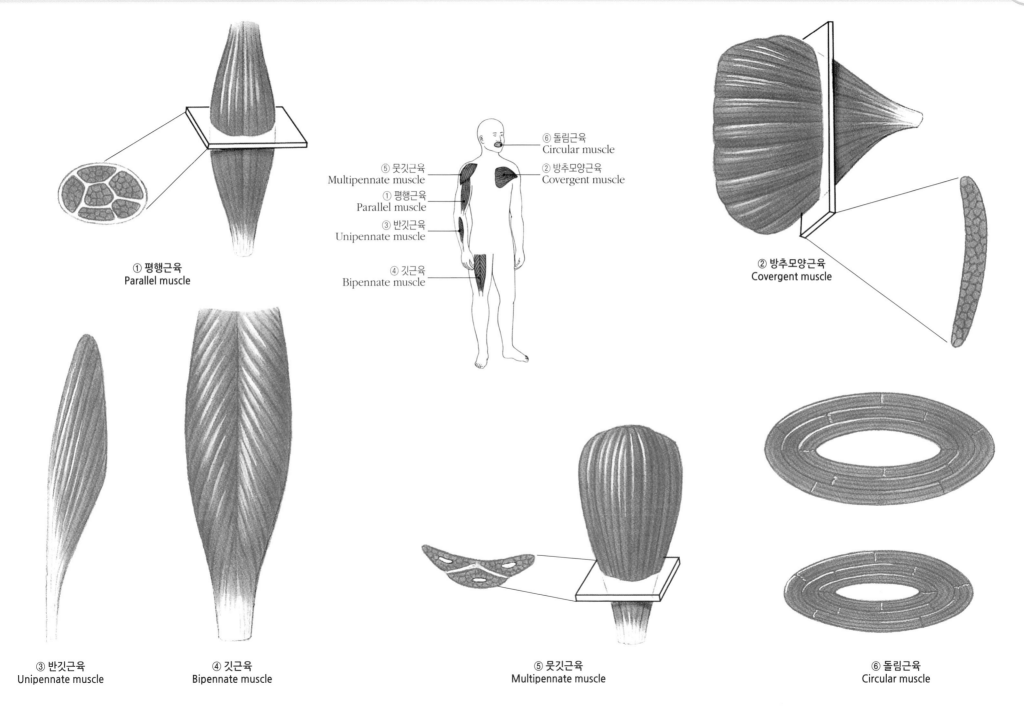

① 평행근육
Parallel muscle

⑥ 돌림근육
Circular muscle

⑤ 뭇깃근육
Multipennate muscle

② 방추모양근육
Covergent muscle

① 평행근육
Parallel muscle

③ 반깃근육
Unipennate muscle

④ 깃근육
Bipennate muscle

② 방추모양근육
Covergent muscle

③ 반깃근육
Unipennate muscle

④ 깃근육
Bipennate muscle

⑤ 뭇깃근육
Multipennate muscle

⑥ 돌림근육
Circular muscle

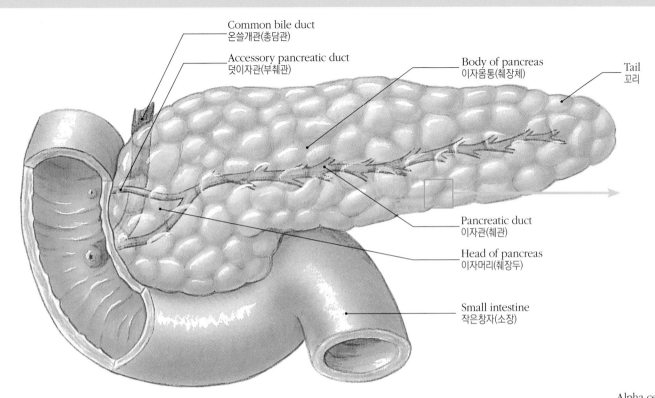

Common bile duct
온쓸개관(총담관)

Accessory pancreatic duct
덧이자관(부췌관)

Body of pancreas
이자몸통(췌장체)

Tail
꼬리

Pancreatic duct
이자관(췌관)

Head of pancreas
이자머리(췌장두)

Small intestine
작은창자(소장)

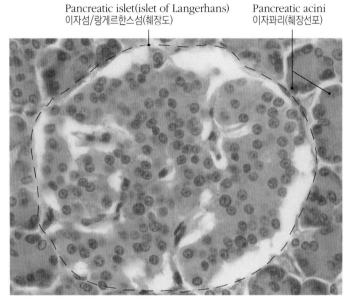

Pancreatic islet(islet of Langerhans)
이자섬/랑게르한스섬(췌장도)

Pancreatic acini
이자꽈리(췌장선포)

이자(췌장, Pancreas)

이자의 랑게르한스섬에서는 호르몬 활성도를 갖는 4개의 펩티드가 분비되는데, 그중에서 인슐린(Insulin)과 글루카곤(Glucagon)은 탄수화물, 단백질 및 지방의 중간대사를 조절하는 중요한 기능을 가지고 있으며, 소마토스타틴(Somatostatin)은 이들 세포로부터 호르몬 분비를 조절하는 역할을 하며, 이자 폴리펩타이드(Pancreatic polypetide)는 주로 위장기능에 관여한다.

인슐린은 포도당, 지방산 및 아미노산 등을 저장시키는 동화작용을 하며, 글루카곤은 이들 물질을 저장소로부터 혈액 내로 유리시키는 이화작용을 한다.

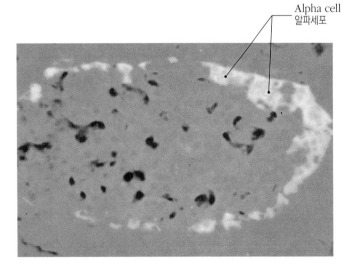

Alpha cell
알파세포

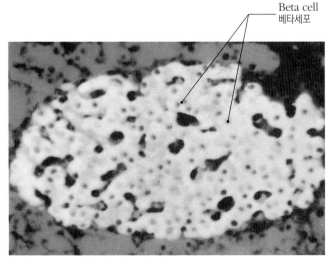

Beta cell
베타세포

이자섬의 알파세포와 베타세포
Alpha cell and beta cell in pancreatic islets(LMS×184)

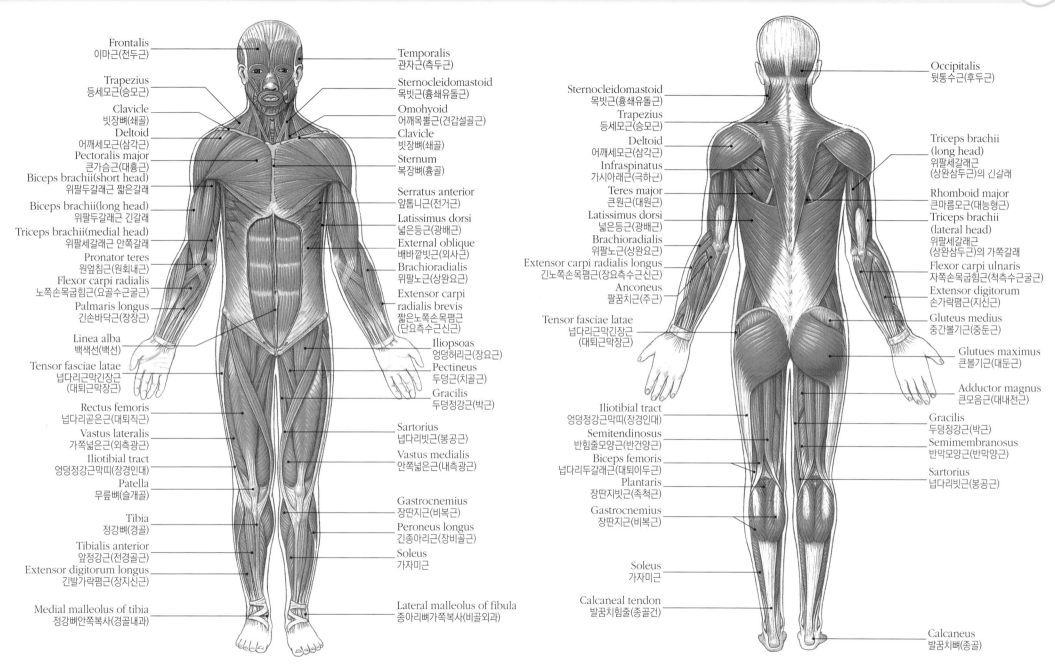

Frontalis 이마근(전두근)
Temporalis 관자근(측두근)
Occipitalis 뒷통수근(후두근)
Trapezius 등세모근(승모근)
Sternocleidomastoid 목빗근(흉쇄유돌근)
Sternocleidomastoid 목빗근(흉쇄유돌근)
Clavicle 빗장뼈(쇄골)
Omohyoid 어깨목뿔근(견갑설골근)
Trapezius 등세모근(승모근)
Deltoid 어깨세모근(삼각근)
Clavicle 빗장뼈(쇄골)
Deltoid 어깨세모근(삼각근)
Triceps brachii (long head) 위팔세갈래근(상완삼두근)의 긴갈래
Pectoralis major 큰가슴근(대흉근)
Sternum 복장뼈(흉골)
Infraspinatus 가시아래근(극하근)
Biceps brachii(short head) 위팔두갈래근 짧은갈래
Serratus anterior 앞톱니근(전거근)
Teres major 큰원근(대원근)
Rhomboid major 큰마름모근(대능형근)
Biceps brachii(long head) 위팔두갈래근 긴갈래
Latissimus dorsi 넓은등근(광배근)
Latissimus dorsi 넓은등근(광배근)
Triceps brachii (lateral head) 위팔세갈래근(상완삼두근)의 가쪽갈래
Triceps brachii(medial head) 위팔세갈래근 안쪽갈래
External oblique 배바깥빗근(외사근)
Brachioradialis 위팔노근(상완요근)
Brachioradialis 위팔노근(상완요근)
Flexor carpi ulnaris 자쪽손목굽힘근(척측수근굴근)
Pronator teres 원엎침근(원회내근)
Extensor carpi radialis longus 긴노쪽손목폄근(장요측수근신근)
Flexor carpi radialis 노쪽손목굽힘근(요골수근굴근)
Extensor carpi radialis brevis 짧은노쪽손목폄근(단요측수근신근)
Anconeus 팔꿈치근(주근)
Extensor digitorum 손가락폄근(지신근)
Palmaris longus 긴손바닥근(장장근)
Linea alba 백색선(백선)
Iliopsoas 엉덩허리근(장요근)
Tensor fasciae latae 넙다리근막긴장근(대퇴근막장근)
Gluteus medius 중간볼기근(중둔근)
Tensor fasciae latae 넙다리근막긴장근(대퇴근막장근)
Pectineus 두덩근(치골근)
Gluteus maximus 큰볼기근(대둔근)
Gracilis 두덩정강근(박근)
Adductor magnus 큰모음근(대내전근)
Rectus femoris 넙다리곧은근(대퇴직근)
Iliotibial tract 엉덩정강근막띠(장경인대)
Gracilis 두덩정강근(박근)
Vastus lateralis 가쪽넓은근(외측광근)
Sartorius 넙다리빗근(봉공근)
Semitendinosus 반힘줄모양근(반건양근)
Semimembranosus 반막모양근(반막양근)
Iliotibial tract 엉덩정강근막띠(장경인대)
Vastus medialis 안쪽넓은근(내측광근)
Biceps femoris 넙다리두갈래근(대퇴이두근)
Sartorius 넙다리빗근(봉공근)
Patella 무릎뼈(슬개골)
Plantaris 장딴지빗근(족척근)
Tibia 정강뼈(경골)
Gastrocnemius 장딴지근(비복근)
Gastrocnemius 장딴지근(비복근)
Peroneus longus 긴종아리근(장비골근)
Tibialis anterior 앞정강근(전경골근)
Soleus 가자미근
Soleus 가자미근
Extensor digitorum longus 긴발가락폄근(장지신근)
Calcaneal tendon 발꿈치힘줄(종골건)
Medial malleolus of tibia 정강뼈안쪽복사(경골내과)
Lateral malleolus of fibula 종아리뼈가쪽복사(비골외과)
Calcaneus 발꿈치뼈(종골)

얕은층의 뼈대근육(앞면) Superficial Skeletal Muscles(Anterior)

얕은층의 뼈대근육(앞면) Superficial Skeletal Muscles(Anterior)

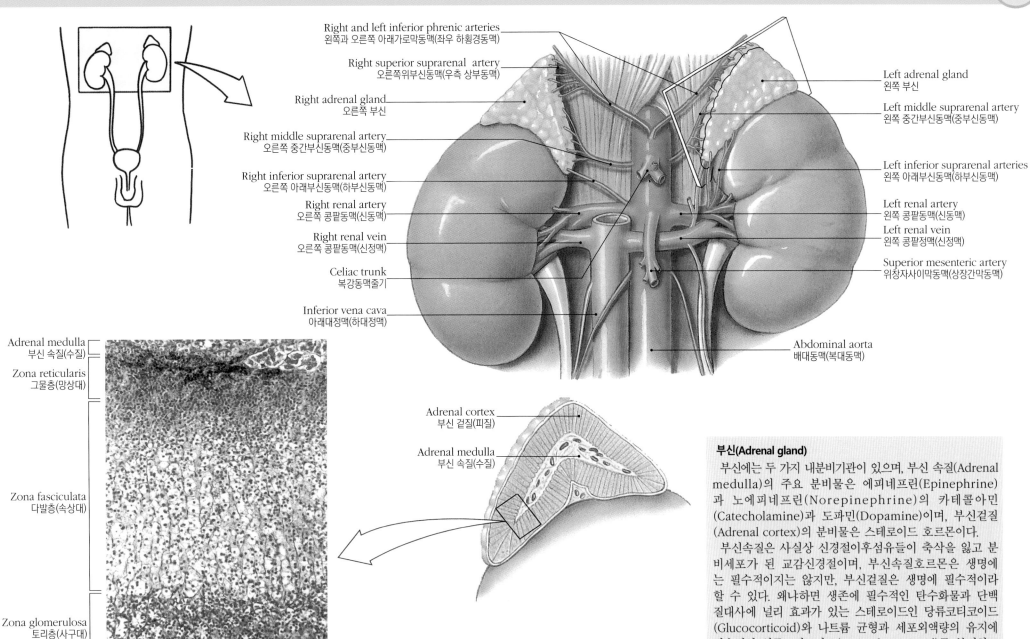

Right and left inferior phrenic arteries
왼쪽과 오른쪽 아래가로막동맥(좌우 하횡경동맥)

Right superior suprarenal artery
오른쪽위부신동맥(우측 상부동맥)

Right adrenal gland
오른쪽 부신

Right middle suprarenal artery
오른쪽 중간부신동맥(중부신동맥)

Right inferior suprarenal artery
오른쪽 아래부신동맥(하부신동맥)

Right renal artery
오른쪽 콩팥동맥(신동맥)

Right renal vein
오른쪽 콩팥동맥(신정맥)

Celiac trunk
복강동맥줄기

Inferior vena cava
아래대정맥(하대정맥)

Left adrenal gland
왼쪽 부신

Left middle suprarenal artery
왼쪽 중간부신동맥(중부신동맥)

Left inferior suprarenal arteries
왼쪽 아래부신동맥(하부신동맥)

Left renal artery
왼쪽 콩팥동맥(신동맥)

Left renal vein
왼쪽 콩팥정맥(신정맥)

Superior mesenteric artery
위창자사이막동맥(상장간막동맥)

Abdominal aorta
배대동맥(복대동맥)

Adrenal medulla
부신 속질(수질)

Zona reticularis
그물층(망상대)

Zona fasciculata
다발층(속상대)

Zona glomerulosa
토리층(사구대)

Capsule
피막

Adrenal cortex
부신 겉질(피질)

Adrenal medulla
부신 속질(수질)

부신(Adrenal gland)

부신에는 두 가지 내분비기관이 있으며, 부신 속질(Adrenal medulla)의 주요 분비물은 에피네프린(Epinephrine)과 노에피네프린(Norepinephrine)의 카테콜아민(Catecholamine)과 도파민(Dopamine)이며, 부신겉질(Adrenal cortex)의 분비물은 스테로이드 호르몬이다.

부신속질은 사실상 신경절이후섬유들이 축삭을 잃고 분비세포가 된 교감신경절이며, 부신속질호르몬은 생명에는 필수적이지는 않지만, 부신겉질은 생명에 필수적이라 할 수 있다. 왜냐하면 생존에 필수적인 탄수화물과 단백질대사에 널리 효과가 있는 스테로이드인 당류코티코이드(Glucocorticoid)와 나트륨 균형과 세포외액량의 유지에 필수적인 염류코티코이드(Mineralocorticoid)를 분비하고 생식능력에 적은 영향을 미치는 성호르몬을 분비하기 때문이다.

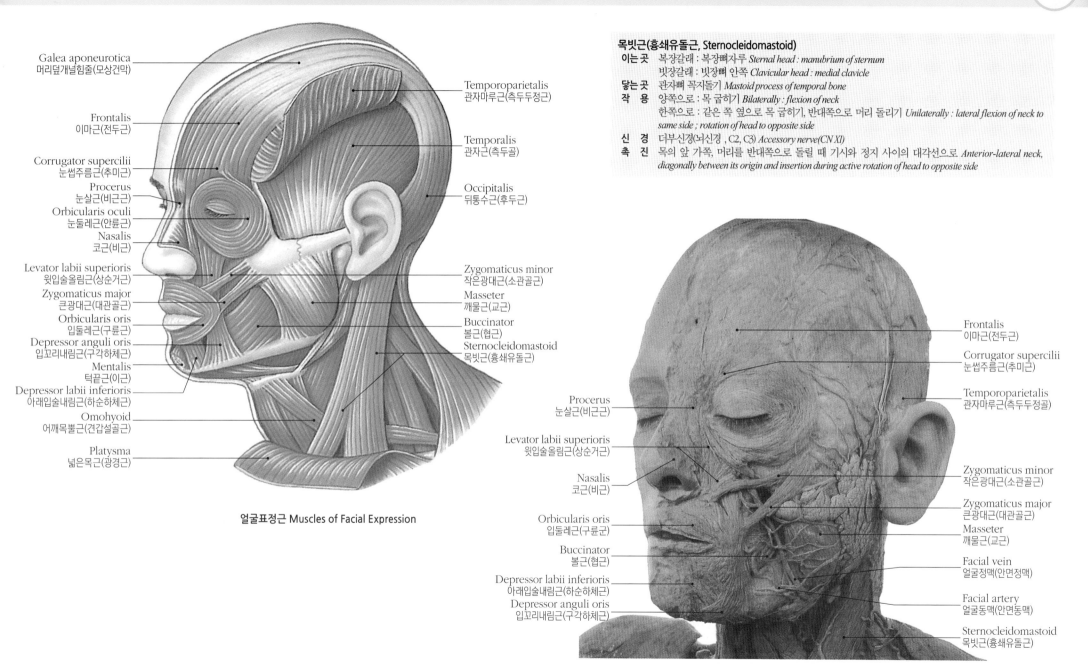

목빗근(흉쇄유돌근, Sternocleidomastoid)

이는 곳	복장갈래 : 복장뼈자루 Sternal head : manubrium of sternum
	빗장갈래 : 빗장뼈 안쪽 Clavicular head : medial clavicle
닿는 곳	관자뼈 꼭지돌기 Mastoid process of temporal bone
작 용	양쪽으로 : 목 굽히기 Bilaterally : flexion of neck
	한쪽으로 : 같은 쪽 옆으로 목 굽히기, 반대쪽으로 머리 돌리기 Unilaterally : lateral flexion of neck to same side ; rotation of head to opposite side
신 경	더부신경(뇌신경 , C2, C3) Accessory nerve(CN XI)
촉 진	목의 앞 가쪽, 머리를 반대쪽으로 돌릴 때 기시와 정지 사이의 대각선으로 Anterior-lateral neck, diagonally between its origin and insertion during active rotation of head to opposite side

Galea aponeurotica
머리덮개널힘줄(모상건막)

Frontalis
이마근(전두근)

Corrugator supercilii
눈썹주름근(추미근)

Procerus
눈살근(비근근)

Orbicularis oculi
눈둘레근(안륜근)

Nasalis
코근(비근)

Levator labii superioris
윗입술올림근(상순거근)

Zygomaticus major
큰광대근(대관골근)

Orbicularis oris
입둘레근(구륜근)

Depressor anguli oris
입꼬리내림근(구각하체근)

Mentalis
턱끝근(이근)

Depressor labii inferioris
아래입술내림근(하순하체근)

Omohyoid
어깨목뿔근(견갑설골근)

Platysma
넓은목근(광경근)

Temporoparietalis
관자마루근(측두두정근)

Temporalis
관자근(측두골)

Occipitalis
뒤통수근(후두근)

Zygomaticus minor
작은광대근(소관골근)

Masseter
깨물근(교근)

Buccinator
볼근(협근)

Sternocleidomastoid
목빗근(흉쇄유돌근)

얼굴표정근 Muscles of Facial Expression

Procerus
눈살근(비근근)

Levator labii superioris
윗입술올림근(상순거근)

Nasalis
코근(비근)

Orbicularis oris
입둘레근(구륜군)

Buccinator
볼근(협근)

Depressor labii inferioris
아래입술내림근(하순하체근)

Depressor anguli oris
입꼬리내림근(구각하체근)

Frontalis
이마근(전두근)

Corrugator supercilii
눈썹주름근(추미근)

Temporoparietalis
관자마루근(측두두정골)

Zygomaticus minor
작은광대근(소관골근)

Zygomaticus major
큰광대근(대관골근)

Masseter
깨물근(교근)

Facial vein
얼굴정맥(안면정맥)

Facial artery
얼굴동맥(안면동맥)

Sternocleidomastoid
목빗근(흉쇄유돌근)

사체의 머리와 목 Cadaver Head and Neck

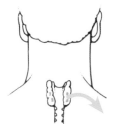

갑상샘(갑상선, Thyroid gland)

갑상샘은 조직 내에서 대사 수준이 조직의 정상적인 기능에 가장 적합하도록 유지해 주며, 인체 대부분의 세포에서 산소(O_2)의 소모를 촉진하고, 지질과 탄수화물의 대사조절에 기여하는데, 이는 인체의 정상적인 성장과 성숙에 필요하다 갑상샘에서 분비되는 주요한 호르몬은 티록신(thyroxin, T4)과 트리요오드타이로닌(triiodothyronine, T3)으로 두 호르몬은 모두 요오드를 포함하는 아미노산이다.

부갑상샘(부갑상선, Parathyroid gland)

네 개의 조그마한 부갑상샘은 갑상샘의 각 엽 안에 2개씩 묻혀 있다. 부갑상샘에서는 혈중 칼슘이온 농도의 조절에 필수적인 부갑상샘호르몬(parathyroid hormone)이라 불리는 호르몬을 분비한다.

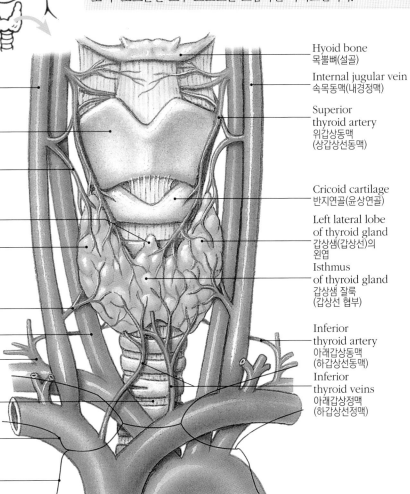

External carotid artery
바깥목동맥(외경동맥)

Thyroid cartilage
방패연골(갑상연골)

Superior thyroid vein
중간갑상정맥
(상갑상선정맥)

Pyramidal lobe
피라밋엽(추체엽)

Right lateral lobe of thyroid gland
갑상샘(갑상선)의 오른엽

Middle thyroid vein
중간갑상정맥
(중갑상선정맥)

Common carotid artery
온목동맥(총경동맥)

Thyrocervical trunk
갑상목동맥줄기
(갑상경동맥간)

Trachea
기관

Outline of clavicle
빗장뼈(쇄골) 윤곽

Outline of sternum
복장뼈(흉골) 윤곽

Hyoid bone
목뿔뼈(설골)

Internal jugular vein
속목동맥(내경정맥)

Superior thyroid artery
위갑상동맥
(상갑상선동맥)

Cricoid cartilage
반지연골(윤상연골)

Left lateral lobe of thyroid gland
갑상샘(갑상선)의 왼엽

Isthmus of thyroid gland
갑상샘 잘룩
(갑상선 협부)

Inferior thyroid artery
아래갑상동맥
(하갑상선동맥)

Inferior thyroid veins
아래갑상정맥
(하갑상선정맥)

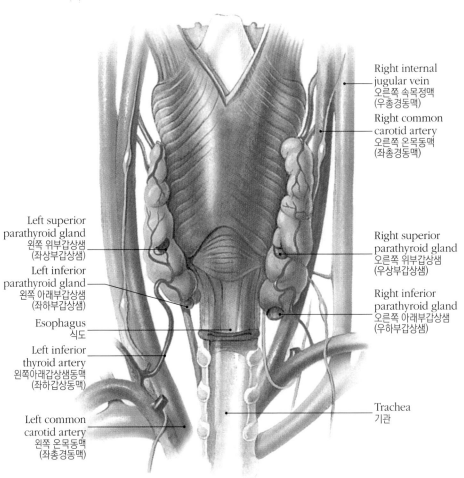

Right internal jugular vein
오른쪽 속목정맥
(우총경동맥)

Right common carotid artery
오른쪽 온목동맥
(좌총경동맥)

Right superior parathyroid gland
오른쪽 위부갑상샘
(우상부갑상샘)

Right inferior parathyroid gland
오른쪽 아래부갑상샘
(우하부갑상샘)

Trachea
기관

Left superior parathyroid gland
왼쪽 위부갑상샘
(좌상부갑상샘)

Left inferior parathyroid gland
왼쪽 아래부갑상샘
(좌하부갑상샘)

Esophagus
식도

Left inferior thyroid artery
왼쪽아래갑상샘동맥
(좌하갑상동맥)

Left common carotid artery
왼쪽 온목동맥
(좌총경동맥)

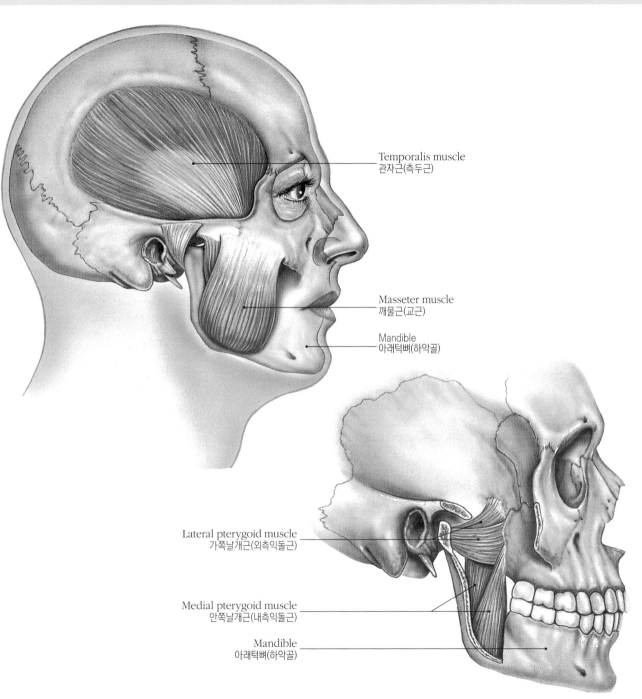

Temporalis muscle
관자근(측두근)

Masseter muscle
깨물근(교근)

Mandible
아래턱뼈(하악골)

Lateral pterygoid muscle
가쪽날개근(외측익돌근)

Medial pterygoid muscle
안쪽날개근(내측익돌근)

Mandible
아래턱뼈(하악골)

관자근(측두근, Temporalis)
- 이는곳 관자뼈 바깥면 *Lateral surface of temporal bone*
- 닿는곳 아래턱(갈고리돌기와 가지) *Mandible(coronoid process and ramus)*
- 작 용 턱닫기와 당기기 *Closes jaw and retracts jaw*
- 신 경 뇌신경 V(삼차신경) *Cranial nerve V(Trigeminal)*
- 촉 진 관자놀이 바깥면 *Lateral surface at temple*

안쪽날개근(내측익돌근, Medial pterygoid)
- 이는곳 날개모양판(안쪽면) *Pterygoid plate(medial surface)*
- 닿는곳 아래턱(가지의 안쪽면) *Mandible(medial surface of ramus)*
- 작 용 턱을 닫고 앞으로 내미는 것 보조 *Closes jaw and assists protraction*
  한쪽운동 : 바깥턱 반대쪽으로 움직이기 *Unilaterally : lateral jaw motion to opposite side*
- 신 경 뇌신경 V(삼차신경) *Cranial nerve V(Trigeminal)*
- 촉 진 만질 수 없다. *Can't palpate*

가쪽날개근(외측익돌근, Lateral pterygoid)
- 이는곳 날개모양판(가쪽면) *Pterygoid plate(medial surface)*
- 닿는곳 아래턱, 턱관절주머니 *Mandible, Temporomandibular joint capsule*
- 작 용 턱 앞으로 내밀기 *Protracts jaw*
  한쪽운동 : 바깥턱 반대쪽으로 움직이기 *Unilaterally : lateral jaw motion to opposite side*
- 신 경 뇌신경 V(삼차신경) *Cranial nerve V(Trigeminal)*
- 촉 진 만질 수 없다. *Can't palpate*

깨물근(교근, Masseter)
- 이는곳 광대활 *Zygomatic arch*
- 닿는곳 아래턱(가지의 가쪽면) *Mandible(lateral surface of ramus)*
- 작 용 턱을 닫고 앞으로 내미는 것 보조 *Closes jaw and assists protraction*
  한쪽운동 : 바깥턱 같은쪽으로 움직이기 *Unilaterally : lateral jaw motion to same side*
- 신 경 뇌신경 V(삼차신경) *Cranial nerve V(Trigeminal)*
- 촉 진 뒤쪽어금니 부위의 아래턱 가쪽 *Lateral mandible in area of back molars*

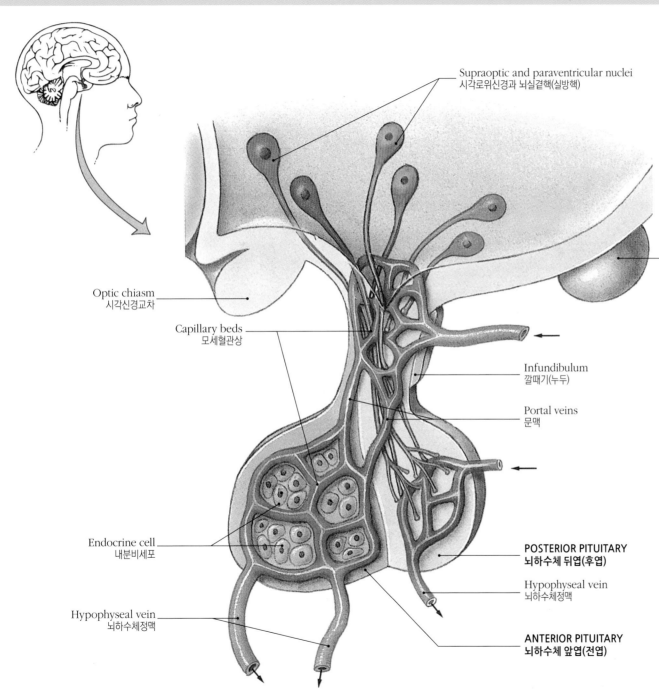

Supraoptic and paraventricular nuclei
시각로위신경과 뇌실곁핵(실방핵)

Mammillary body
유두체

Optic chiasm
시각신경교차

Capillary beds
모세혈관상

Infundibulum
깔때기(누두)

Portal veins
문맥

Endocrine cell
내분비세포

POSTERIOR PITUITARY
뇌하수체 뒤엽(후엽)

Hypophyseal vein
뇌하수체정맥

Hypophyseal vein
뇌하수체정맥

ANTERIOR PITUITARY
뇌하수체 앞엽(전엽)

뇌하수체는 완두콩 크기 정도의 작은 샘이며, 뇌의 시상 하부 아래쪽 나비뼈의 함몰부위에 위치하고 시상하부와 연결되어 있으며, 신경하수체(neurohypophysis)는 신경부 (parsnervosa)와 깔때기(누두, infundibulum)로 나누고 성인의 뇌하수체는 앞엽(전엽, anterior lobe)과 뒤엽(후엽, posterior lobe)으로 나눈다..

뇌하수체는 2가지 방법으로 뇌의 시상하부에 의해 조절된다.

① 뇌하수체 앞엽의 호르몬 분비는 시상하부에서 분비되는 유리호르몬(releasing hormone)에 의해 조절된다.

② 뇌하수체 뒤엽의 호르몬 분비는 시상하부의 신경세포로부터 발생한 신경자극에 의해 조절된다

턱목뿔근(악설골근, Mylohyoids)
두힘살근(악이복근, Digastrics)
턱끝목뿔근(이설골근, Geniohyoids)
붓목뿔근(경돌설골근, Stylohyoids)

이는곳	아래턱 *Mandible*
	두힘살근 뒤힘살 : 관자뼈꼭지돌기 *Posterior digastric : mastoid process of temporal bone*
닿는곳	목뿔뼈 *Hyoid bone*
작 용	삼킬 때 목뿔뼈를 올리거나(아래턱뼈가 고정되어있을 때), 턱 벌리기(목뿔뼈가 고정되어 있을 때) *Raise hyoid bone in swallowing(when mandible is stable) or opens the jaw(when hyoid bone is stable)*
신 경	턱목뿔근: 뇌신경 V(삼차신경) *CN V(Trigeminal)*
	두힘살근 앞힘살: 몸통·뇌신경 V(삼차신경) *CN V(Trigeminal)*
	두힘살근 뒤힘살: 뇌신경 VII(얼굴신경) *CN VII(Facial)*
	턱목뿔근: C₁부터 뇌신경 XII(혀밑신경) *C1 via CN XII(Hypoglossal)*
	붓목뿔근: 뇌신경 VII(얼굴신경) *CN VII(Facial)*
촉 진	턱목뿔근은 삼키는 동안 혀와 혀밑에서 느낄 수 있다. *Mylohyoid can be felt with and underneath the tongue during swallowing*

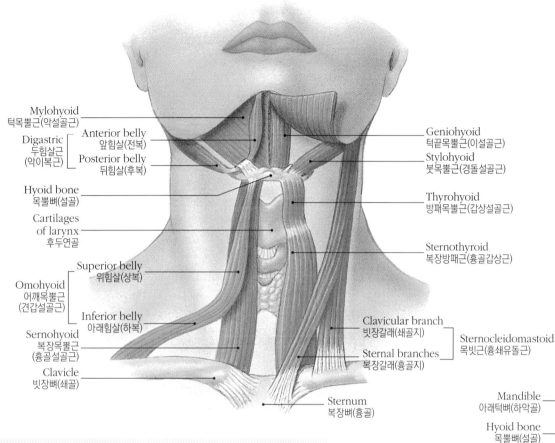

- Mylohyoid 턱목뿔근(악설골근)
- Digastric 두힘살근(악이복근)
  - Anterior belly 앞힘살(전복)
  - Posterior belly 뒤힘살(후복)
- Hyoid bone 목뿔뼈(설골)
- Cartilages of larynx 후두연골
- Omohyoid 어깨목뿔근(견갑설골근)
  - Superior belly 위힘살(상복)
  - Inferior belly 아래힘살(하복)
- Sernohyoid 복장목뿔근(흉골설골근)
- Clavicle 빗장뼈(쇄골)
- Geniohyoid 턱끝목뿔근(이설골근)
- Stylohyoid 붓목뿔근(경돌설골근)
- Thyrohyoid 방패목뿔근(갑상설골근)
- Sternothyroid 복장방패근(흉골갑상근)
- Clavicular branch 빗장갈래(쇄골지)
- Sternal branches 복장갈래(흉골지)
- Sternocleidomastoid 목빗근(흉쇄유돌근)
- Sternum 복장뼈(흉골)

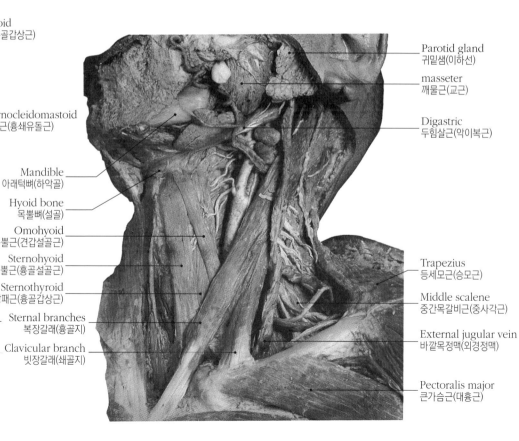

- Parotid gland 귀밑샘(이하선)
- masseter 깨물근(교근)
- Digastric 두힘살근(악이복근)
- Mandible 아래턱뼈(하악골)
- Hyoid bone 목뿔뼈(설골)
- Omohyoid 어깨목뿔근(견갑설골근)
- Sternohyoid 복장목뿔근(흉골설골근)
- Sternothyroid 복장방패근(흉골갑상근)
- Sternal branches 복장갈래(흉골지)
- Sternocleidomastoid 목빗근(흉쇄유돌근)
- Clavicular branch 빗장갈래(쇄골지)
- Trapezius 등세모근(승모근)
- Middle scalene 중간목갈비근(중사각근)
- External jugular vein 바깥목정맥(외경정맥)
- Pectoralis major 큰가슴근(대흉근)

방패목뿔근(갑상설골근, Thyrohyoid)
복장방패근(흉골갑상근, Sternothyroid)
복장목뿔근(흉골설골근, Sternohyoid)
어깨목뿔근(견갑설골근, Omohyoid)

이는곳	방패목뿔근: 갑상연골 *Thyrohyoid : thyroid cartridge*
	복장방패근: 복장뼈자루 *Sternothyroid : manubrium of sternum*
	복장목뿔근: 복장뼈자루, 빗장뼈 안쪽 *Sternohyoid : manubrium of sternum, medial clavicle*
	어깨목뿔근: 어깨뼈의 위쪽 경계 *Omohyoid : superior border of scapula*
닿는곳	목뿔뼈 *Hyoid bone*
작 용	삼킬 때 근육을 아래쪽으로 당겨 목뿔뼈 고정시키기 *Stabilizes hyoid bone in swallowing by pulling it downward*
신 경	C₁, C₂, C₃
촉 진	목 앞의 다른 근육들과 구별하기 어려움 *Difficult to differentiate from other anterior muscles of the neck*

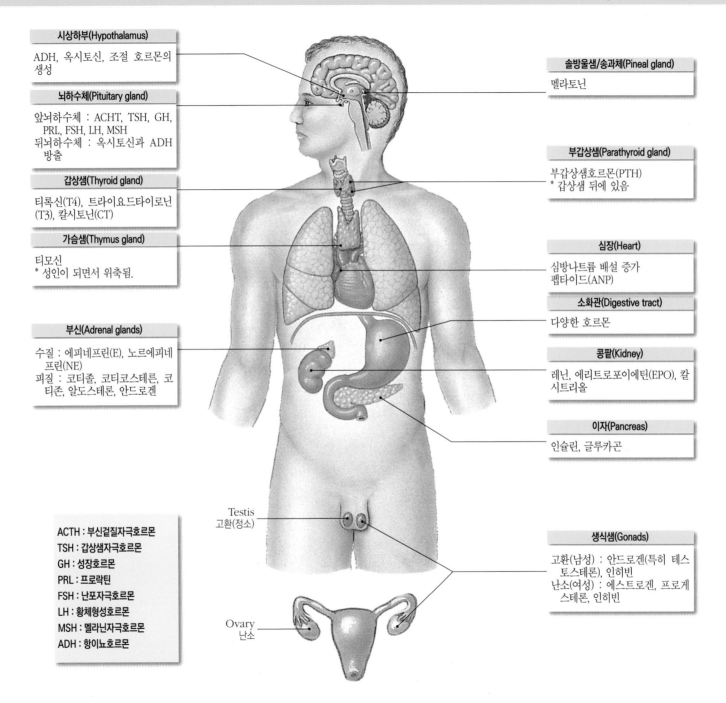

시상하부(Hypothalamus)

ADH, 옥시토신, 조절 호르몬의 생성

뇌하수체(Pituitary gland)

앞뇌하수체 : ACHT, TSH, GH, PRL, FSH, LH, MSH
뒤뇌하수체 : 옥시토신과 ADH 방출

갑상샘(Thyroid gland)

티록신(T4), 트라이요드타이로닌(T3), 칼시토닌(CT)

가슴샘(Thymus gland)

티모신
* 성인이 되면서 위축됨.

부신(Adrenal glands)

수질 : 에피네프린(E), 노르에피네프린(NE)
피질 : 코티졸, 코티코스테른, 코티존, 알도스테론, 안드로겐

ACTH : 부신겉질자극호르몬
TSH : 갑상샘자극호르몬
GH : 성장호르몬
PRL : 프로락틴
FSH : 난포자극호르몬
LH : 황체형성호르몬
MSH : 멜라닌자극호르몬
ADH : 항이뇨호르몬

솔방울샘/송과체(Pineal gland)

멜라토닌

부갑상샘(Parathyroid gland)

부갑상샘호르몬(PTH)
* 갑상샘 뒤에 있음

심장(Heart)

심방나트륨 배설 증가 펩타이드(ANP)

소화관(Digestive tract)

다양한 호르몬

콩팥(Kidney)

레닌, 에리트로포이에틴(EPO), 칼시트리올

이자(Pancreas)

인슐린, 글루카곤

Testis
고환(정소)

Ovary
난소

생식샘(Gonads)

고환(남성) : 안드로겐(특히 테스토스테론), 인히빈
난소(여성) : 에스트로겐, 프로게스테론, 인히빈

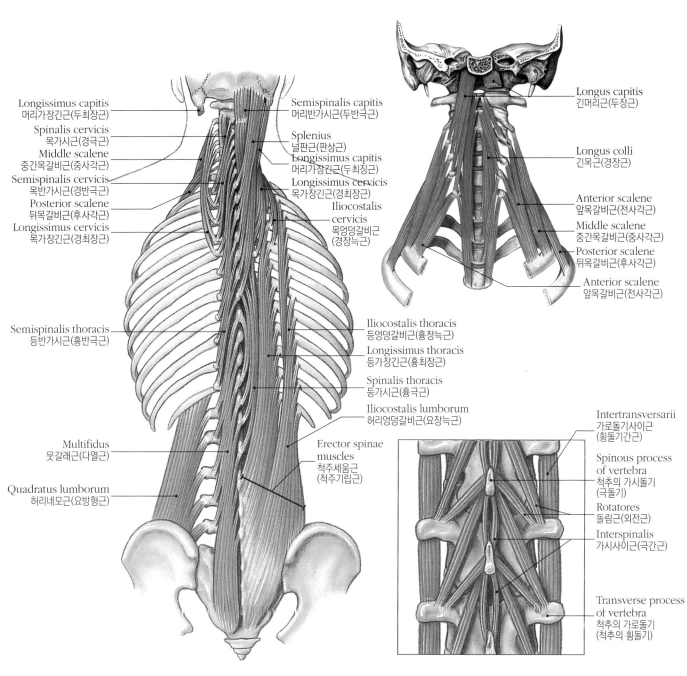

Longissimus capitis
머리가장긴근(두최장근)

Spinalis cervicis
목가시근(경극근)

Middle scalene
중간목갈비근(중사각근)

Semispinalis cervicis
목반가시근(경반극근)

Posterior scalene
뒤목갈비근(후사각근)

Longissimus cervicis
목가장긴근(경최장근)

Semispinalis thoracis
등반가시근(흉반극근)

Multifidus
뭇갈래근(다열근)

Quadratus lumborum
허리네모근(요방형근)

Semispinalis capitis
머리반가시근(두반극근)

Splenius
널판근(판상근)

Longissimus capitis
머리가장긴근(두최장근)

Longissimus cervicis
목가장긴근(경최장근)

Iliocostalis cervicis
목엉덩갈비근(경장늑근)

Iliocostalis thoracis
등엉덩갈비근(흉장늑근)

Longissimus thoracis
등가장긴근(흉최장근)

Spinalis thoracis
등가시근(흉극근)

Iliocostalis lumborum
허리엉덩갈비근(요장늑근)

Erector spinae muscles
척주세움근(척주기립근)

Longus capitis
긴머리근(두장근)

Longus colli
긴목근(경장근)

Anterior scalene
앞목갈비근(전사각근)

Middle scalene
중간목갈비근(중사각근)

Posterior scalene
뒤목갈비근(후사각근)

Anterior scalene
앞목갈비근(전사각근)

Intertransversarii
가로돌기사이근(횡돌기간근)

Spinous process of vertebra
척추의 가시돌기(극돌기)

Rotatores
돌림근(외전근)

Interspinalis
가시사이근(극간근)

Transverse process of vertebra
척추의 가로돌기(척추의 횡돌기)

목갈비근(사각근, Scalenes)

이는곳 목뼈의 가로돌기 Transverse processes of cevical vertebrae
앞목갈비근 : C3~C6 Scalenes anterior : C3~C6
중간목갈비근 : C2~C7 Scalenes medius : C2~C7
뒤목갈비근 : C4~C6 Scalenes posterior : C4~C6

닿는곳 처음 2개의 갈비뼈(앞 및 중간목갈비근은 첫번째 갈비뼈에, 뒤목갈비근은 두번째 갈비뼈에) First 2 ribs (anterior and medial to 1st rib ; posterior to 2nd rib)

작용 양쪽으로 : 강한 들숨을 쉴 때 처음 2개의 갈비뼈를 들어올리거나 목굽히기 보조 Bilaterally : raise first 2 ribs during forced inspiration or assist neck flexion
한쪽으로 : 머리 같은 쪽 옆으로 굽히기 보조 Unilaterally : assists in lateral flexion of head to same side

신경 C3~C8의 배쪽가지 Ventral rami of cervical nerve 3-8

촉진 강하게 들숨을 쉬는 동안 빗장뼈 바로 위 목빗근 뒤에서 만질 수 있다. Posterior to sternocleidomastoid, just above clavicle, during forceful inspiration

엉덩갈비근(장늑근, Iliocostalis)
가장긴근(최장근, Longissimus)
가시근(극근, Spinalis)

이는곳 엉덩갈비근 : (가쪽층) : 등허리널힘줄, 뒤쪽갈비뼈 Iliocostalis : (lateral layer) thoracolumbar aponeurosis, posterior ribs
가장긴근 : (중간층) 등허리널힘줄, 허리와 등의 가로돌기 Longgissimus : (middle layer) thoracolumbar aponeurosis, lumbar and thoracic transverse processes
가시근 : (안쪽 층) : 목덜미인대, 목과 등의 가시돌기 Spinalis : (medial layer) ligamentum nuchae, cervical and thoracic spinous processes

닿는곳 엉덩갈비근 : 뒤쪽갈비뼈, 목뼈가로돌기 Iliocostalis : posterior ribs, cervical transverse processes
가장긴근 : 목뼈와 등뼈의 가로돌기, 꼭지돌기 Longissimus : cervical and thoracic transverse processes, mastoid process
가시근 : 목뼈와 등뼈의 가시돌기, 뒤통수뼈 Spinalis : cervical and thoracic spinous processes, occipital bone

작용 양쪽으로 : 척주펴기 Bilaterally : extension of spine
한쪽으로 : 척주 옆으로 굽히기 Unilaterally : lateral flexion of spine

신경 척수신경의 등쪽가지 Dorsal rami of spinal nerves

촉진 만질 수 없다. Cannot palpate

반가시근(반극근, Semispinalis)
뭇갈래근(다열근, Multifidus)

이는곳 반가시근 : 목뼈와 등뼈의 가로돌기 Semispinalis : cervical and thoracic transverse processes
뭇갈래근 : 엉치뼈, 뒤위엉덩뼈가시, 모든 척추의 가로돌기 Multifidus : sacrum, posterior superior iliac spine, transverse processes all vertebrae

닿는곳 반가시근 : 목뼈와 등뼈의 가시돌기, 뒤통수뼈(3~6개의 척추에 걸쳐 있다) Semispinalis : cervical and thoracic spinous processes, occipital bone(spans 3 to 6 vertebrae)
뭇갈래근 : 모든 척추의 가시돌기, 이는곳 위 2~4개의 척추에 닿는다. Multifidus : spinous processes of all vertebrae, inserting 2 to 4 vertebrae above origin

작용 양쪽으로 : 척주 펴기 Bilaterally : extension of spine
한쪽으로 : 반대쪽으로 돌리기 Unilaterally : rotation to opposite side

신경 척수신경에 인접한 등쪽가지 Dorsal rami of spinal nerves

촉진 만질 수 없다. Cannot palpate

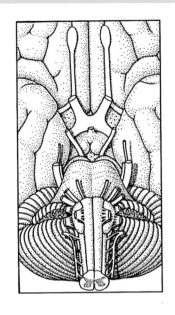

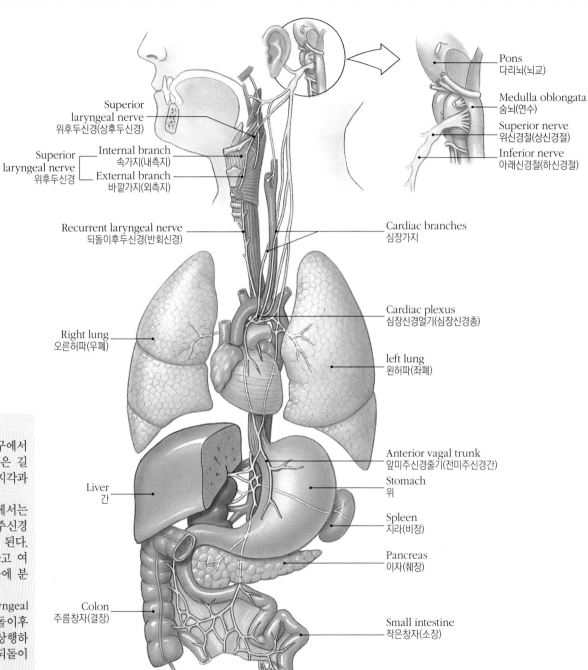

미주신경(N X, Vagus Nerve)

숨뇌(연수) 가쪽에서 목정맥을 통해 두개바닥으로 나오는 출구에서 위·아래신경절(Superior/Inferior ganglion)을 만든다. 신경관은 길고 복잡하며, 가슴공간과 배공간에까지 내려가서 내장기관의 지각과 운동 및 분비를 지배한다.

목에서는 온목동맥과 속목정맥 사이로 하행하고 가슴공간에서는 식도의 앞뒤벽을 따라 왼쪽 신경은 식도 앞벽을 따라가는 앞미주신경줄기가 되고 오른쪽 신경은 뒷벽을 따라가는 뒤미주신경줄기가 된다. 배공간에 이르러서는 복강동맥 주위에서 복강신경얼기를 만들고 여기서 나오는 분지가 위, 식도, 후두, 기관, 기관지, 허파, 심장 등에 분포한다.

특히 가슴공간 위에서 이는 되돌이후두신경(Recurrent laryngeal nerve) 중 오른 되돌이후두신경은 오른빗장밑동맥을, 왼쪽 되돌이후두신경은 큰동맥활을 각각 돌아서 다시 기관 양쪽 벽을 따라 상행하여 뒤통수근의 운동, 즉 발성을 지배하고 있다. 그렇기 때문에 되돌이후두신경이 마비되면 발성장애가 일어난다.

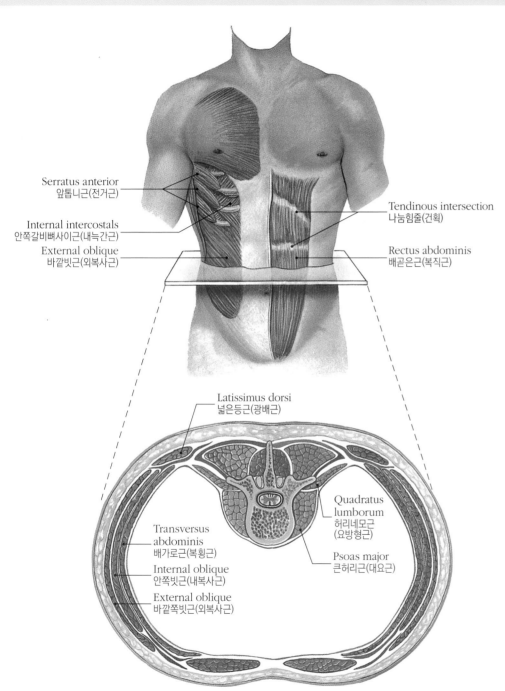

Serratus anterior
앞톱니근(전거근)

Internal intercostals
안쪽갈비뼈사이근(내늑간근)

External oblique
바깥빗근(외복사근)

Tendinous intersection
나눔힘줄(건획)

Rectus abdominis
배곧은근(복직근)

Latissimus dorsi
넓은등근(광배근)

Quadratus
lumborum
허리네모근
(요방형근)

Transversus
abdominis
배가로근(복횡근)

Psoas major
큰허리근(대요근)

Internal oblique
안쪽빗근(내복사근)

External oblique
바깥쪽빗근(외복사근)

배곧은근(복직근, Rectus abdominis)

이는곳 두덩결합과 두덩뼈능선 *Pubic symphysis and crest*
닿는곳 5, 6, 7번 갈비뼈의 갈비연골, 칼돌기 *Costal cartilages of ribs 5, 6, 7, Xiphoid process*
작 용 몸통 굽히기, 뱃속의 장기가 압박되지 않도록 보호 *Flexion of trunk, support compression of abdominal contents*
신 경 T7~T12 갈비사이신경의 배쪽가지 *Ventral rami of intercostal nerves T7~T12*
촉 진 몸통굽히기를 할 때 복장뼈에서 두덩뼈까지 배의 앞안쪽면에서 만질 수 있다. *Anterior-medial surface of abdomen from sternum to pubis during active trunk flexion*

배가로근(복횡근, Transverse abdominis)

이는곳 샅고랑인대, 엉덩뼈능선, 등허리널힘줄, 갈비뼈 7-12번 갈비연골 안쪽면 *Inguinal ligament, iliac crest, thoracolumbar aponeurosis, internal surface of costal cartilages of ribs 7~12*
닿는곳 배널힘줄과 백색선, 두덩뼈 *Abdominal aponeurosis and linea alba pubis*
작 용 뱃속 장기 압박 *Compression of abdominal contents*
신 경 갈비사이신경 T7~T12의 배쪽가지 *Ventral rami of intercostal nerve T7~T12*
L1(L1=엉덩아랫배신경과 엉덩샅굴신경) *L1(=iliohypogastric nerve and ilioinguinal nerve)*
촉 진 만지기 어려우며, 이 근육에 비해 얕게 놓여 있는 다른 배근육과 구별하기 어렵다. *Difficult to palpate or differentiate from abdominal muscles lying superficial to it.*

배바깥빗근(외복사근, Obliquus externus abdominis)

이는곳 아래쪽 8개의 갈비뼈(5~12번) *Lower 8 ribs(5-12)*
닿는곳 백선, 두덩뼈, 앞엉덩뼈능선 *Linea alba, pubis, anterior iliac crest*
작 용 양쪽으로 : 몸통 굽히기, 뱃속 장기 압박 *Bilaterally : flexion of trunk, compression of abdominal contents*
한쪽으로 : 몸통 가쪽으로 굽히기, 반대쪽으로 돌리기 *Unilaterally : lateral flexion, rotation of trunk to opposite side*
신 경 갈비사이신경의 배쪽가지, T7~T12 *Ventral rami of intercostal nerve T7~T12*
L1(엉덩아랫배신경과 엉덩샅굴신경) *L1(=iliohypogastric nerve and ilioinguinal nerve)*
촉 진 몸통을 반대쪽으로 돌릴 때 배 바깥쪽에서 만질 수 있다. *Lateral sides of abdomen during active trunk rotation to opposite side.*

배속빗근(내복사근, Obliquus internus abdominis)

이는곳 샅고랑인대, 앞엉덩뼈능선, 등허리힘줄막 *Inguinal ligament, anterior iliac crest, thoracolumbar aponeurosis*
닿는곳 아래쪽 4개의 갈비뼈(9~12)의 갈비연골, 배힘줄막과 백색선 *Costal cartilages of lower 4 ribs(9~12), abdominal aponeurosis and linea alba*
작 용 양쪽으로 : 몸통 굽히기, 뱃속 장기 압박 *Bilaterally : flexion of trunk, compression of abdominal contents*
한쪽으로 : 몸통 가쪽으로 굽히기, 같은쪽으로 돌리기 *Unilaterally : lateral flexion, rotation of trunk to same side*
신 경 갈비사이신경의 배쪽가지, T7~T12 *Ventral rami of intercostal nerve T7~T12*
L1(엉덩아랫배신경과 엉덩샅굴신경) *L1(=iliohypogastric nerve and ilioinguinal nerve)*
촉 진 만지기가 어렵고 배바깥빗근과 잘 구별되지 않지만, 몸통을 같은 쪽으로 돌릴 때 엉덩뼈와 갈비우리 사이에서 근육이 긴장하는 것을 느낄 수 있다. *Difficult to palpate or differentiate from external oblique but tensing can be felt between rib cage and pelvis when trunk is actively rotated to same side.*

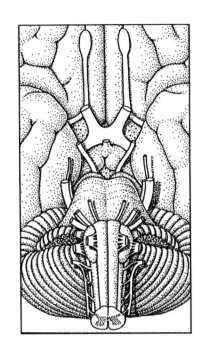

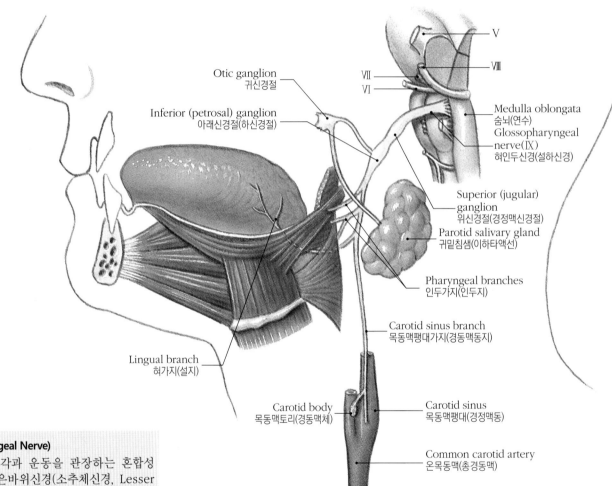

Otic ganglion
귀신경절

Inferior (petrosal) ganglion
아래신경절(하신경절)

V

VIII

VII
VI

Medulla oblongata
숨뇌(연수)
Glossopharyngeal
nerve(IX)
혀인두신경(설하신경)

Superior (jugular)
ganglion
위신경절(경정맥신경절)

Parotid salivary gland
귀밑침샘(이하타액선)

Pharyngeal branches
인두가지(인두지)

Carotid sinus branch
목동맥팽대가지(경동맥동지)

Lingual branch
혀가지(설지)

Carotid body
목동맥토리(경동맥체)

Carotid sinus
목동맥팽대(경정맥동)

Common carotid artery
온목동맥(총경동맥)

혀인두신경(설인신경, N IX, Glossopharyngeal Nerve)

혀뿌리와 인두에 분포하며 미각, 지각과 운동을 관장하는 혼합성 신경으로, 귀밑샘의 분비섬유, 즉 작은바위신경(소추체신경, Lesser petrosal nerve)을 포함한다. 또 하나의 분지인 목동맥팽대가지(경동맥동지, Branch of carotid sinus)는 목동맥팽대에 분포하고 있다. 이 작은 가지는 미주신경의 가지와 함께 반사적으로 혈압을 조절하는 기능을 가지고 있어 중요시된다. 혀인두신경은 연수의 가쪽에서 나와서 미주신경 및 더부신경과 함께 목정맥구멍에서 두개바닥으로 나온다.

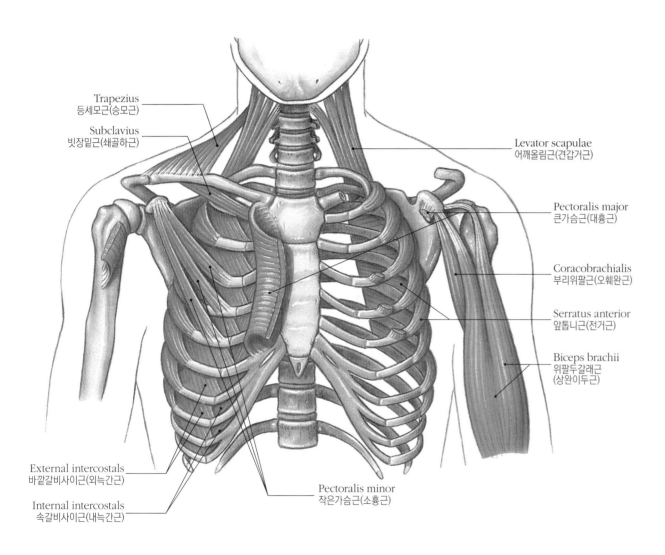

Trapezius
등세모근(승모근)

Subclavius
빗장밑근(쇄골하근)

Levator scapulae
어깨올림근(견갑거근)

Pectoralis major
큰가슴근(대흉근)

Coracobrachialis
부리위팔근(오훼완근)

Serratus anterior
앞톱니근(전거근)

Biceps brachii
위팔두갈래근
(상완이두근)

External intercostals
바깥갈비사이근(외늑간근)

Internal intercostals
속갈비사이근(내늑간근)

Pectoralis minor
작은가슴근(소흉근)

어깨올림근(견갑거근, Levator scapulae)
이는곳 C1~C4의 가로돌기 *C1~C4(transverse processes)*
닿는곳 어깨뼈위각부터 가시뿌리까지의 척주모서리 *Vertebral border of scapula from superior angle to root of spine*
작 용 어깨뼈 올리기, 아래쪽으로 돌리기 *Elevation, downward rotation of scapula*
신 경 등쪽어깨신경(C5)과 C3, C4 가지 *Dorsal scapular nerve(C5) and branches of C3, C4*
촉 진 등세모근과 구분하기 어렵다. 그러나 아래팔을 가볍게 뒤쪽으로 보내고 양어깨를 움츠리면 등세모근 앞쪽, 목빗근 뒤쪽으로 목 부위에서 만질 수 있다. *Difficult to isolate from trapezius. However, it can be palpated in neck region, anterior to the trapezius but posterior to the sternocleidomastoid, when forearm is placed in small of back and shoulders are shrugged.*

작은가슴근(소흉근, Pectoralis minor)
이는곳 갈비연골 부근 3, 4, 5번 갈비뼈의 앞면 *Anterior surface of ribs 3, 4, 5 near costal cartilages*
닿는곳 어깨뼈 윗면의 안쪽 모서리에 있는 어깨뼈부리돌기 *Coracoid process of scapula on medial border of superior surface*
작 용 어깨뼈 앞으로 내밀기, 내리기, 아래쪽으로 돌리기 *Protraction, depression, downward rotation of scapula*
신 경 안쪽가슴신경(C8, T1) *Medial pectoral nerve(C8, T1)*
촉 진 만지기 어렵다. 손을 등뒤로 놓아 큰가슴근을 이완시킨다. 손가락끝을 부리돌기 위에 놓고 어깨세모근 앞쪽 모서리 바로 앞에 손가락을 댄다. 어깨뼈를 앞으로 내밀고 등 뒤의 손을 위쪽으로 들어올리면서 만질 수 있다. *Difficult to palpate. Position arm with the hand behind the back to relax pectoralis major. Place palpating fingertip on coracoid process and lay finger just in front of anterior border of deltoid. Palpate pectoralis minor as the hand is actively lifted away from the back during scapular protraction.*

빗장밑근(쇄골하근, Subclavius)
이는곳 1번 갈비뼈의 갈비연골 접합부 *1st rib costocartilage junction*
닿는곳 빗장뼈 아래에서 가운데 1/3 지점 *Inferior shaft of clavicle - middle 1/3*
작 용 빗장뼈를 안쪽으로 움직여 안정시킨다. *Stabilizes clavicle by moving it medially*
신 경 빗장뼈 아래신경(C5, C6) *Nerve to subclavius(C5, C6)*
촉 진 만질 수 없다. *Cannot palpate*

앞톱니근(전거근, Serratus anterior)
이는곳 위쪽 8개 갈비뼈의 바깥면(손가락처럼 긴 모양으로) *Outer surface of upper 8 ribs (by finger-like slips)*
닿는곳 어깨뼈의 척주 경계-앞면 *Vertebral border of scapula-anterior surface*
작 용 어깨뼈 앞으로 내밀기, 위쪽으로 돌리기, 가슴벽에 어깨뼈를 고정시킨다. *Protraction, upward rotation of scapula, stabilizes scapula against chest wall*
신 경 긴가슴신경(C5, C6, C7) *Long thoracic nerve(C5, C6, C7)*
촉 진 어깨뼈를 앞으로 내밀 때 겨드랑이 아래, 갈비뼈 앞 옆면에서 만질 수 있다. *Lateral-anterior surface of ribs, below axilla during active scapular protraction.*

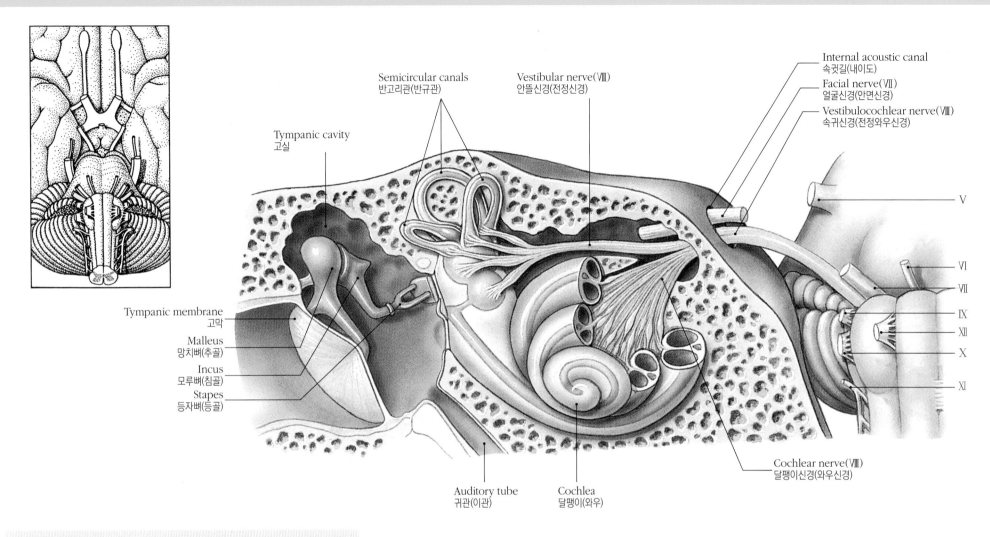

Semicircular canals
반고리관(반규관)

Vestibular nerve(Ⅷ)
안뜰신경(전정신경)

Internal acoustic canal
속귓길(내이도)

Facial nerve(Ⅶ)
얼굴신경(안면신경)

Vestibulocochlear nerve(Ⅷ)
속귀신경(전정와우신경)

Tympanic cavity
고실

Tympanic membrane
고막

Malleus
망치뼈(추골)

Incus
모루뼈(침골)

Stapes
등자뼈(등골)

V

VI

VII

IX

XII

X

XI

Cochlear nerve(Ⅷ)
달팽이신경(와우신경)

Auditory tube
귀관(이관)

Cochlea
달팽이(와우)

속귀신경(내이신경, N Ⅷ, Vestibulocochlear Nerve)

다리뇌와 숨뇌의 경계선 부근의 얼굴신경 가쪽에서 뇌로부터 나와 얼굴신경과 함께 속귀구멍을 통해 속귓길로 들어간다. 속귓길 바닥에서 청각에 관여하는 달팽이신경(와우신경, Cochlear nerve)과 평형각을 관장하는 안뜰신경(전정신경, Vestibular nerve)으로 구분된다. 달팽이신경은 달팽이의 나선기관(코르티기관, Spiral organ/Organ of Corti)에 연결되고 안뜰신경은 반고리뼈관에 있는 평형반(Maculae)과 팽대능선(팽대부릉, Ampullary crest)에 연결된다.

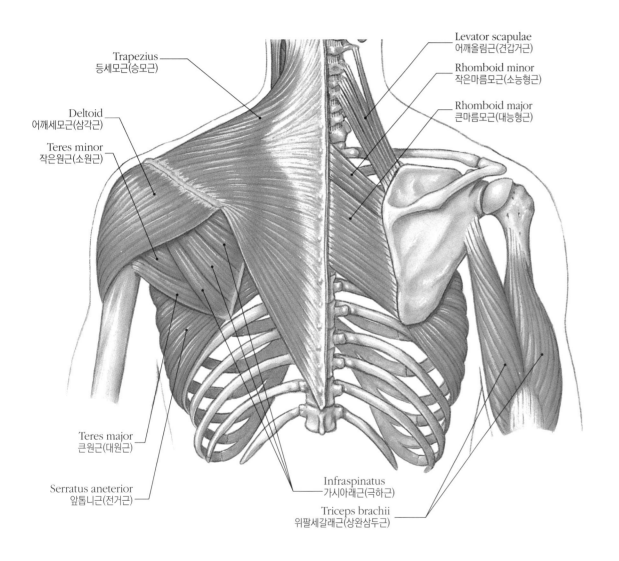

Levator scapulae
어깨올림근(견갑거근)

Rhomboid minor
작은마름모근(소능형근)

Rhomboid major
큰마름모근(대능형근)

Trapezius
등세모근(승모근)

Deltoid
어깨세모근(삼각근)

Teres minor
작은원근(소원근)

Teres major
큰원근(대원근)

Serratus aneterior
앞톱니근(전거근)

Infraspinatus
가시아래근(극하근)

Triceps brachii
위팔세갈래근(상완삼두근)

등세모근(승모근, Trapezius)
이는곳 바깥뒤통수뼈융기 External occipital protuberance
목덜미인대 Ligamentum nuchae
C7~T12 가시돌기 C7~T12spinius process

닿는곳 위:빗장뼈 가쪽 1/3, 어깨봉우리 Upper : lateral third of clavicle acromion
가운데:어깨뼈가시 Middle : spine of scapula
아래:어깨뼈가시뿌리 Lower : root of spine of scapula

작 용 위:어깨뼈 들기, 위쪽으로 돌리기 Upper : elevation, upward rotation of scapula
가운데:어깨뼈 뒤로 당기기 Middle : retraction of scapula
아래:어깨뼈를 내리기, 위쪽으로 돌리기 Lower : depression, upward rotation of scapula

신 경 더부신경(더신경)과 C3, C4 가지 Accessory nerve(CN XI) and branches of C3, C4

촉 진 위:어깨뼈를 올릴 때 머리뼈바닥과 빗장뼈 가쪽 1/3 부위 사이 Upper : between base of skull and lateral third of clavicle during active scapular elevation
가운데:어깨뼈 뒤로 당길 때 T1~T5의 가시돌기와 어깨뼈의 척추쪽 경계 Middle : between spinous processes of T1~T5 and vertebral border of scapula during active scapular retraction
아래:어깨뼈 내릴 때 T6~T12 가시돌기와 어깨뼈가시뿌리 사이 Lower : between spinous processes of T6~T12 and root of spine during active scapular depression

어깨세모근(삼각근, Deltoid)
이는곳 앞:빗장뼈 바깥쪽 1/3 Anterior : lateral third of clavicle
가운데:어깨봉우리 바깥쪽 Middle : lateral acromion
뒤:어깨뼈 가시 Posterior : spine of scapula

닿는곳 위팔뼈세모근거친면 Deltoid tuberosity of humerus

작 용 앞:위팔뼈 굽히기, 수평으로 모으기, 안쪽으로 돌리기 Anterior : flexion, horizontal adduction, medial rotation of humerus
가운데:위팔뼈 90도로 벌리기 Middle : abduction of humerus to 90 degrees
뒤:위팔뼈 펴기, 수평으로 펴기, 바깥쪽으로 돌리기 Posterior : extension, horizontal abduction, lateral rotation of humerus

신 경 겨드랑신경(T5, T6) Axillary nerve(Circumflex)(C5, C6)

촉 진 앞:위팔뼈를 굽힐 때 오목위팔관절(Glenohumeral joint) 바로 앞, 봉우리돌기 아래 위팔의 앞안쪽면에서 만질 수 있다. Anterior : anterior-medial surface of upper arm below acromion process, just anterior to glenohumeral joint during active flexion of humerus
가운데:위팔뼈를 벌릴 때 오목위팔관절 바로 가쪽, 어깨봉우리 아래 위팔의 가쪽면에서 만질 수 있다. Middle : below acromion on lateral surface of upper arm, just lateral to glenohumeral joint during active abduction of humerus
뒤:위팔뼈를 펼 때 오목위팔관절 바로 뒤, 위팔의 뒤가쪽면에서 만질 수 있다. Posterior : posterior-lateral surface of upper arm, just posterior to glenohumeral joint during active extension of humerus

마름근(능형근, Rhomboid)
이는곳 큰마름근 : T2-T5의 가시돌기 Major : T2~T5(spinous processes)
작은마름근 : 목덜미인대, C7와 T1의 가시돌기 Minor : C7 and T1(spinous processes)

닿는곳 큰마름근 : 어깨뼈 안쪽 모서리에서 어깨뼈가시의 아래뿔 Major : vertebral border of scapula from root of spine to inferior angle
작은마름근 : 어깨뼈가시의 시작부 Minor : root of spine of scapula

작 용 어깨뼈의 들임과 아래쪽 돌림 Retraction, downward rotation of scapula

신 경 등쪽어깨신경(C5) Dorsal scapular nerve(C5)

촉 진 어깨뼈를 뒤로 당길 때 어깨뼈 아래각 근처의 척주쪽 경계면을 따라 만져진다. Along vertebral border of scapula near the inferior angle during active scapular retraction.

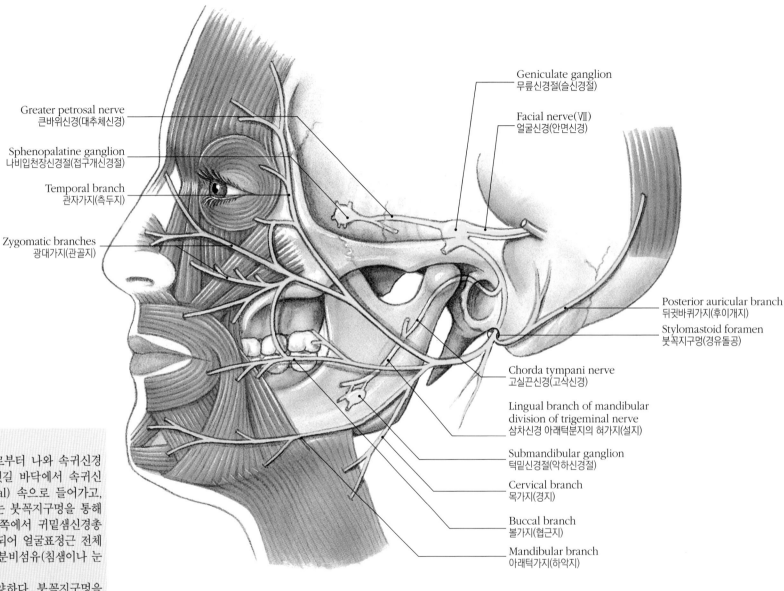

Geniculate ganglion
무릎신경절(슬신경절)

Greater petrosal nerve
큰바위신경(대추체신경)

Facial nerve(Ⅶ)
얼굴신경(안면신경)

Sphenopalatine ganglion
나비입천장신경절(접구개신경절)

Temporal branch
관자가지(측두지)

Zygomatic branches
광대가지(관골지)

Posterior auricular branch
뒤귓바퀴가지(후이개지)

Stylomastoid foramen
붓꼭지구멍(경유돌공)

Chorda tympani nerve
고실끈신경(고삭신경)

Lingual branch of mandibular
division of trigeminal nerve
삼차신경 아래턱분지의 혀가지(설지)

Submandibular ganglion
턱밑신경절(악하신경절)

Cervical branch
목가지(경지)

Buccal branch
볼가지(협근지)

Mandibular branch
아래턱가지(하악지)

얼굴신경(안면신경, N Ⅶ, Facial Nerve)

갓돌림신경의 다리뇌 아래모서리 가쪽에서 뇌로부터 나와 속귀신경과 함께 속귀구멍을 지나 속귓길로 들어가, 속귓길 바닥에서 속귀신경과 분리되어 관자뼈의 얼굴신경관(Facial canal) 속으로 들어가고, 그 말초 가지는 두개바닥의 꼭지돌기 안쪽에 있는 붓꼭지구멍을 통해 얼굴에 나타난다. 얼굴에서는 귀밑샘(이하선) 안쪽에서 귀밑샘신경총(Parotid plexus)을 만든 다음 방사상으로 세분되어 얼굴표정근 전체에 분포하며 지배한다. 이 밖에 혀의 미각섬유와 분비섬유(침샘이나 눈물샘)를 혼합하고 있다.

얼굴신경장애는 그 주행부에 따라 증상이 다양하다. 붓꼭지구멍을 나온 후의 손상은 얼굴신경마비(Facial Palsy)로서 아픈 쪽의 표정운동이 소실될 뿐이지만, 얼굴신경관 안쪽의 손상은 다시 미각장애나 침분비장애를 유발할 수 있다.

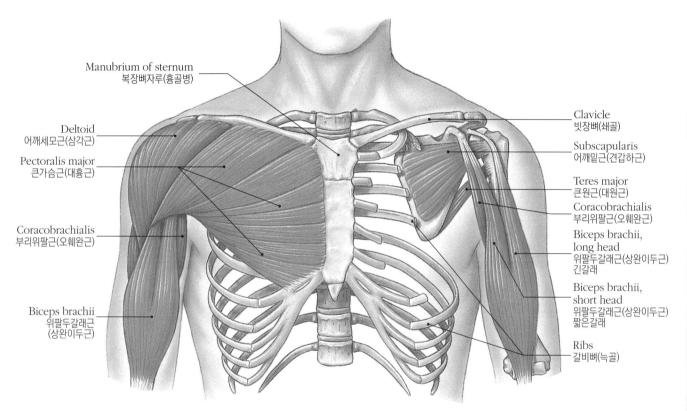

Manubrium of sternum
복장뼈자루(흉골병)

Deltoid
어깨세모근(삼각근)

Pectoralis major
큰가슴근(대흉근)

Coracobrachialis
부리위팔근(오훼완근)

Biceps brachii
위팔두갈래근
(상완이두근)

Clavicle
빗장뼈(쇄골)

Subscapularis
어깨밑근(견갑하근)

Teres major
큰원근(대원근)

Coracobrachialis
부리위팔근(오훼완근)

Biceps brachii,
long head
위팔두갈래근(상완이두근)
긴갈래

Biceps brachii,
short head
위팔두갈래근(상완이두근)
짧은갈래

Ribs
갈비뼈(늑골)

큰가슴근(대흉근, Pectoralis major)

이는곳	빗장부 : 빗장뼈의 안쪽 중간 Clavicular head : medial half of clavicle
	복장부 : 복장뼈, 위쪽 6개의 갈비연골 Sternal head : sternum, cartilages of upper 6 ribs
닿는곳	위팔뼈결절사이고랑의 가쪽 능선 Lateral lip of bicipital (intertubercular) groove of humerus
작 용	위팔뼈의 모음, 수평모음, 안쪽 돌리기 Adduction, horizontal adduction and medial rotation of humerus
	빗장부 : 위팔뼈 굽히기 Clavicular head : flexion of humerus
	복장부 : 위팔뼈 굽힘 상태에서 펴기 Sternal head : extension of humerus from a flexed position
신 경	빗장부 : 가쪽가슴신경(C5, C6, C7) Clavicular head : lateral pectoral nerve(C5, C6, C7)
	복장부 : 안쪽가슴신경(C8, T1) Sternal head : medial pectoral nerve(C8, T1)
촉 진	위팔뼈를 벌리면 겨드랑이 앞쪽 모서리를 따라 만질 수 있다. Along anterior border of axilla during active adduction of humerus

어깨밑근(견갑하근, Subscapularis)

이는곳	어깨뼈어깨아래오목 Subscapular fossa of scapula
닿는곳	위팔뼈작은결절 Lesser tubercle of humerus
작 용	위팔뼈의 안쪽 돌리기와 모으기 Medial rotation and adduction of humerus
신 경	위·아래 어깨밑신경(C5, C6) Upper and lower subscapular nerve(C5, C6)
촉 진	어깨밑근은 어깨뼈의 앞면(속)에 위치하여 만지기 어렵다. 몸통을 앞으로 굽히고 팔을 아래로 늘어뜨려 어깨를 편하게 한다. 그런 다음 위팔뼈를 안쪽으로 돌릴 때 넓은등근 바로 앞, 겨드랑이에 있는 어깨밑근힘줄이 닿는 곳 쪽으로 만질 수 있다. Difficult to palpate because muscle lies on anterior surface of scapula. Lean trunk forward with arm hanging down and shoulder relaxed. Palpate toward its tendon of insertion in axilla, just anterior to the latissimus dorsi during active medial rotation.

부리위팔근(오훼완근, Coracobrachialis)

이는곳	어깨뼈의 부리돌기 Coracoid process of scapula
닿는곳	위팔뼈대 안쪽면의 가운데 1/3 Middle 1/3 of medial surface of humeral shaft
작 용	위팔뼈의 굽힘과 모음 Flexion, adduction of humerus
신 경	근육피부신경(C5, C6, C7) Musculocutaneous nerve(C5, C6, C7)
촉 진	만지기가 어려우나 위팔뼈가 저항에 대해 구부러질 때 위팔두갈래근짧은갈래 안쪽에서 만질 수 있다. Difficult to palpate, but may be palpated medial to short head of biceps brachii when humerus is flexed against resistance

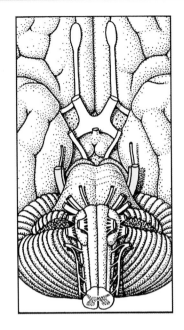

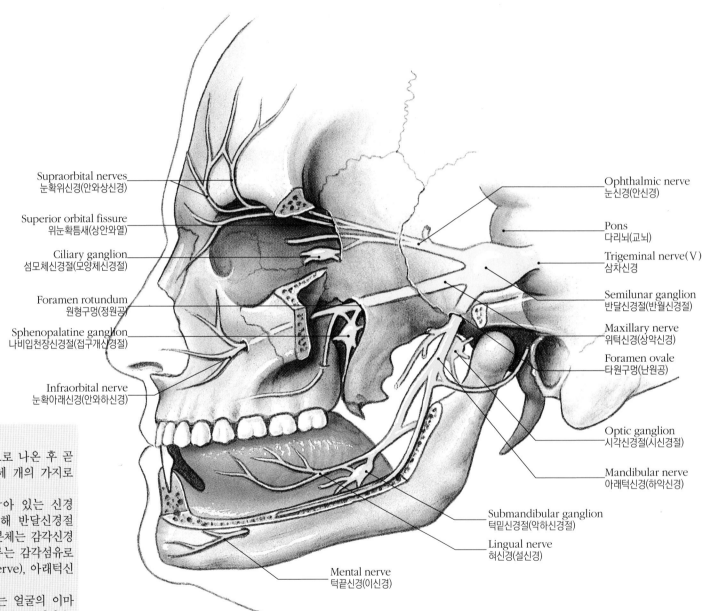

Supraorbital nerves
눈확위신경(안와상신경)

Superior orbital fissure
위눈확틈새(상안와열)

Ciliary ganglion
섬모체신경절(모양체신경절)

Foramen rotundum
원형구멍(정원공)

Sphenopalatine ganglion
나비입천장신경절(접구개신경절)

Infraorbital nerve
눈확아래신경(안와하신경)

Mental nerve
턱끝신경(이신경)

Ophthalmic nerve
눈신경(안신경)

Pons
다리뇌(교뇌)

Trigeminal nerve(Ⅴ)
삼차신경

Semilunar ganglion
반달신경절(반월신경절)

Maxillary nerve
위턱신경(상악신경)

Foramen ovale
타원구멍(난원공)

Optic ganglion
시각신경절(시신경절)

Mandibular nerve
아래턱신경(하악신경)

Submandibular ganglion
턱밑신경절(악하신경절)

Lingual nerve
혀신경(설신경)

삼차신경(N Ⅴ, Trigeminal Nerve)

뇌신경 중에서 가장 크며 다리뇌의 가쪽에서 뇌 밖으로 나온 후 곧
삼차신경절(Trigeminal ganglion)을 만들고 여기서 세 개의 가지로
갈라진다.

삼차신경절은 관자뼈의 바위끝(추체첨) 위면에 남아 있는 신경
절로 경질막 속에 묻혀 있으며, 전체적인 모양에 의해 반달신경절
(Semilunar ganglion)이라고도 불린다. 이 신경절의 분체는 감각신경
세포의 집합이며, 이 섬유가 삼차신경의 대부분을 이루는 감각섬유로
서 눈신경(Ophthalmic nerve), 위턱신경(Maxillary nerve), 아래턱신
경(Mandibular nerve)의 세 신경가지 속을 달린다.

이처럼 삼차신경은 매우 복잡한 뇌신경으로 끝가지는 얼굴의 이마
부, 위턱부, 아래턱부를 지배하는데, 끝가지가 얼굴로 나오는 구멍이 눈
확위구멍, 눈확아래구멍, 턱끝구멍이다. 그밖의 얼굴근육, 즉 표정근은
얼굴신경의 지배를 받는다.

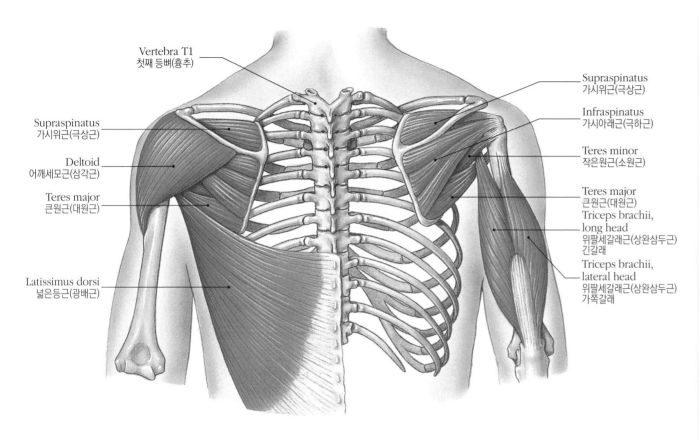

Vertebra T1
첫째 등뼈(흉추)

Supraspinatus
가시위근(극상근)

Supraspinatus
가시위근(극상근)

Deltoid
어깨세모근(삼각근)

Teres major
큰원근(대원근)

Latissimus dorsi
넓은등근(광배근)

Infraspinatus
가시아래근(극하근)

Teres minor
작은원근(소원근)

Teres major
큰원근(대원근)

Triceps brachii, long head
위팔세갈래근(상완삼두근)
긴갈래

Triceps brachii, lateral head
위팔세갈래근(상완삼두근)
가쪽갈래

위팔세갈래근(상완삼두근, Triceps brachii)

이는곳 긴갈래 : 어깨뼈 관절아래결절 *Long head : infraglenoid tubercle of scapula*
가쪽갈래 : 나선고랑 위 위팔뼈 뒤쪽 *Lateral head : posterior humerus above spiral groove*
안쪽갈래 : 나선고랑 아래 위팔뼈 뒤쪽 *Medial head : posterior humerus below spiral groove*

닿는곳 자뼈의 팔꿈치머리 *Olecranon process of ulna*

작 용 팔꿈치 펴기 *Extension of elbow*
긴갈래 : 위팔뼈 펴기 *Long head : extension of humerus*

신 경 노신경(C7, C8) *Radial nerve(C7, C8)*

촉 진 팔꿈치를 펼 때 위팔뼈 뒷면과 가쪽면 *Posterior and lateral surface of humerus during active elbow extension*

가시위근(극상근, Supraspinatus)

이는곳 어깨뼈가시위오목 *Supraspinous fossa of scapula*

닿는곳 위팔뼈큰결절(윗면) *Greater tubercle of humerus (superior facet)*

작 용 위팔뼈 벌리기, 위팔뼈머리 고정 *Abduction of humerus, stabilization of head of humerus*

신 경 어깨위신경(목신경 5, 6번) *Suprascapular nerve(C5, C6)*

촉 진 귀를 어깨쪽으로 구부려 등세모근을 이완시킨 다음, 위팔뼈를 벌리면 어깨봉우리 부근 어깨뼈가시 위에서 만질 수 있다. *Bring ear down to shoulder to relax trapezius and palpate above the spine of scapula near the acromion during active abduction of humerus*

가시아래근(극하근, Infraspinatus)

이는곳 어깨뼈가시아래오목 *Infraspinous fossa of scapula*

닿는곳 위팔뼈큰결절(가운데면) *Greater tubercle of humerus (middle facet)*

작 용 위팔뼈 가쪽 돌리기, 펴기 *Lateral rotation, extension of humerus*

신 경 어깨위신경(C5, C6) *Suprascapular nerve(C5, C6)*

촉 진 몸통을 앞으로 구부리고 팔을 아래로 늘어뜨려 어깨를 편하게 한다. 그런 다음 위팔뼈를 바깥쪽으로 돌릴 때 뒤쪽 어깨세모근 아래의 어깨뼈 겨드랑모서리를 따라 만진다. *Lean trunk forward with arm hanging down and shoulder relaxed. Palpate along axillary border of scapula below posterior deltoid during active lateral rotation of the humerus.*

작은원근(소원근, Teres minor)

이는곳 어깨뼈의 겨드랑모서리 위쪽 2/3 *Upper 2/3 of axillary border of scapula*

닿는곳 어깨뼈큰결절(아래면) *Greater tubercle of humerus (inferior facet)*

작 용 위팔뼈 바깥쪽으로 돌리기, 펴기 *Lateral rotation, extension of humerus*

신 경 겨드랑(휘돌이)신경(C5, C6) *Axillary (circumflex) nerve (C5, c6)*

촉 진 팔을 아래로 늘어뜨린 채 몸통을 앞으로 기울이고 어깨를 푼다. 위팔뼈를 바깥쪽으로 돌릴 때 가시아래근 바로 밑 어깨뼈겨드랑모서리를 따라 만질 수 있다. *Lean trunk forward with arm hanging down and shoulder relaxed. Palpate along axillary border of scapula immediately below infraspinatus during active lateral rotation of the humerus.*

큰원근(대원근, Teres major)

이는곳 어깨뼈아래각(등쪽면) *Inferior angle of scapula (dorsal surface)*
어깨뼈 겨드랑모서리의 아래쪽 1/3 *Lower third of axillary border of scapula*

닿는곳 위팔뼈의 결절사이고랑 안쪽선 *Medial lip of bicipital groove of humerus*

작 용 위팔뼈 펴기 *Extension of humerus*
위팔뼈를 안쪽으로 돌리거나 모으기 *Medial rotation and adduction of humerus*

신 경 아래쪽어깨밑신경(C5, C6) *Lower subscapular nerve (C5, C6)*

촉 진 위팔뼈가 펴질 때 어깨뼈아래각으로부터 넓은등근 바로 위 닿는 부위쪽 대각선 위쪽으로 만질 수 있다. 이 근육은 넓은등근과 합쳐져 뒤쪽겨드랑모서리를 만든다. *From inferior angle of scapula diagonally upward toward its insertion, just above latissimus dorsi during active extension of the humerus. It joins latissimus dorsi in forming posterior border of axilla.*

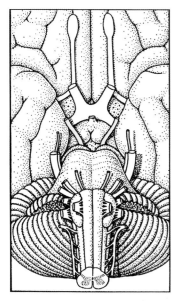

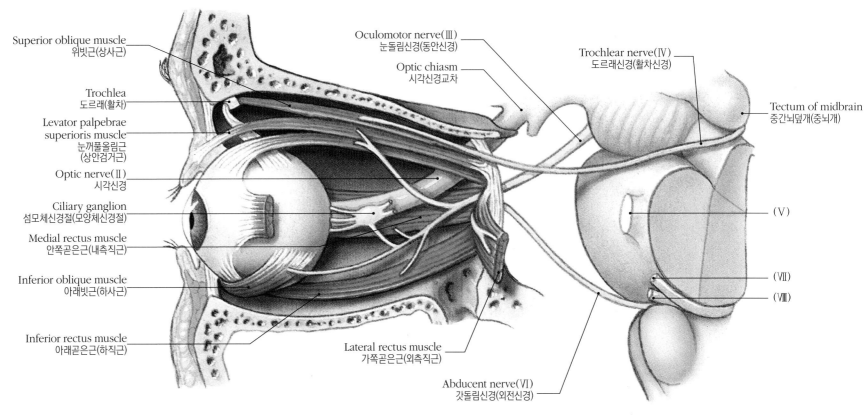

Superior oblique muscle
위빗근(상사근)

Trochlea
도르래(활차)

Levator palpebrae
superioris muscle
눈꺼풀올림근
(상안검거근)

Optic nerve(II)
시각신경

Ciliary ganglion
섬모체신경절(모양체신경절)

Medial rectus muscle
안쪽곧은근(내측직근)

Inferior oblique muscle
아래빗근(하사근)

Inferior rectus muscle
아래곧은근(하직근)

Oculomotor nerve(III)
눈돌림신경(동안신경)

Optic chiasm
시각신경교차

Trochlear nerve(IV)
도르래신경(활차신경)

Tectum of midbrain
중간뇌덮개(중뇌개)

(V)

(VII)

(VIII)

Lateral rectus muscle
가쪽곧은근(외측직근)

Abducent nerve(VI)
갓돌림신경(외전신경)

눈돌림신경(동안신경, N III, Oculomotor Nerve)
안구운동을 관장하는 눈의 근육 중에서 위곧은근, 아래곧은근, 안쪽곧은근, 아래빗근을 지배하며, 눈꺼풀도 지배한다. 눈확 안쪽의 눈확위틈새를 지나 눈확 안으로 들어가서 눈 주위 근육에 분포한다. 이 신경에 혼합된 자율신경섬유는 동공조임근(Spincter pupilae)과 섬모체근(모양체근, Ciliary muscle)에 분포한다.

도르래신경(활차신경, N IV, Trochlear Nerve)
중간뇌 등쪽의 아래둔덕(하구, Inferior colliculus) 바로 뒤쪽에서 뇌 밖으로 나와 뇌 바닥부위를 달리고, 눈확위틈새에서 눈확으로 들어가 위빗근만을 지배한다. 뇌신경 중에서 가장 작은 신경이다.

갓돌림신경(외전신경, N VI, Abducens Nerve)
운동신경이며 지배하는 근은 눈근육 중에서 가쪽곧은근뿐이다. 다리뇌의 아래모서리에서 나와 위눈확틈새에서 눈확으로 들어간다. 눈 근육은 극히 분화도가 높고 민감한 근육으로 12쌍의 뇌신경 중 3쌍(눈돌림신경, 도르래신경, 갓돌림신경)이 여기에 분포한다. 이들 3쌍의 신경은 안구의 운동을 지배한다.

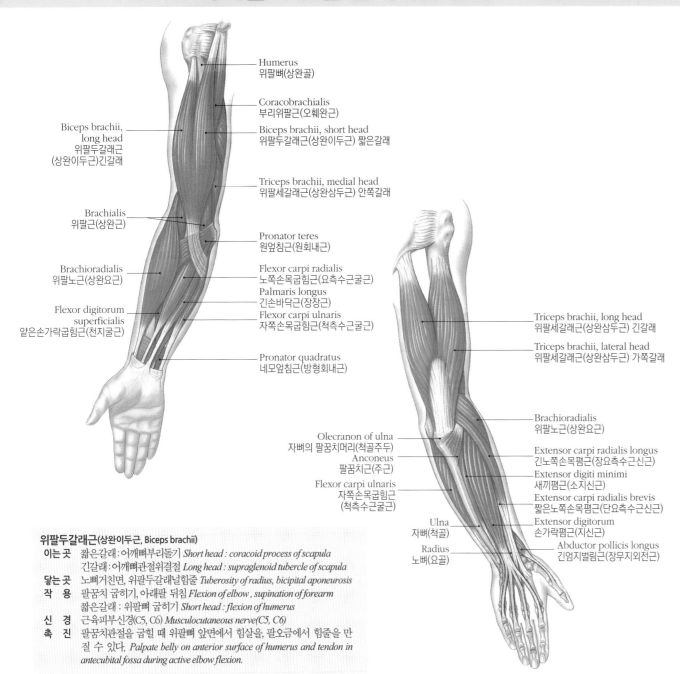

Humerus
위팔뼈(상완골)

Coracobrachialis
부리위팔근(오훼완근)

Biceps brachii, short head
위팔두갈래근(상완이두근) 짧은갈래

Biceps brachii, long head
위팔두갈래근
(상완이두근)긴갈래

Triceps brachii, medial head
위팔세갈래근(상완삼두근) 안쪽갈래

Brachialis
위팔근(상완근)

Pronator teres
원엎침근(원회내근)

Brachioradialis
위팔노근(상완요근)

Flexor carpi radialis
노쪽손목굽힘근(요측수근굴근)

Palmaris longus
긴손바닥근(장장근)

Flexor carpi ulnaris
자쪽손목굽힘근(척측수근굴근)

Flexor digitorum superficialis
얕은손가락굽힘근(천지굴근)

Pronator quadratus
네모엎침근(방형회내근)

Triceps brachii, long head
위팔세갈래근(상완삼두근) 긴갈래

Triceps brachii, lateral head
위팔세갈래근(상완삼두근) 가쪽갈래

Brachioradialis
위팔노근(상완요근)

Olecranon of ulna
자뼈의 팔꿈치머리(척골주두)

Anconeus
팔꿈치근(주근)

Flexor carpi ulnaris
자쪽손목굽힘근
(척측수근굴근)

Extensor carpi radialis longus
긴노쪽손목폄근(장요측수근신근)

Extensor digiti minimi
새끼폄근(소지신근)

Extensor carpi radialis brevis
짧은노쪽손목폄근(단요측수근신근)

Extensor digitorum
손가락폄근(지신근)

Ulna
자뼈(척골)

Radius
노뼈(요골)

Abductor pollicis longus
긴엄지벌림근(장무지외전근)

위팔두갈래근(상완이두근, Biceps brachii)

이는곳 짧은갈래 : 어깨뼈부리돌기 *Short head : coracoid process of scapula*
긴갈래 : 어깨뼈관절위결절 *Long head : supraglenoid tubercle of scapula*

닿는곳 노뼈거친면, 위팔두갈래널힘줄 *Tuberosity of radius, bicipital aponeurosis*

작 용 팔꿈치 굽히기, 아래팔 뒤침 *Flexion of elbow , supination of forearm*
짧은갈래 : 위팔뼈 굽히기 *Short head : flexion of humerus*

신 경 근육피부신경(C5, C6) *Musculocutaneous nerve(C5, C6)*

촉 진 팔꿈치관절을 굽힐 때 위팔뼈 앞면에서 힘살을, 팔오금에서 힘줄을 만질 수 있다. *Palpate belly on anterior surface of humerus and tendon in antecubital fossa during active elbow flexion.*

팔꿈치근(주근, Anconeus)

이는곳 위팔뼈가쪽위관절융기 *Lateral epicondyle of humerus*

닿는곳 팔꿈치머리돌기와 뒤쪽면 위 *Olecranon process and upper posterior surface of ulna*

작 용 팔꿈치 펴기 보조 *Assists extension of elbow*

신 경 노신경(C7, C8) *Radial nerve(C7, C8)*

촉 진 팔꿈치를 펼 때 자뼈 팔꿈치머리와 위팔뼈 가쪽위관절융기 사이에서 만질 수 있다. *Between olecranon process of ulna and lateral epicondyle of humerus during active elbow extension.*

긴노쪽손목폄근(장요측수근신근, Extensor carpi radialis longus)

이는곳 위팔뼈 가쪽관절융기위능선과 가쪽위관절융기 *Lateral supracondylar ridge, lateral epicondyle of humerus*

닿는곳 2번째 손허리뼈바닥 *Base of 2nd metacarpal*

작 용 손목 펴기와 벌리기(노쪽 치우침) *Extension, abduction of wrist(radial deviation)*

신 경 노신경(C6, C7) *Radial nerve(C6, C7)*

촉 진 손목을 펼 때 아래팔 몸쪽 뒤편, 위팔노근 부근에서 만질 수 있다. 힘줄은 2번째 손허리뼈바닥의 손등면에서 만질 수 있다. *Dorsal proximal forearm, adjacent to brachioradialis during active wrist extension*

짧은노쪽손목폄근(단요측수근신근, Extensor carpi radialis brevis)

이는곳 위팔뼈의 가쪽위관절융기(공동폄근힘줄) *Lateral epicondyle of humerus(common extensor tendon)*

닿는곳 3번째 손허리뼈 바닥 *Base of 3rd metacarpal*

작 용 손목 펴기 *Extension of wrist*

신 경 노신경(C6, C7) *Radial nerve(C6, C7)*

촉 진 긴노쪽손목폄근(ECRL)과 구별하기가 어렵지만, 손목을 펼 때 아래팔 등쪽면 ECRL의 먼 쪽에서 만질 수 있다. 힘줄은 ECRL 안쪽, 3번째 손허리뼈바닥 손목의 등쪽면에서 만질 수 있다. *Difficult to differentiate from extensor carpi radialis longus(ECRL), but can be palpated distal to ECRL on dorsal surface of forearm during active wrist extension.*

자쪽손목폄근(척측수근신근, Extensor carpi ulnaris)

이는곳 위팔뼈 가쪽위관절융기(공동폄근힘줄) *Lateral epicondyle of humerus(common extensor tendon)*
몸뒤쪽 자뼈 *Posterior proximal ulna*

닿는곳 5번째 손허리뼈 바닥 *Base of 5th metacarpal*

작 용 손목 펴기, 모으기(자쪽으로 치우침) *Extension, adduction of wrist (ulnar deviation)*

신 경 노신경(C6, C7, C8) *Radial nerve(C6, C7, C8)*

촉 진 손목을 강하게 펴거나 자쪽으로 굽힐 때 팔꿈치근 바로 아래 아래팔 등쪽면의 자뼈 모서리를 따라 만질 수 있다. 힘줄은 손목뼈 자쪽 손목의 등쪽면에서 만질 수 있다. *Along ulnar border of dorsi forearm just inferior to anconeus, during forceful wrist extension and ulnar deviation. Tendon is palpated on dorsal surface of wrist on ulnar side of carpal bones.*

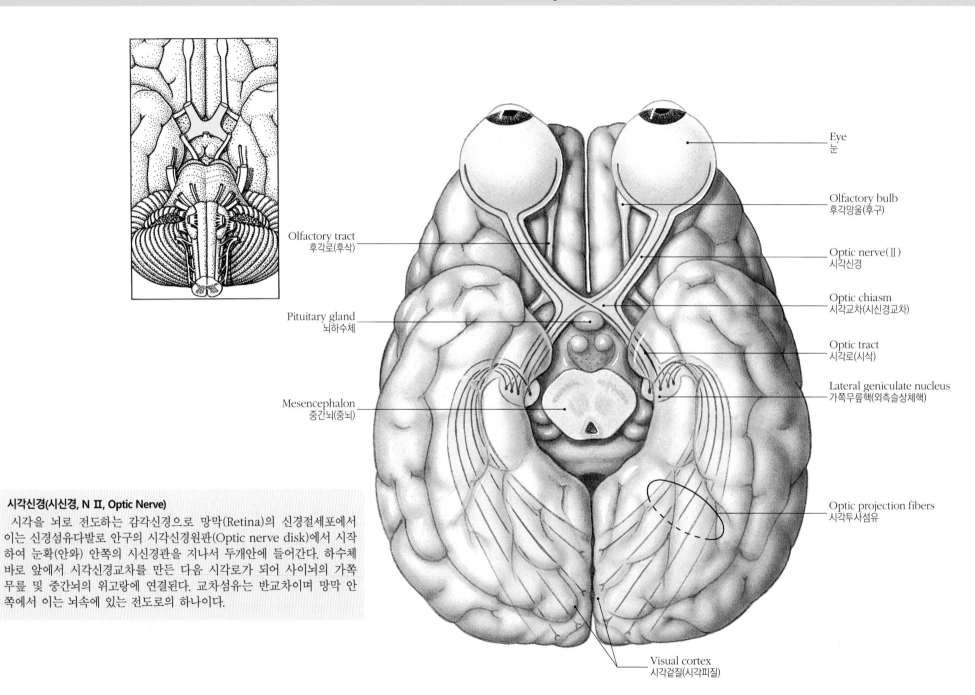

Eye
눈

Olfactory bulb
후각망울(후구)

Optic nerve(II)
시각신경

Optic chiasm
시각교차(시신경교차)

Optic tract
시각로(시삭)

Lateral geniculate nucleus
가쪽무릎핵(외측슬상체핵)

Optic projection fibers
시각투사섬유

Olfactory tract
후각로(후삭)

Pituitary gland
뇌하수체

Mesencephalon
중간뇌(중뇌)

Visual cortex
시각겉질(시각피질)

시각신경(시신경, N II, Optic Nerve)

　시각을 뇌로 전도하는 감각신경으로 망막(Retina)의 신경절세포에서
이는 신경섬유다발로 안구의 시각신경원판(Optic nerve disk)에서 시작
하여 눈확(안와) 안쪽의 시신경관을 지나서 두개안에 들어간다. 하수체
바로 앞에서 시각신경교차를 만든 다음 시각로가 되어 사이뇌의 가쪽
무릎 및 중간뇌의 위고랑에 연결된다. 교차섬유는 반교차이며 망막 안
쪽에서 이는 뇌속에 있는 전도로의 하나이다.

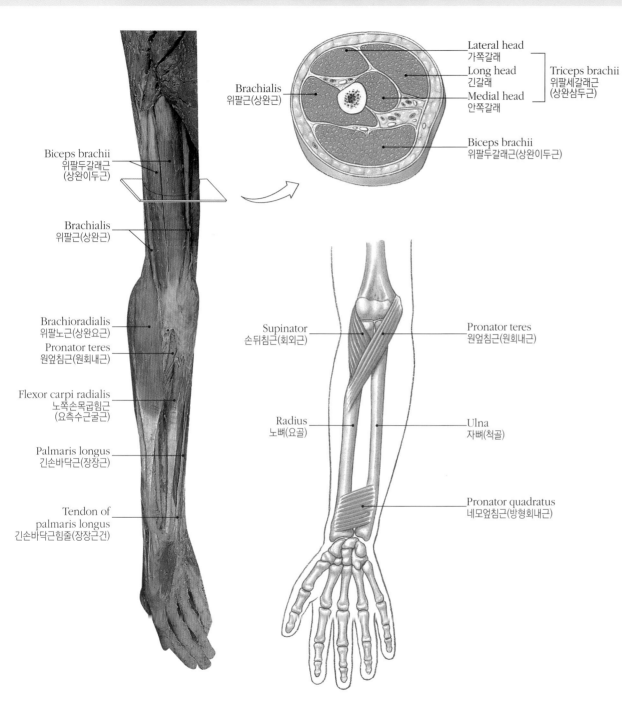

Triceps brachii
위팔세갈래근
(상완삼두근)

Lateral head
가쪽갈래

Long head
긴갈래

Brachialis
위팔근(상완근)

Medial head
안쪽갈래

Biceps brachii
위팔두갈래근(상완이두근)

Biceps brachii
위팔두갈래근
(상완이두근)

Brachialis
위팔근(상완근)

Brachioradialis
위팔노근(상완요근)

Pronator teres
원엎침근(원회내근)

Flexor carpi radialis
노쪽손목굽힘근
(요측수근굴근)

Palmaris longus
긴손바닥근(장장근)

Tendon of
palmaris longus
긴손바닥근힘줄(장장근건)

Supinator
손뒤침근(회외근)

Pronator teres
원엎침근(원회내근)

Radius
노뼈(요골)

Ulna
자뼈(척골)

Pronator quadratus
네모엎침근(방형회내근)

위팔근(상완근, Brachialis)

이는곳	위팔뼈대의 앞쪽 아래 절반 *Lower half of anterior shaft of humerus*
닿는곳	자뼈거친면, 자뼈갈고리돌기 *Tuberosity of ulna, coronoid process of ulna*
작 용	팔꿈치 굽히기 *Flexion of elbow*
신 경	근육피부신경(C5, C6, C7)(노신경과 정중신경에서 갈라지기도 한다) *Musculocutaneous nerve(C5, C6, C7) (sometimes branches from radial and median nerves)*
촉 진	팔꿈치를 굽힐 때 위팔뼈 앞쪽 아래의 위팔두갈래근 안쪽으로 힘살을 만질 수 있다. 아래팔을 엎쳐서 위팔두갈래근을 이완시키면 위팔두갈래근힘줄 바로 안쪽 앞 팔꿈치오목 깊은 곳에서 힘줄을 만질 수 있다. *Palpate muscle belly medial to biceps on lower anterior humerus during active elbow flexion. Relax biceps by pronating forearm. Palpate tendon deep in antecubital fossa just medial to biceps tendon.*

위팔노근(상완요근, Brachioradialis)

이는곳	위팔뼈 가쪽관절융기위능선 *Lateral supracondylar ridge of humerus*
닿는곳	노뼈붓돌기 *Styloid process of radius*
작 용	중립위치에서 아래팔과 팔꿈치관절 굽히기 *Flexion of elbow with forearm in neutral position*
신 경	노신경(C5, C6) *Radial nerve(C5, C6)*
촉 진	아래팔을 중립위치에 둔 상태에서 팔꿈치의 저항 굽히기를 하는 동안 아래팔 위쪽에서 힘살을 만질 수 있다. *With forearm in neutral position, palpate muscle belly on upper forearm during resisted elbow flexion.*

원엎침근(원회내근, Pronator teres)

이는곳	위팔갈래 : 위팔뼈 안쪽위관절융기 *Humeral head : medial epicondyle of humerus* 자뼈갈래 : 자뼈갈고리돌기 *Ulnar head : coronoid process of ulna*
닿는곳	노뼈 가쪽몸통 중간 *Middle of lateral shaft of radius*
작 용	아래팔 엎치기, 팔꿈치 굽힘 보조 *Pronation of forearm, assist in flexion of elbow*
신 경	정중신경(C6, C7) *Median nerve(C6, C7)*
촉 진	저항 엎침을 할 때 몸쪽 아래팔 앞면의 안쪽, 위팔두갈래근 닿는곳의 바로 안쪽에서 만질 수 있다. *Medial side of anterior surface of proximal forearm, just medial to biceps insertion during resisted pronation.*

뒤침근(회외근, Supinator)

이는곳	위팔뼈가쪽위관절융기 *Lateral epicondyle of humerus* 노뼈고리 및 가쪽곁인대 *Annular and radial collateral ligaments* 뒤침근능선의 몸쪽 자뼈 *Proximal ulna at supinator crest*
닿는곳	앞뒤 빗금 사이 노뼈몸쪽 1/3 가쪽면 *Lateral surface of proximal 1/3 of radius between anterior and posterior oblique lines*
작 용	아래팔 뒤침 *Supination of forearm*
신 경	노신경(C6) *Radial nerve(C6)*
촉 진	만지기 어렵다. 손목폄근이 이완되도록 손목을 굽힌 상태에서 아래팔뒤침을 할 때 아래팔 몸쪽 얕은손목폄근 깊은 곳에서 만질 수 있다. *Difficult to palpate. With wrist flexed to relax wrist extensors, palpate on proximal forearm deep to superficial extensor muscles during active forearm supination.*

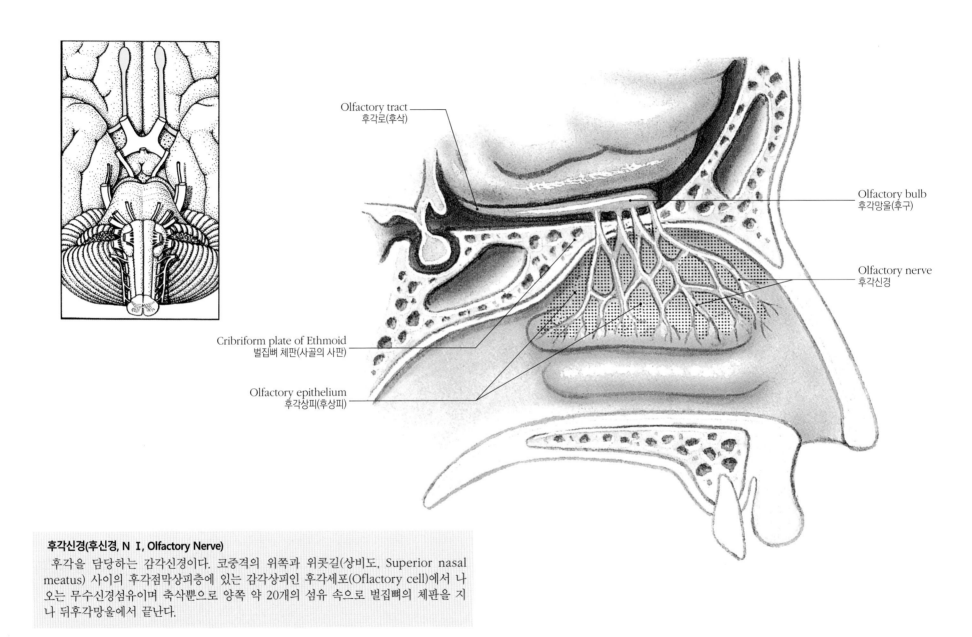

Olfactory tract
후각로(후삭)

Olfactory bulb
후각망울(후구)

Olfactory nerve
후각신경

Cribriform plate of Ethmoid
벌집뼈 체판(사골의 사판)

Olfactory epithelium
후각상피(후상피)

후각신경(후신경, N Ⅰ, Olfactory Nerve)

후각을 담당하는 감각신경이다. 코중격의 위쪽과 위콧길(상비도, Superior nasal meatus) 사이의 후각점막상피층에 있는 감각상피인 후각세포(Oflactory cell)에서 나오는 무수신경섬유이며 축삭뿐으로 양쪽 약 20개의 섬유 속으로 벌집뼈의 체판을 지나 뒤후각망울에서 끝난다.

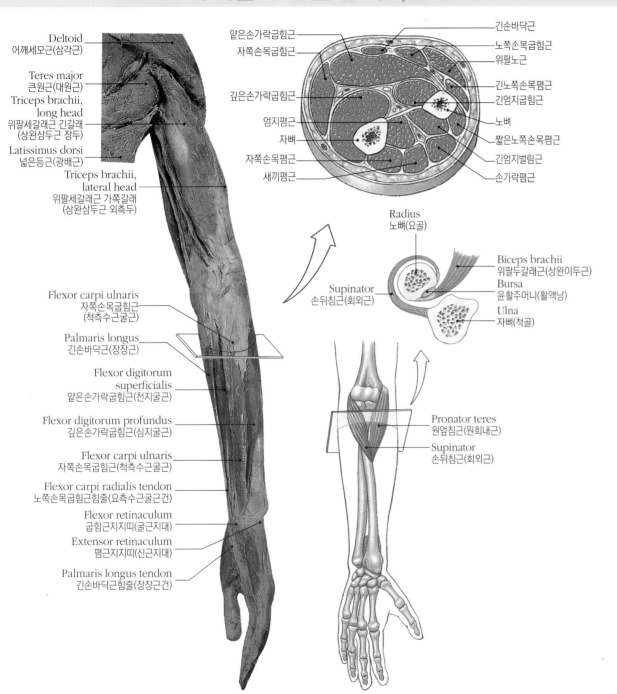

Deltoid
어깨세모근(삼각근)

Teres major
큰원근(대원근)

Triceps brachii, long head
위팔세갈래근 긴갈래
(상완삼두근 장두)

Latissimus dorsi
넓은등근(광배근)

Triceps brachii, lateral head
위팔세갈래근 가쪽갈래
(상완삼두근 외측두)

Flexor carpi ulnaris
자쪽손목굽힘근
(척측수근굴근)

Palmaris longus
긴손바닥근(장장근)

Flexor digitorum superficialis
얕은손가락굽힘근(천지굴근)

Flexor digitorum profundus
깊은손가락굽힘근(심지굴근)

Flexor carpi ulnaris
자쪽손목굽힘근(척측수근굴근)

Flexor carpi radialis tendon
노쪽손목굽힘근힘줄(요측수근굴근건)

Flexor retinaculum
굽힘근지지띠(굴근지대)

Extensor retinaculum
폄근지지띠(신근지대)

Palmaris longus tendon
긴손바닥근힘줄(장장근건)

얕은손가락굽힘근
자쪽손목굽힘근
깊은손가락굽힘근
엄지폄근
자뼈
자쪽손목폄근
새끼폄근

긴손바닥근
노쪽손목굽힘근
위팔노근
긴노쪽손목폄근
긴엄지굽힘근
노뼈
짧은노쪽손목폄근
긴엄지벌림근
손가락폄근

Radius
노뼈(요골)

Biceps brachii
위팔두갈래근(상완이두근)

Bursa
윤활주머니(활액낭)

Ulna
자뼈(척골)

Supinator
손뒤침근(회외근)

Pronator teres
원엎침근(원회내근)

Supinator
손뒤침근(회외근)

긴손바닥근(장장근, Palmaris longus)
- 이는곳 위팔뼈 안쪽관절융기위능선 *Medial epicondyle of humerus*
- 닿는곳 손바닥널힘줄, 굽힘근지지띠 *Plamar aponeurosis, flexor retinaculum*
- 작용 손목 굽히기 보조 *Assists flexion of wrist*
- 신경 정중신경(C6, 7) *Median nerve(C6, C7)*
- 촉진 만약 존재한다면, 손목이 저항에 대해 구부러지거나 엄지손가락이 강하게 벌어질 때 노뼈 손목굽힘근힘줄의 자쪽 손목 앞면의 중간선에서 힘줄을 만질 수 있다. *If present, tendon is palpated in midline of anterior surface of wrist on ulnar side of flexor carpi radialis tendon, when wrist is flexed against resistance and thumb is strongly abducted.*

얕은손가락굽힘근(천지굴근, Flexor digitorum superficialis)
- 이는곳 위팔뼈갈래 : 위팔뼈 안쪽위관절융기 *Humeral Head : Medial epicondyle of humerus*
  자뼈갈래 : 자뼈갈고리돌기 *Ulnar head : coronoid process of ulna*
  노뼈갈래 : 노뼈빗선 *Radial head : anterior oblique line of radius*
- 닿는곳 네 손가락의 가운데마디 양쪽 몸통 *Sides of shafts of middle phalanges of 4 fingers*
- 작용 몸쪽손가락관절에서 네 손가락의 중간마디뼈 굽히기, 손목 굽히기 보조 *Flexion of middle phalanges of 4 fingers at PIP joint, assist flexion of wrist*
- 신경 정중신경(C7, C8, T1) *Median nerve(C7, C8, T1)*
- 촉진 힘줄은 몸쪽손가락관절을 굽힐 때 자뼈손목굽힘근힘줄과 긴손바닥근힘줄 사이의 자쪽손목 앞면에서 만질 수 있다. *Tendon is palpated on anterior surface of wrist on ulnar side between flexor carpi ulnaris tendon and palmaris longus tendon during active PIP flexion.*

깊은손가락굽힘근(심지굴근, Flexor digitorum profundus)
- 이는곳 자뼈 앞안쪽과 뼈사이막 *Middle of anterior ulna and interosseous membrane*
- 닿는곳 네 손가락 끝마디뼈 바닥 *Bases of distal phalanges of 4 fingers*
- 작용 먼쪽손가락관절에서 네 손가락관절의 먼쪽 굽히기, 손목 굽히기 보조 *Flexion of distal phalanges of 4 fingers at DIP joints, assists flexion of wrist*
- 신경 노쪽 두 손가락가지의 정중신경(C8, T1) *Median nerve to radial 2 fingers(C8, T1)*
  자쪽 두 손가락가지의 자신경(C8, T1) *Ulnar nerve to ulnar 2 fingers(C8, T1)*
- 촉진 먼쪽손가락뼈사이관절을 굽힐 때 네 손가락의 중간마디뼈 앞면에서 힘줄을 만질 수 있다. *Tendons are palpated on anterior surface of middle phalanges of 4 fingers during active DIP flexion.*

노쪽손목굽힘근(요측수근굴근, Flexor carpi radialis)
- 이는곳 위팔뼈의 안쪽위관절융기 *Medial epicondyle of humerus*
- 닿는곳 2, 3번째 손허리뼈바닥 *Bases of 2nd and 3rd metacarpals*
- 작용 손목 굽히기, 벌리기(노쪽으로 치우침) *Flexion, abduction of wrist(radial deviation)*
- 신경 정중신경(C6, C7) *Median nerve(C6, C7)*
- 촉진 힘줄은 손목을 굽힐 때 2번째 손허리뼈선의 손목 앞면에서, 긴손바닥근힘줄의 노쪽에서 바로 만질 수 있다. *Tendon is palpated on anterior surface of wrist in line with 2nd metacarpal, just radial to palmaris longus tendon during active wrist flexion.*

자쪽손목굽힘근(척측수근굴근, Flexor carpi ulnaris)
- 이는곳 위팔뼈갈래 : 위팔뼈안쪽위관절융기 *Humeral head : medial epicondyle of humerus*
  자뼈갈래 : 몸쪽 뒤쪽 자뼈와 자뼈팔꿈치돌기 *Ulnar head : proximal posterior ulna and olecranon process of ulna*
- 닿는곳 콩알뼈, 갈고리뼈, 5번째 손허리뼈바닥 *Pisiform, hamate, base of 5th metacarpal*
- 작용 손목 굽히기와 모으기(자쪽 치우침) *flexion, adduction of wrist (ulnar deviation)*
- 신경 자신경(C8, T1) *Ulnar nerve(C8, T1)*
- 촉진 힘줄은 손목을 굽힐 때 손목 앞쪽면에서, 콩알뼈 몸쪽에서 만질 수 있다. *Tendon is palpated on anterior surface of wrist, proximal to the pisiform during active wrist flexion.*

뇌줄기(Brain stem)

뇌줄기는 대뇌를 척수와 연결시키는 신경조직묶음이다. 대뇌, 소뇌와 함께 뇌의 주요한 3부분 중 하나이다.

① 사이뇌(간뇌, Diencephalon)……대뇌반구 사이에 위치하며, 중간뇌의 위쪽이다. 기능부분으로 조직된 회백색질로 구성된다.
　·시상(Thalamus)……대뇌피질로 전달되는 감각흥분을 전환하는 역할
　·시상하부(Hypothalamus)……시상과 뇌간의 다른 부분으로부터 오는 흥분을 받아 내장활동과 신경계, 내분비계를 조정하여 항상성을 유지하도록 하는 기능
　·변연계(Limbic system)……감정적 경험을 관련시켜 다양한 감정들을 생산하고 표현하는 기능
　·솔방울샘(송과선, Pineal gland)……뇌줄기에 위치한다.
② 중간뇌(중뇌, Midbrain)……사이뇌와 다리뇌 사이에 위치한다. 대뇌로 가는 뇌줄기에 부착된 신경섬유로 구성되며 반사중추이다.
③ 다리뇌(교뇌, Pons)……뇌줄기 아래쪽의 둥근 돌출부, 연수와 대뇌를 오가는 흥분을 중계하는 신경섬유들로 구성된다.
④ 숨뇌(연수, Medulla oblongata)……다리뇌에서 큰뒤통수구멍으로 확장된 척수의 연장물로, 뇌와 척수를 연결하는 구심성·원심성 신경섬유를 포함한다. 심장활동·혈관활동과 호흡활동의 조절중추이다.
⑤ 그물체(망상체, Reticular formation)……뇌간 내 여러 부분들의 신경섬유 집합체로 대뇌겉질의 활동을 일으킨다.

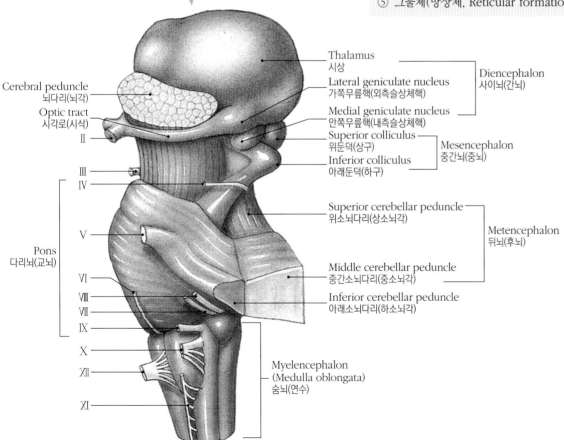

Thalamus
시상

Cerebral peduncle
뇌다리(뇌각)

Optic tract
시각로(시삭)

Lateral geniculate nucleus
가쪽무릎핵(외측슬상체핵)

Medial geniculate nucleus
안쪽무릎핵(내측슬상체핵)

Diencephalon
사이뇌(간뇌)

II

Superior colliculus
위둔덕(상구)

Inferior colliculus
아래둔덕(하구)

Mesencephalon
중간뇌(중뇌)

III
IV

Superior cerebellar peduncle
위소뇌다리(상소뇌각)

Pons
다리뇌(교뇌)

V

Metencephalon
뒤뇌(후뇌)

VI

Middle cerebellar peduncle
중간소뇌다리(중소뇌각)

VIII
VII

Inferior cerebellar peduncle
아래소뇌다리(하소뇌각)

IX

X

XII

Myelencephalon
(Medulla oblongata)
숨뇌(연수)

XI

뇌줄기의 가쪽
Lateral View of Brain Stem

Choroid plexus
맥락얼기(맥락총)

Thalamus
시상

Pineal gland
솔방울샘(송과체)

Superior colliculus
위둔덕(상구)

Inferior colliculus
아래둔덕(하구)

Cerebral peduncle
대뇌다리(대뇌각)

Superior cerebellar peduncle
위소뇌다리(상소뇌각)

Middle cerebellar peduncle
중간소뇌다리(중소뇌각)

Inferior cerebellar peduncle
아래소뇌다리(하소뇌각)

Choroid plexus
in roof of fourth ventricle
넷째뇌실천장의 맥락얼기
(제4뇌실피개의 맥락총)

뇌줄기의 뒤쪽
Posterior View of Brain Stem

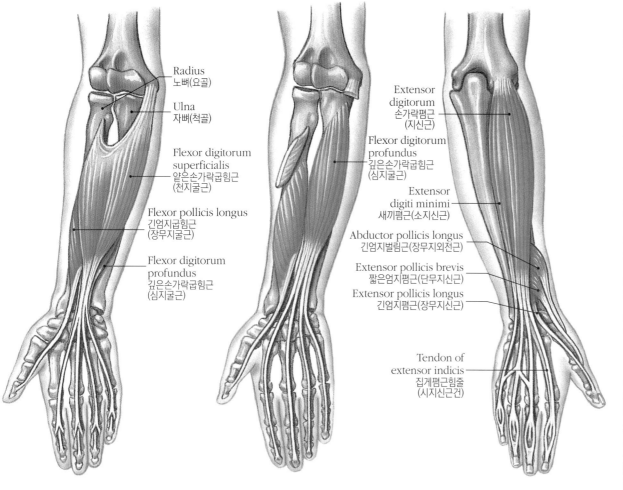

Radius
노뼈(요골)

Ulna
자뼈(척골)

Flexor digitorum
superficialis
얕은손가락굽힘근
(천지굴근)

Flexor pollicis longus
긴엄지굽힘근
(장무지굴근)

Flexor digitorum
profundus
깊은손가락굽힘근
(심지굴근)

Extensor
digitorum
손가락폄근
(지신근)

Flexor digitorum
profundus
깊은손가락굽힘근
(심지굴근)

Extensor
digiti minimi
새끼폄근(소지신근)

Abductor pollicis longus
긴엄지벌림근(장무지외전근)

Extensor pollicis brevis
짧은엄지폄근(단무지신근)

Extensor pollicis longus
긴엄지폄근(장무지신근)

Tendon of
extensor indicis
집게폄근힘줄
(시지신근건)

긴엄지굽힘근(장무지굽힘근, Flexor pollicis longus)
이는곳 앞쪽노뼈 가운데, 뼈사이막 *Middle of anterior radius, interosseous membrane*
닿는곳 엄지손가락끝마디뼈 *Distal phalanx of thumb*
작 용 손가락사이관절에서 엄지손가락끝마디뼈 굽히기 *Flexion of distal phalanx of thumb at IP joint*
신 경 정중신경(C8, T1) *Median nerve(C8, T1)*
촉 진 손가락관절을 굽힐 때 손가락 몸쪽마디 앞면에서 힘줄을 만질 수 있다. *Tendon is palpated on anterior surface of proximal phalanx during active IP flexion.*

짧은엄지굽힘근(단무지굽힘근, Flexor pollicis brevis)
이는곳 얕은갈래 : 굽힘근지지띠와 큰마름뼈 *Superficial head : flexor retinaculum and trapezium*
　　　　깊은갈래 : 작은마름뼈와 알머리뼈 *Deep head : trapezoid and capitate*
닿는곳 엄지손가락의 몸쪽마디 바닥 : 노쪽 *Base of proximal phalanx of thumb : radial side*
작 용 손허리손가락관절에서 엄지손가락의 몸쪽마디 굽히기 *Flexion of proximal phalanx of thumb at MP joint*
신 경 얕은갈래 : 정중신경(C6, C7) *Superficial head : median nerve(C6, C7)*
　　　　깊은갈래 : 자신경(C8, T1) *Deep head : ulnar nerve(C8, T1)*
촉 진 손허리손가락관절을 굽힐 때 손허리손가락관절의 몸쪽엄지두덩 자쪽(짧은엄지벌림근 안쪽)에서 만질 수 있다. *Ulnar side of thenar eminence just proximal to MP joint(medial to abductor pollicis brevis) during active MP flexion).*

손가락폄근(지신근, Extensor digitorum)
이는곳 위팔뼈 가쪽위관절융기(공동폄근힘줄) *Lateral epicondyle of humerus(common extensor tendon)*
닿는곳 네 손가락의 폄근확장대 *Extensor expansion of 4 fingers*
작 용 손허리손가락관절에서 네 손가락의 몸쪽관절 펴기 *Extension of proximal phalanges of 4 fingers at MP joints*
　　　　손목 펴기 보조 *Assists extension of wrist*
신 경 노신경(C6, C7, C8) *Radial nerve(C6, C7, C8)*
촉 진 손가락과 손목을 강하게 펼 때 아래팔 등쪽면 가운데서 만질 수 있다. 힘줄은 손등에서 만질 수 있다. *Middle of dorsal forearm during forceful finger and wrist extension. Tendon are palpated on dorsum of hands.*

긴엄지폄근(장무지신근, Extensor pollicis longus)
이는곳 자뼈 뒤쪽과 뼈사이막 가운데 1/3 *Posterior ulna and interosseous membrane - middle 1/3*
닿는곳 엄지손가락 끝마디뼈 바닥 *Base of distal phalanx of thumb*
작 용 손가락사이관절에서 엄지손가락 먼쪽마디 펴기 *Extension of distal phalanx of thumb at IP joint*
　　　　손목벌림 보조 *Assists wrist abduction*
신 경 노신경(C6, C7, C8) *Radial nerve(C6, C7, C8)*
촉 진 힘줄은 엄지손가락을 펼 때 자쪽 해부학적 코담배갑(Anatomical snuffbox)과 엄지손가락 첫 마디의 등쪽면에서 만질 수 있다. *Tendon is palpated as the ulnar side of "anatomical snuffbox"and also on dorsal proximal phalanx during active thumb extension*

짧은엄지폄근(단무지신근, Extensor pollicis brevis)
이는곳 노뼈 뒤쪽, 뼈사이막 *Posterior radius, interosseous membrane*
닿는곳 엄지손가락 몸쪽마디 바닥 *Base of proximal phalanx of thumb*
작 용 손허리손가락관절에서 엄지손가락 몸쪽마디 펴기,손목 벌리기 보조 *Extension of proximal phalanx of thumb at MP joint, assists wrist abduction*
신 경 노신경(C6, C7) *Radial nerve(C6, C7)*
촉 진 엄지를 펼 때 긴엄지폄근의 힘줄에 인접해 있는 해부학적 코담배갑 노쪽에서 힘줄을 만질 수 있다. *Tendon is palpated as the radial side of "anatomical snuffbox", adjacent to abductor pollicis longus tendon during active thumb extension.*

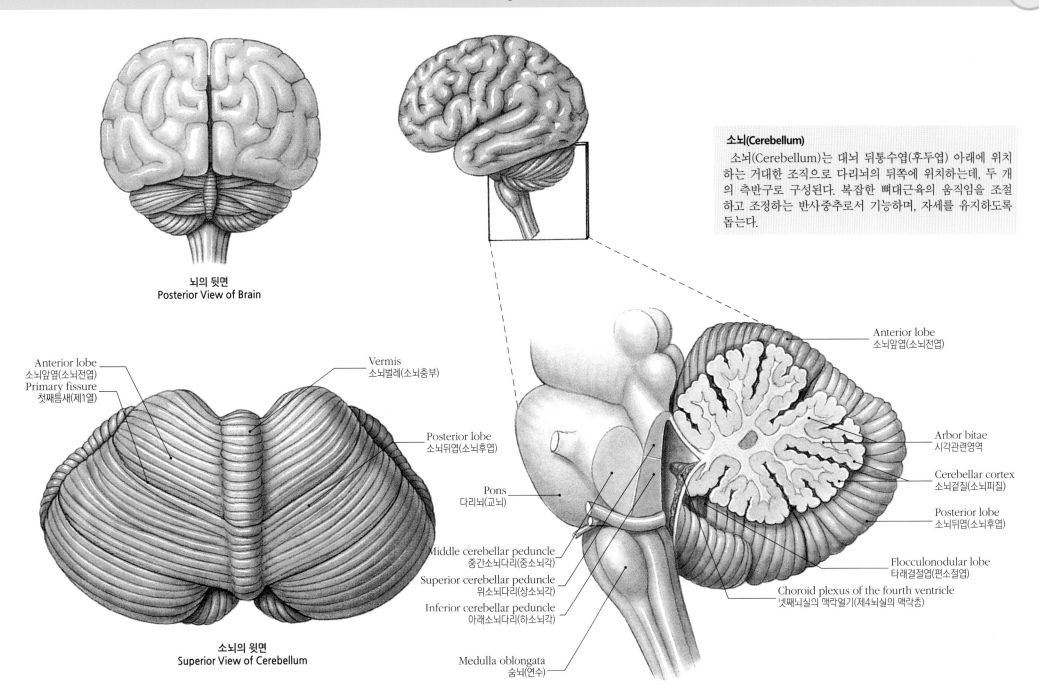

뇌의 뒷면
Posterior View of Brain

소뇌(Cerebellum)

소뇌(Cerebellum)는 대뇌 뒤통수엽(후두엽) 아래에 위치하는 거대한 조직으로 다리뇌의 뒤쪽에 위치하는데, 두 개의 측반구로 구성된다. 복잡한 뼈대근육의 움직임을 조절하고 조정하는 반사중추로서 기능하며, 자세를 유지하도록 돕는다.

Anterior lobe
소뇌앞엽(소뇌전엽)

Vermis
소뇌벌레(소뇌충부)

Anterior lobe
소뇌앞엽(소뇌전엽)
Primary fissure
첫째틈새(제1열)

Posterior lobe
소뇌뒤엽(소뇌후엽)

Arbor bitae
시각관련영역

Cerebellar cortex
소뇌겉질(소뇌피질)

Posterior lobe
소뇌뒤엽(소뇌후엽)

Pons
다리뇌(교뇌)

Middle cerebellar peduncle
중간소뇌다리(중소뇌각)

Superior cerebellar peduncle
위소뇌다리(상소뇌각)

Inferior cerebellar peduncle
아래소뇌다리(하소뇌각)

Flocculonodular lobe
타래결절엽(편소절엽)

Choroid plexus of the fourth ventricle
넷째뇌실의 맥락얼기(제4뇌실의 맥락총)

Medulla oblongata
숨뇌(연수)

소뇌의 윗면
Superior View of Cerebellum

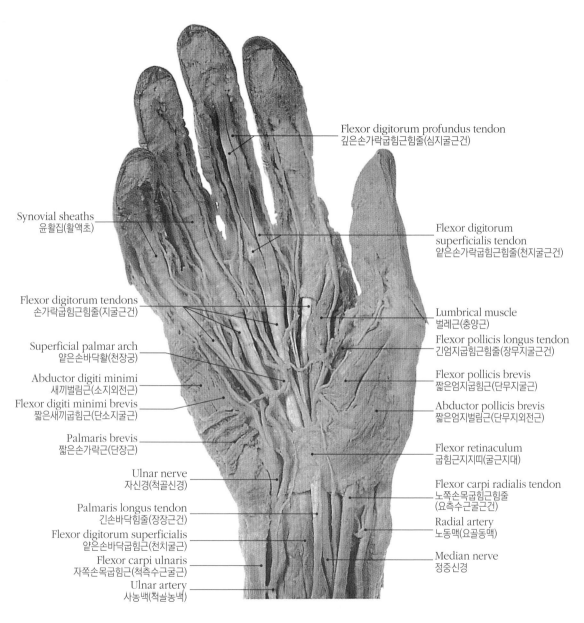

Flexor digitorum profundus tendon
깊은손가락굽힘근힘줄(심지굴근건)

Synovial sheaths
윤활집(활액초)

Flexor digitorum
superficialis tendon
얕은손가락굽힘근힘줄(천지굴근건)

Flexor digitorum tendons
손가락굽힘근힘줄(지굴근건)

Lumbrical muscle
벌레근(충양근)

Superficial palmar arch
얕은손바닥활(천장궁)

Flexor pollicis longus tendon
긴엄지굽힘근힘줄(장무지굴근건)

Abductor digiti minimi
새끼벌림근(소지외전근)

Flexor pollicis brevis
짧은엄지굽힘근(단무지굴근)

Flexor digiti minimi brevis
짧은새끼굽힘근(단소지굴근)

Abductor pollicis brevis
짧은엄지벌림근(단무지외전근)

Palmaris brevis
짧은손가락근(단장근)

Flexor retinaculum
굽힘근지지띠(굴근지대)

Ulnar nerve
자신경(척골신경)

Flexor carpi radialis tendon
노쪽손목굽힘근힘줄
(요측수근굴근건)

Palmaris longus tendon
긴손바닥힘줄(장장근건)

Radial artery
노동맥(요골동맥)

Flexor digitorum superficialis
얕은손바닥굽힘근(천치굴근)

Flexor carpi ulnaris
자쪽손목굽힘근(척측수근굴근)

Median nerve
정중신경

Ulnar artery
자동맥(척골동맥)

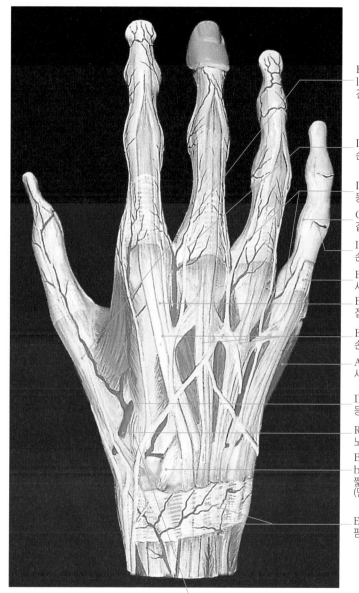

Extensor pollicis
longus tendon
긴엄지폄근힘줄(장무지신건근)

Digital nerve
손가락신경(지신경)

Dorsal digital arteries
등쪽손가락동맥(배측지동맥)

Collateral ligament
곁인대(측부인대)

Interphalangeal joint
손가락뼈사이관절(지절간관절)

Extensor digiti minimi tendon
새끼폄근힘줄(소지신건근)

Extensor indicis tendon
집게폄근힘줄(시지신근건)

Extensor digitorum tendons
손가락폄근힘줄(지신근건)

Abductor digiti minimi
새끼벌림근(소지외전근)

Dorsal interossei
등쪽뼈사이근(배측골간근)

Radial artery
노동맥(요골동맥)

Extensor carpi radialis
brevis tendon
짧은노쪽손목폄근힘줄
(단요측수근신근건)

Extensor retinaculum
폄근지지띠(신근지대)

Extensor carpi
radialis longus tendon
긴노쪽손목폄근힘줄(장요측수근신근건)

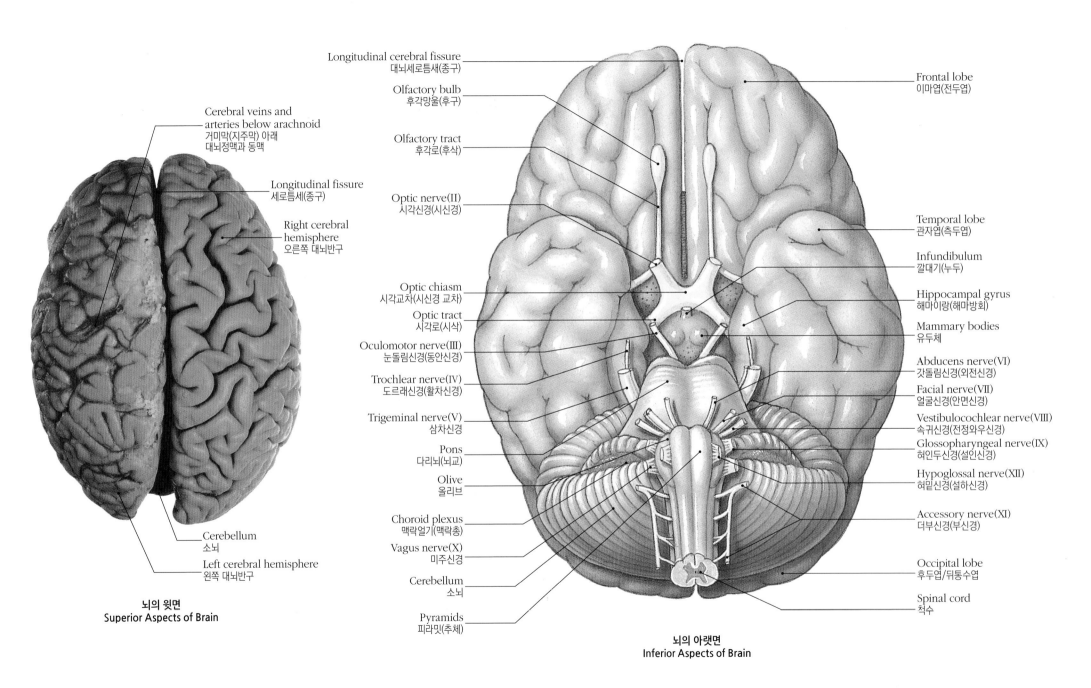

Longitudinal cerebral fissure
대뇌세로틈새(종구)

Olfactory bulb
후각망울(후구)

Olfactory tract
후각로(후삭)

Optic nerve(II)
시각신경(시신경)

Optic chiasm
시각교차(시신경 교차)

Optic tract
시각로(시삭)

Oculomotor nerve(III)
눈돌림신경(동안신경)

Trochlear nerve(IV)
도르래신경(활차신경)

Trigeminal nerve(V)
삼차신경

Pons
다리뇌(뇌교)

Olive
올리브

Choroid plexus
맥락얼기(맥락총)

Vagus nerve(X)
미주신경

Cerebellum
소뇌

Pyramids
피라밋(추체)

Frontal lobe
이마엽(전두엽)

Temporal lobe
관자엽(측두엽)

Infundibulum
깔대기(누두)

Hippocampal gyrus
해마이랑(해마방회)

Mammary bodies
유두체

Abducens nerve(VI)
갓돌림신경(외전신경)

Facial nerve(VII)
얼굴신경(안면신경)

Vestibulocochlear nerve(VIII)
속귀신경(전정와우신경)

Glossopharyngeal nerve(IX)
혀인두신경(설인신경)

Hypoglossal nerve(XII)
혀밑신경(설하신경)

Accessory nerve(XI)
더부신경(부신경)

Occipital lobe
후두엽/뒤통수엽

Spinal cord
척수

Cerebral veins and
arteries below arachnoid
거미막(지주막) 아래
대뇌정맥과 동맥

Longitudinal fissure
세로틈새(종구)

Right cerebral
hemisphere
오른쪽 대뇌반구

Cerebellum
소뇌

Left cerebral hemisphere
왼쪽 대뇌반구

뇌의 윗면
Superior Aspects of Brain

뇌의 아랫면
Inferior Aspects of Brain

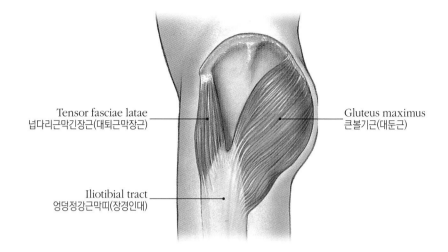

Tensor fasciae latae
넙다리근막긴장근(대퇴근막장근)

Gluteus maximus
큰볼기근(대둔근)

Iliotibial tract
엉덩정강근막띠(장경인대)

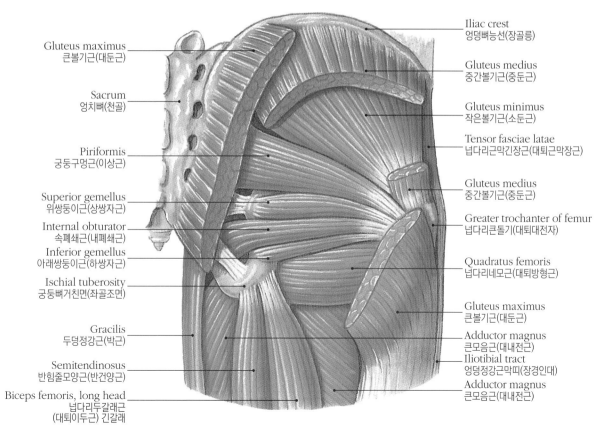

Gluteus maximus
큰볼기근(대둔근)

Sacrum
엉치뼈(천골)

Piriformis
궁둥구멍근(이상근)

Superior gemellus
위쌍둥이근(상쌍자근)

Internal obturator
속폐쇄근(내폐쇄근)

Inferior gemellus
아래쌍둥이근(하쌍자근)

Ischial tuberosity
궁둥뼈거친면(좌골조면)

Gracilis
두덩정강근(박근)

Semitendinosus
반힘줄모양근(반건양근)

Biceps femoris, long head
넙다리두갈래근
(대퇴이두근) 긴갈래

Iliac crest
엉덩뼈능선(장골릉)

Gluteus medius
중간볼기근(중둔근)

Gluteus minimus
작은볼기근(소둔근)

Tensor fasciae latae
넙다리근막긴장근(대퇴근막장근)

Gluteus medius
중간볼기근(중둔근)

Greater trochanter of femur
넙다리큰돌기(대퇴대전자)

Quadratus femoris
넙다리네모근(대퇴방형근)

Gluteus maximus
큰볼기근(대둔근)

Adductor magnus
큰모음근(대내전근)

Iliotibial tract
엉덩정강근막띠(장경인대)

Adductor magnus
큰모음근(대내전근)

궁둥구멍근(이상근, Piriformis)
위쌍동이근(상쌍자근, Gemellus superior)
속폐쇄근(내폐쇄근, Obturator internus)
아래쌍동이근(하쌍자근, Gemellus inferior)
바깥폐쇄근(외폐쇄근, Obturator externus)
넙다리네모근(대퇴방형근, Quadratus femoris)

이는곳	엉치뼈앞, 궁둥뼈, 폐쇄구멍 *Anterior sacrum, ischium, obturator foramen*
닿는곳	넙다리뼈큰돌기 *Creater trochanter of femur*
작 용	엉덩관절에서 넙다리뼈 가쪽돌리기 *Lateral rotation of femur at hip*
신 경	엉치신경얼기가지(L4, L5, S1, S2) 바깥폐쇄근은 폐쇄신경(L3, L4)에 의해 움직인다. *Branches from sacral plexus(L4, L5, S1, S2). Obturator externus supplied by obturator nerve(L3, L4)*
촉 진	이들 근육 대부분은 만질 수 없다. *Cannot palpate most of them* 궁둥구멍근 : 엉덩관절을 가쪽으로 돌릴 때 큰돌기 바로 뒤쪽에서 만질 수 있다. 중간볼기근과 구별하기가 어렵다. *Piriformis : just posterior to greater trochanter during active lateral rotation of the hip. Difficult to differentiate from gluteus medius* 넙다리네모근 : 엉덩관절을 가쪽으로 돌릴 때 궁둥뼈결절과 큰돌기 사이에서 만질 수 있다. *Quadratus femoris : between ischial tuberosity and greater trochanter during active lateral rotation of the hip.*

넙다리근막긴장근(대퇴근막장근, Tensor fasciae latae)

이는곳	엉덩뼈능선(엉덩뼈 뒤쪽에서 위앞엉덩뼈가시까지) *Iliac crest(posterior to anterior superior iliac spine)*
닿는곳	엉덩정강근막띠(정강뼈가쪽관절융기에 계속해서 부착된다) *Iliotibial tract (which continues to attach to the lateral condyle of the tibia)*
작 용	걸을 때 펴진 무릎이 쓰러지는 것을 막아줌. 엉덩관절에서 넙다리뼈 벌림, 안쪽돌림, 굽힘과 무릎의 폄 보조 *Prevents collapse of extended knee in abbulation, assists abduction, medial rotation, flexion of femur at hip and extension of knee*
신 경	위볼기신경(L4, 5, S1) *Superior gluteal nerve(L4, L5, S1)*
촉 진	엉덩관절을 벌릴 때 골반 앞의 위쪽엉덩뼈가시 아래에서(큰돌기와 같은 높이) 만질 수 있다. *Below superior iliac spine on anterior pelvis (at level of greater trochanter during active hip abduction)*

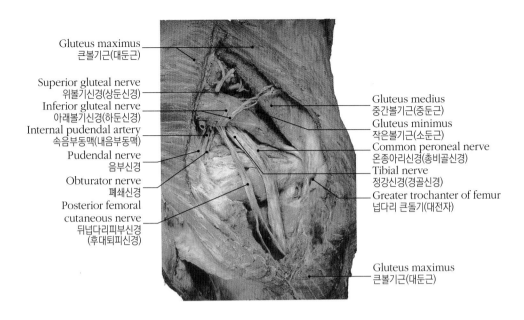

Gluteus maximus
큰볼기근(대둔근)

Superior gluteal nerve
위볼기신경(상둔신경)

Inferior gluteal nerve
아래볼기신경(하둔신경)

Internal pudendal artery
속음부동맥(내음부동맥)

Pudendal nerve
음부신경

Obturator nerve
폐쇄신경

Posterior femoral
cutaneous nerve
뒤넙다리피부신경
(후대퇴피신경)

Gluteus medius
중간볼기근(중둔근)

Gluteus minimus
작은볼기근(소둔근)

Common peroneal nerve
온종아리신경(총비골신경)

Tibial nerve
정강신경(경골신경)

Greater trochanter of femur
넙다리 큰돌기(대전자)

Gluteus maximus
큰볼기근(대둔근)

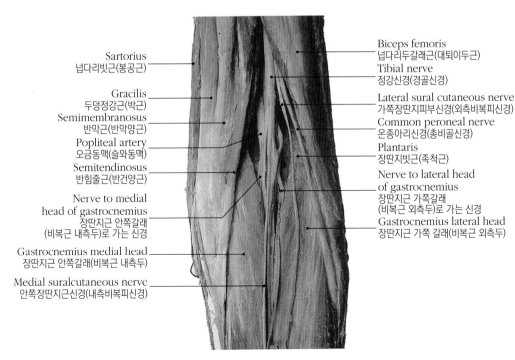

Sartorius
넙다리빗근(봉공근)

Gracilis
두덩정강근(박근)

Semimembranosus
반막근(반막양근)

Popliteal artery
오금동맥(슬와동맥)

Semitendinosus
반힘줄근(반건양근)

Nerve to medial
head of gastrocnemius
장딴지근 안쪽갈래
(비복근 내측두)로 가는 신경

Gastrocnemius medial head
장딴지근 안쪽갈래(비복근 내측두)

Medial suralcutaneous nerve
안쪽장딴지근신경(내측비복피신경)

Biceps femoris
넙다리두갈래근(대퇴이두근)

Tibial nerve
정강신경(경골신경)

Lateral sural cutaneous nerve
가쪽장딴지피부신경(외측비복피신경)

Common peroneal nerve
온종아리신경(총비골신경)

Plantaris
장딴지빗근(족척근)

Nerve to lateral head
of gastrocnemius
장딴지근 가쪽갈래
(비복근 외측두)로 가는 신경

Gastrocnemius lateral head
장딴지근 가쪽 갈래(비복근 외측두)

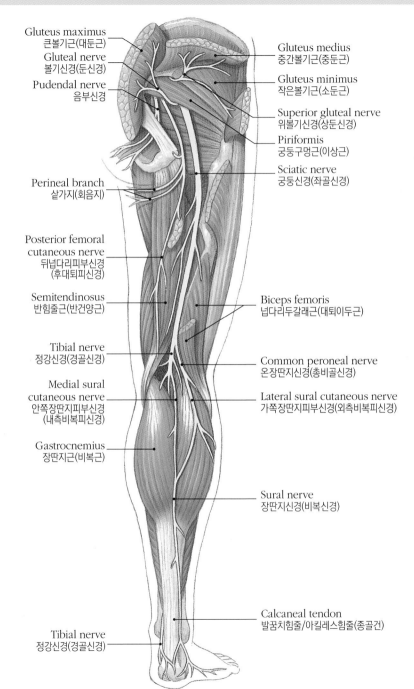

Gluteus maximus
큰볼기근(대둔근)

Gluteal nerve
볼기신경(둔신경)

Pudendal nerve
음부신경

Perineal branch
샅가지(회음지)

Posterior femoral
cutaneous nerve
뒤넙다리피부신경
(후대퇴피신경)

Semitendinosus
반힘줄근(반건양근)

Tibial nerve
정강신경(경골신경)

Medial sural
cutaneous nerve
안쪽장딴지피부신경
(내측비복피신경)

Gastrocnemius
장딴지근(비복근)

Tibial nerve
정강신경(경골신경)

Gluteus medius
중간볼기근(중둔근)

Gluteus minimus
작은볼기근(소둔근)

Superior gluteal nerve
위볼기신경(상둔신경)

Piriformis
궁둥구멍근(이상근)

Sciatic nerve
궁둥신경(좌골신경)

Biceps femoris
넙다리두갈래근(대퇴이두근)

Common peroneal nerve
온장딴지신경(총비골신경)

Lateral sural cutaneous nerve
가쪽장딴지피부신경(외측비복피신경)

Sural nerve
장딴지신경(비복신경)

Calcaneal tendon
발꿈치힘줄/아킬레스힘줄(종골건)

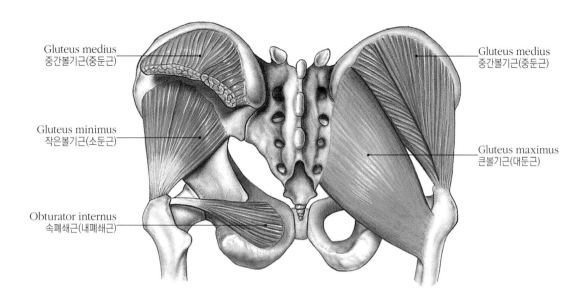

Gluteus medius
중간볼기근(중둔근)

Gluteus medius
중간볼기근(중둔근)

Gluteus minimus
작은볼기근(소둔근)

Gluteus maximus
큰볼기근(대둔근)

Obturator internus
속폐쇄근(내폐쇄근)

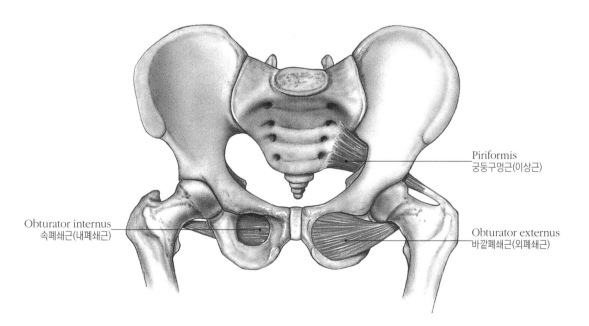

Piriformis
궁둥구멍근(이상근)

Obturator internus
속폐쇄근(내폐쇄근)

Obturator externus
바깥폐쇄근(외폐쇄근)

큰볼기근(대둔근, Gluteus maximus)

이는곳 엉치뼈 뒤쪽 *Posterior sacrum*
엉덩뼈(인대막 경유) *Ilium (via ligamentous sheath)*
엉덩뼈 볼기선 위 *Superior gluteal line of ilium*

닿는곳 넙다리뼈 볼기근거친면 *Gluteal tuberosity of femur*
엉덩정강근막띠(정강뼈가쪽융기까지 내려가 부착됨) *Iliotibial tract (which continues to attach to lateral condyle of tibia)*

작 용 엉덩관절에서 넙다리뼈 펴기 *Extension of femur at hip*
펴진 엉덩관절 가쪽돌리기 *Lateral rotation of extended hip*

신 경 아래볼기신경(L5, S1, S2) *Inferior gluteal nerve(L5, S1, S2)*

촉 진 엉덩이를 펼 때 엉덩이 뒷면에서 만질 수 있다. *Posterior surface of buttock during active hip extension*

중간볼기근(중둔근, Gluteus medius)

이는곳 엉덩뼈능선 *Iliac crest*
위볼기근선과 중간볼기근선 사이의 엉덩뼈 *Ilium between superior and middle gluteal lines*

닿는곳 넙다리큰돌기 *Greater trochanter of femur*

작 용 엉덩관절에서 넙다리뼈 벌리기와 안쪽으로 돌리기(앞섬유) *Abduction, medial rotation of femur at hip(anterior fibers)*
위볼기신경(L4, L5, S1) *Superior gluteal nerve(L4, L5, S1)*

촉 진 엉덩관절을 벌릴 때 큰돌기와 엉덩뼈능선 사이 엉덩이 가쪽면에서 만질 수 있다. *Lateral aspect of hip, between iliac crest and greater trochanter during active hip abduction.*

작은볼기근(소둔근, Gluteus minimus)

이는곳 엉덩뼈 뒤쪽—볼기근선 가운데와 아래 사이 *Posterior ilium - between middle and inferior lines*

닿는곳 넙다리뼈큰돌기의 앞면 *Anterior surface of greater trochanter of femur*

작 용 엉덩관절에서 넙다리뼈 벌리기와 안쪽으로 돌리기 *Abduction, medial rotation of femur at hip*

신 경 위볼기신경(L4, L5, S1) *Superior gluteal nerve(L4, L5, S1)*

촉 진 엉덩관절을 안쪽으로 돌릴 때 중간볼기근과 함께 만질 수 있다. *With gluteus medius during active medial rotation of hip.*

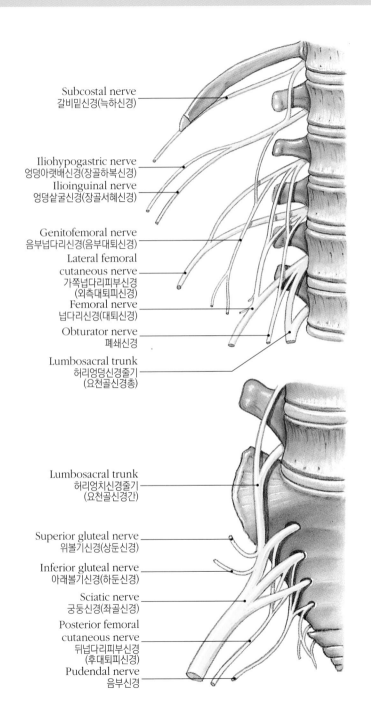

Subcostal nerve
갈비밑신경(늑하신경)

Iliohypogastric nerve
엉덩아랫배신경(장골하복신경)
Ilioinguinal nerve
엉덩샅굴신경(장골서혜신경)

Genitofemoral nerve
음부넙다리신경(음부대퇴신경)

Lateral femoral
cutaneous nerve
가쪽넙다리피부신경
(외측대퇴피신경)
Femoral nerve
넙다리신경(대퇴신경)

Obturator nerve
폐쇄신경

Lumbosacral trunk
허리엉덩신경줄기
(요천골신경총)

Lumbosacral trunk
허리엉치신경줄기
(요천골신경간)

Superior gluteal nerve
위볼기신경(상둔신경)

Inferior gluteal nerve
아래볼기신경(하둔신경)

Sciatic nerve
궁둥신경(좌골신경)

Posterior femoral
cutaneous nerve
뒤넙다리피부신경
(후대퇴피신경)
Pudendal nerve
음부신경

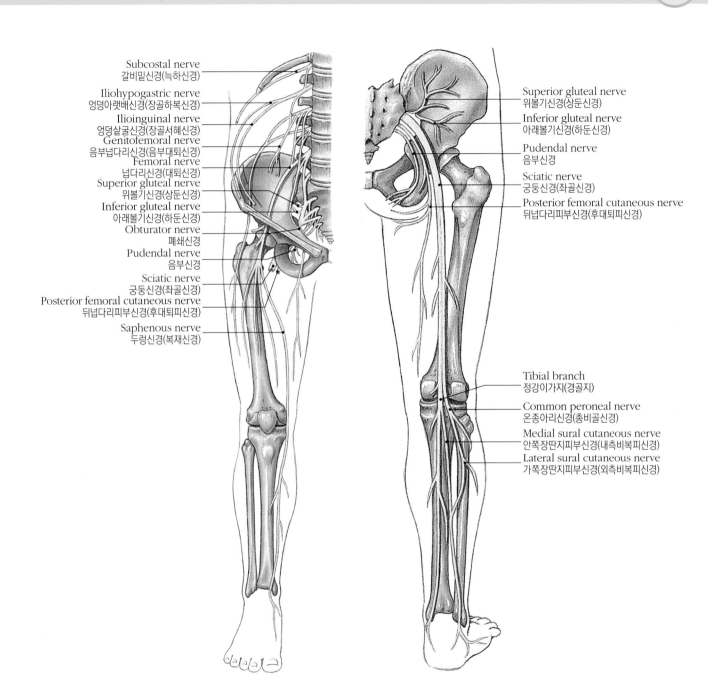

Subcostal nerve
갈비밑신경(늑하신경)

Iliohypogastric nerve
엉덩아랫배신경(장골하복신경)
Ilioinguinal nerve
엉덩샅굴신경(장골서혜신경)
Genitofemoral nerve
음부넙다리신경(음부대퇴신경)
Femoral nerve
넙다리신경(대퇴신경)
Superior gluteal nerve
위볼기신경(상둔신경)
Inferior gluteal nerve
아래볼기신경(하둔신경)
Obturator nerve
폐쇄신경
Pudendal nerve
음부신경
Sciatic nerve
궁둥신경(좌골신경)
Posterior femoral cutaneous nerve
뒤넙다리피부신경(후대퇴피신경)
Saphenous nerve
두렁신경(복재신경)

Superior gluteal nerve
위볼기신경(상둔신경)
Inferior gluteal nerve
아래볼기신경(하둔신경)
Pudendal nerve
음부신경
Sciatic nerve
궁둥신경(좌골신경)
Posterior femoral cutaneous nerve
뒤넙다리피부신경(후대퇴피신경)

Tibial branch
정강이가지(경골지)

Common peroneal nerve
온종아리신경(총비골신경)
Medial sural cutaneous nerve
안쪽장딴지피부신경(내측비복피신경)
Lateral sural cutaneous nerve
가쪽장딴지피부신경(외측비복피신경)

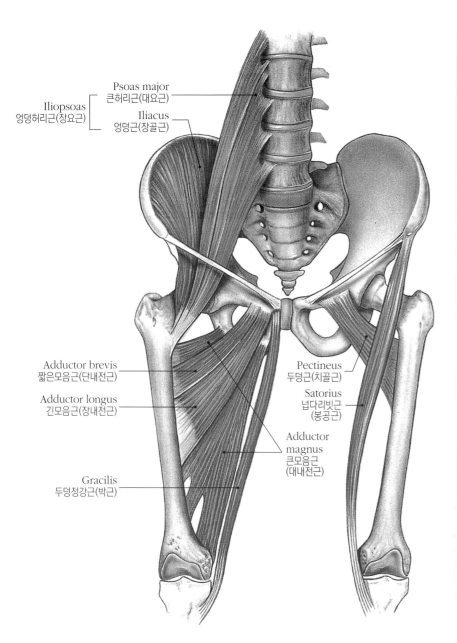

Psoas major
큰허리근(대요근)

Iliopsoas
엉덩허리근(장요근)

Iliacus
엉덩근(장골근)

Adductor brevis
짧은모음근(단내전근)

Adductor longus
긴모음근(장내전근)

Pectineus
두덩근(치골근)

Satorius
넙다리빗근
(봉공근)

Adductor
magnus
큰모음근
(대내전근)

Gracilis
두덩정강근(박근)

큰허리근(대요근, Psoas major)
엉덩근(장골근, Iliacus)

이는곳 큰허리근: 허리뼈, T12에서 L5까지 *Psoas major : lumbar vertebrae T12-L5*
엉덩근: 엉덩뼈 속면(엉덩뼈오목) *Iliacus : inner surface of ilium(iliac fossa)*

닿는곳 넙다리뼈작은돌기 *Lesser trochanter of femur*

작 용 엉덩관절에서 넙다리뼈 굽히기 *Flexion of femur at hip joint*
넙다리가 고정되어 있을 때는 엉덩관절에서 몸통 굽히기 *If thigh is fixed, flexion of trunk at hip joint.*

신 경 큰허리근: L2, L3 *Psoas major : L2, L3 directly*
엉덩근: 넙다리신경(L2, L3, L4) *Iliacus : femoral nerve(L2, L3, L4)*

촉 진 만지기 어렵다. 의자에 앉은 자세에서 몸을 앞으로 기대어 배 근육을 이완시키고, 바닥에서 발을 들어올려 다리가 구부러 졌을 때 허리 높이 깊은 곳에서 큰허리근을 만질 수도 있다. *Difficult to palpate. In sitting position on chair, psoas major may be palpated deep at waist level if abdominal muscles are relaxed by leaning forward and leg is then flexed by raising foot off floor.*

큰모음근(대내전근, Adductor magnus)

이는곳 앞쪽(모음근)갈래:두덩뼈아래가지 *Anterior (adductor) head : inferior ramus of pubis*
뒤쪽(넙다리뒤근)갈래 : 궁둥뼈결절과 궁둥뼈가지 *Posterior(hamstring) head : ischial tuberosity and ramus of ischium*

닿는곳 앞쪽갈래 : 넙다리뼈거친선 *Anterior head : linea aspera of femur*
뒤쪽갈래 : 넙다리뼈모음근결절 *Posterior head : adductor tubercle of femur*

작 용 엉덩관절에서 넙다리뼈모으기 *Adduction of femur at hip*
앞쪽갈래 : 엉덩관절에서 넙다리뼈 안쪽돌리기와 굽히기 보조 *Anterior head : assists flexion and medial rotation of femur at hip*
뒤쪽갈래 : 엉덩관절에서 넙다리뼈 가쪽돌리기와 펴기 보조 *Posterior head : assists extension and lateral rotation of femur at hip*

신 경 앞쪽:폐쇄신경(L2, L3, L4) *Anterior : obturator nerve(L2, L3, L4)*
뒤쪽:궁둥신경(L4, L5, S1, S2, S3) *Posterior : sciatic nerve(L4, L5, S1, S2, S3)*

촉 진 엉덩관절을 모을 때 두덩정강근 바로 안쪽 넙다리 안쪽면에 서 만질 수 있다. 힘줄은 모음근결절의 근육이 닿는 곳에서 만 질 수 있다. *Medial surface of thigh just medial to gracilis during active adduction of hip. Tendon is palpated at its insertion on the adductor tubercle.*

긴모음근(장내전근, Adductor longus)
짧은모음근(단내전근, Adductor brevis)

이는곳 두덩뼈 앞쪽 *Anterior pubis*
닿는곳 넙다리뼈뒤쪽거친선 *Linea sapera on posterior femur*
작 용 엉덩관절에서 넙다리뼈 모으기, 엉덩관절에서 넙다리뼈 굽히 기 보조 *Adduction of femur at hip, assists flexion of femur at hip*
신 경 폐쇄신경(L3, L4) *Obturator(L3, L4)*
촉 진 긴모음근:엉덩관절을 모을 때 사타구니 안쪽면 돌출된 선 모 양의 이는곳에서 만질 수 있다. *Adductor longus : prominent cord-like origin at medial aspect of groin during active adduction of hip*
짧은모음근:두덩뼈에 있는 긴모음근의 이는곳 가쪽에서 만 질 수 있다. *Adductor brevis : may attempt to palpate lateral to adductor longus origin on pubis*

넙다리빗근(봉공근, Sartorius)

이는곳 위앞엉덩뼈가시 *Anterior superior iliac spine*
닿는곳 정강뼈위안쪽몸통 *Upper medial shaft of tibia*
작 용 엉덩관절에서 넙다리뼈 굽힘, 벌림, 가쪽돌림보조 *Assists flexion, abduction, lateral rotation of femur at hip*
무릎 굽힘, 안쪽돌림 보조 *Assists flexion, medial rotation of knee(tailor position)*
신 경 넙다리신경(L2, L3, L4) *Femoral nerve(L2, L3, L4)*
촉 진 엉덩관절을 굽히거나, 벌리거나 가쪽으로 돌릴 때, 근육의 이 는곳 근처, 위앞엉덩가시 바로 아래에서부터 계속해서 앞골 반 부위를 대각선으로 가로질러 근육의 닿는곳까지 만질 수 있다. *Close to its origin, just below anterior superior iliac spine, continuing diagonally across anterior pelvic area to its insertion during active flexion abduction and lateral rotation of the hip.*

두덩근(치골근, Pectineus)

이는곳 두덩뼈 앞쪽 *Anterior pubis*
닿는곳 넙다리뼈뒤쪽 작은돌기와 거친선 사이 *Between lesser trochanter and linea aspera of posterior femur*
작 용 엉덩관절에서 넙다리뼈 굽히기 *Flexion of femur at hip*
엉덩관절에서 넙다리뼈 모으기 보조 *Assists adduction of femur at hip*
신 경 넙다리신경(L2, L3, L4) *Femoral nerve(L2, L3, L4)*
촉 진 엉덩관절을 모으는 운동을 할 때 두덩뼈 앞쪽 긴모음근 가 쪽 약간 위에서 만질 수 있다. *Lateral and slightly superior to adductor longus on anterior pubis during active adduction of hip.*

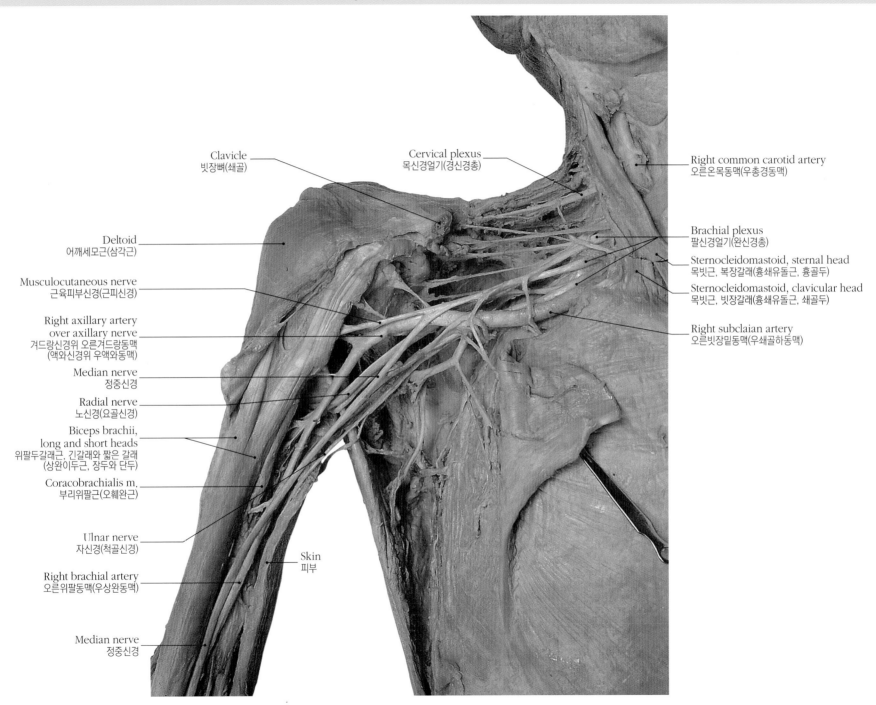

Clavicle
빗장뼈(쇄골)

Cervical plexus
목신경얼기(경신경총)

Right common carotid artery
오른온목동맥(우총경동맥)

Deltoid
어깨세모근(삼각근)

Brachial plexus
팔신경얼기(완신경총)

Sternocleidomastoid, sternal head
목빗근, 복장갈래(흉쇄유돌근, 흉골두)

Musculocutaneous nerve
근육피부신경(근피신경)

Sternocleidomastoid, clavicular head
목빗근, 빗장갈래(흉쇄유돌근, 쇄골두)

Right axillary artery
over axillary nerve
겨드랑신경위 오른겨드랑동맥
(액와신경위 우액와동맥)

Right subclaian artery
오른빗장밑동맥(우쇄골하동맥)

Median nerve
정중신경

Radial nerve
노신경(요골신경)

Biceps brachii,
long and short heads
위팔두갈래근, 긴갈래와 짧은 갈래
(상완이두근, 장두와 단두)

Coracobrachialis m.
부리위팔근(오훼완근)

Ulnar nerve
자신경(척골신경)

Skin
피부

Right brachial artery
오른위팔동맥(우상완동맥)

Median nerve
정중신경

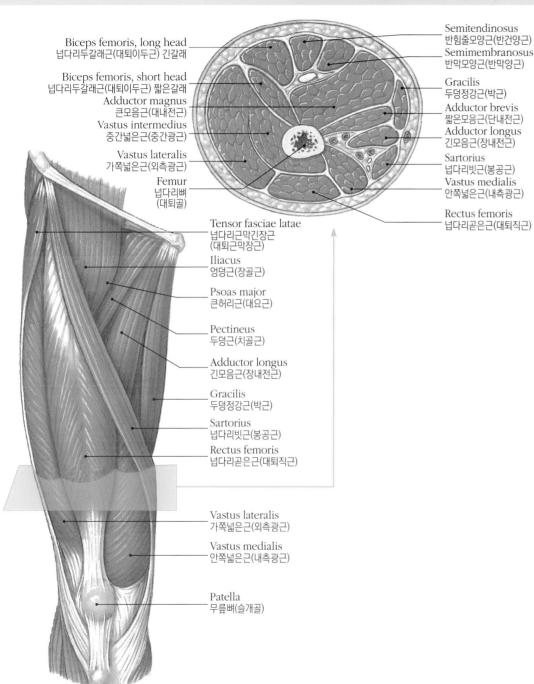

Biceps femoris, long head
넙다리두갈래근(대퇴이두근) 긴갈래

Biceps femoris, short head
넙다리두갈래근(대퇴이두근) 짧은갈래

Adductor magnus
큰모음근(대내전근)

Vastus intermedius
중간넓은근(중간광근)

Vastus lateralis
가쪽넓은근(외측광근)

Femur
넙다리뼈
(대퇴골)

Semitendinosus
반힘줄모양근(반건양근)

Semimembranosus
반막모양근(반막양근)

Gracilis
두덩정강근(박근)

Adductor brevis
짧은모음근(단내전근)

Adductor longus
긴모음근(장내전근)

Sartorius
넙다리빗근(봉공근)

Vastus medialis
안쪽넓은근(내측광근)

Rectus femoris
넙다리곧은근(대퇴직근)

Tensor fasciae latae
넙다리근막긴장근
(대퇴근막장근)

Iliacus
엉덩근(장골근)

Psoas major
큰허리근(대요근)

Pectineus
두덩근(치골근)

Adductor longus
긴모음근(장내전근)

Gracilis
두덩정강근(박근)

Sartorius
넙다리빗근(봉공근)

Rectus femoris
넙다리곧은근(대퇴직근)

Vastus lateralis
가쪽넓은근(외측광근)

Vastus medialis
안쪽넓은근(내측광근)

Patella
무릎뼈(슬개골)

넙다리곧은근(대퇴직근, Rectus femoris)

이는곳 아래앞엉덩뼈가시 Anterior inferior iliac spine
볼기뼈절구 위가장자리의 엉덩뼈 Ilium at upper rim of acetabulum

닿는곳 무릎뼈 Patella
무릎인대를 거쳐 정강뼈 거친 면 Tibial tuberosity via patellar ligament

작 용 무릎 펴기 Extension of knee

신 경 엉덩관절에서의 넙다리뼈 굽히기 보조 Assists flexion of femur at hip
넙다리신경(L2, L3, L4) Femoral nerve(L2, L3, L4)

촉 진 무릎을 펼 때 넙다리 앞면에서 만질 수 있다. Anterior surface of thigh during active knee extension

안쪽넓은근(내측광근, Vastus medialis)
가쪽넓은근(외측광근, Vastus lateralis)
중간넓은근(중간광근, Vastus intermedius)

이는곳 안쪽넓은근 : 뒤쪽넙다리뼈거친선 Vastus medialis : linea aspera on posterior femur
가쪽넓은근 : 뒤쪽넙다리뼈거친선, 넙다리뼈큰돌기 Vastus lateralis : linea aspera on posterior femur, greater trochanter of femur
중간넓은근 : 넙다리뼈 앞쪽과 가쪽 Vastus intermedius : anterior and lateral femoral shaft

닿는곳 무릎뼈 Patella
무릎뼈인대를 거쳐 정강뼈거친면 Tibial tuberosity via patellar ligament

작 용 무릎 펴기 Extention of knee

신 경 넙다리신경(L2, L3, L4) Femoral nerve(L2, L3, L4)

촉 진 안쪽넓은근 : 무릎을 펼 때 넙다리 아래쪽 1/3 앞안쪽면, 넙다리두갈래근 안쪽에서 만질 수 있다. Vastus medialis : anterior-medial surface of lower third of thigh, medial to biceps femoris during active knee extension
가쪽넓은근 : 무릎을 펼 때 넙다리가쪽면, 넙다리두갈래근 가쪽에서 만질 수 있다. Vastus lateralis : lateral surface of thigh, lateral to biceps femoris during active knee extension
중간넓은근 : 무릎을 굽힐 때 이 근육을 안쪽으로 밀면 넙다리곧은근 아래에서 만져볼 수 있다. Vastus intermedius : may attempt to palpate under rectus femoris by pushing this muscle medially during active knee extension

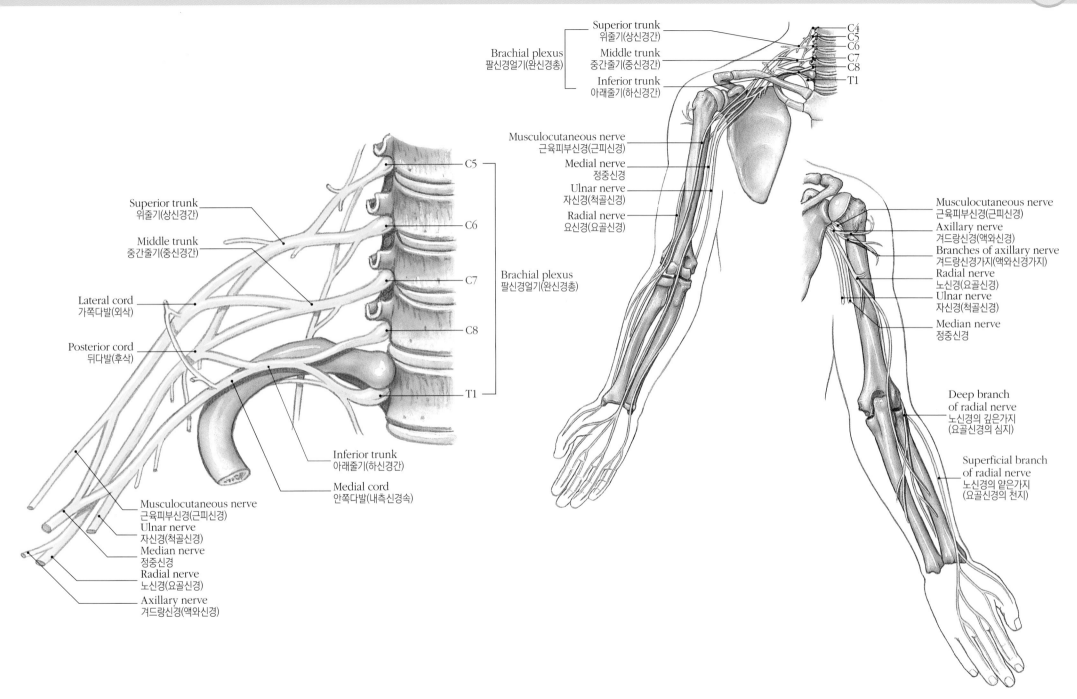

Superior trunk
위줄기(상신경간)

Brachial plexus
팔신경얼기(완신경총)

Middle trunk
중간줄기(중신경간)

Inferior trunk
아래줄기(하신경간)

C4
C5
C6
C7
C8
T1

Musculocutaneous nerve
근육피부신경(근피신경)

Medial nerve
정중신경

Ulnar nerve
자신경(척골신경)

Radial nerve
요신경(요골신경)

Musculocutaneous nerve
근육피부신경(근피신경)

Axillary nerve
겨드랑신경(액와신경)

Branches of axillary nerve
겨드랑신경가지(액와신경가지)

Radial nerve
노신경(요골신경)

Ulnar nerve
자신경(척골신경)

Median nerve
정중신경

Deep branch
of radial nerve
노신경의 깊은가지
(요골신경의 심지)

Superficial branch
of radial nerve
노신경의 얕은가지
(요골신경의 천지)

Superior trunk
위줄기(상신경간)

Middle trunk
중간줄기(중신경간)

Lateral cord
가쪽다발(외삭)

Posterior cord
뒤다발(후삭)

C5

C6

C7

C8

T1

Brachial plexus
팔신경얼기(완신경총)

Inferior trunk
아래줄기(하신경간)

Medial cord
안쪽다발(내측신경속)

Musculocutaneous nerve
근육피부신경(근피신경)

Ulnar nerve
자신경(척골신경)

Median nerve
정중신경

Radial nerve
노신경(요골신경)

Axillary nerve
겨드랑신경(액와신경)

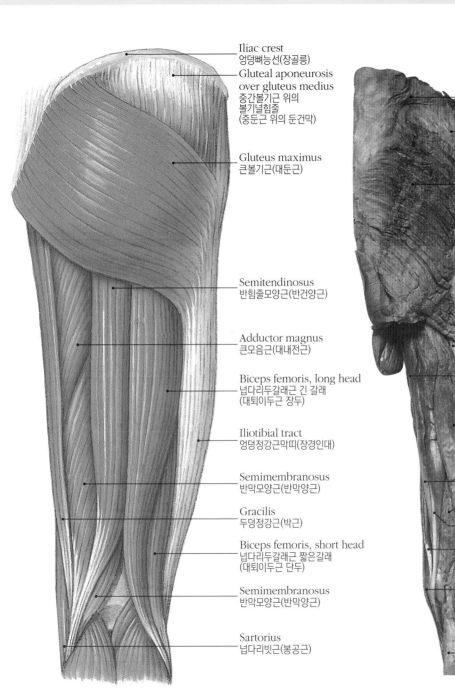

Iliac crest
엉덩뼈능선(장골릉)

Gluteal aponeurosis
over gluteus medius
중간볼기근 위의
볼기널힘줄
(중둔근 위의 둔건막)

Gluteus maximus
큰볼기근(대둔근)

Semitendinosus
반힘줄모양근(반건양근)

Adductor magnus
큰모음근(대내전근)

Biceps femoris, long head
넙다리두갈래근 긴 갈래
(대퇴이두근 장두)

Iliotibial tract
엉덩정강근막띠(장경인대)

Semimembranosus
반막모양근(반막양근)

Gracilis
두덩정강근(박근)

Biceps femoris, short head
넙다리두갈래근 짧은갈래
(대퇴이두근 단두)

Semimembranosus
반막모양근(반막양근)

Sartorius
넙다리빗근(봉공근)

Iliac crest
엉덩뼈능선(장골릉)

Gluteal aponeurosis
over gluteus medius
중간볼기근 위의
볼기널힘줄
(중둔근 위의 둔건막)

Gluteus maximus
큰볼기근(대둔근)

Sciatic nerve
궁둥신경(좌골신경)

Adductor magnus
큰모음근(대내전근)

Iliotibial tract
엉덩정강근막띠(장경인대)

Biceps femoris, long head
넙다리두갈래근(대퇴이두근) 긴갈래

Biceps femoris, short head
넙다리두갈래근(대퇴이두근) 짧은갈래

Semimembranosus
반막모양근(반막양근)

Semitendinosus
반힘줄모양근(반건양근)

Tendon of gracilis
두덩정강근힘줄(박근건)

Sartorius
넙다리빗근(봉공근)

Lateral head of gastrocnemius
장딴지근(비복근)의 가쪽갈래

Medial head of gastrocnemius
장딴지근(비복근)의 안쪽갈래

넙다리두갈래근(대퇴이두근, Biceps femoris)

이는곳 긴갈래 : 궁둥뼈결절 Long head : ischial tuberosity
짧은갈래 : 궁둥뼈거친선 Short head : linea aspera

닿는곳 종아리뼈머리(가쪽면) Head of fibula(lateral aspect)

작 용 긴갈래 : 엉덩관절 펴기 Long head : extension of hip
양쪽갈래 : 무릎 굽히기, 굽힌 무릎 가쪽으로 돌리기 Both head : flexion of knee, lateral rotation of flexed knee

신 경 긴갈래 : 궁둥신경-정강갈래(S1, S2, S3) Long head : sciatic nerve - tibial division(S1, S2, S3)
짧은갈래 : 궁둥신경-종아리갈래(L5, S1, S2) Short head : sciatic nerve - peroneal division(L5, S1, S2)

촉 진 무릎을 펼 때 넙다리 가쪽 뒷면에서 만질 수 있다. 힘줄은 뒷무릎 가쪽면에서 만질 수 있다. Lateral-posterior surface of thigh during active extension of knee. Tendon is palpated on lateral aspect of posterior knee.

반막모양근(반막양근, Semimembranosus)
반힘줄모양근(반건양근, Semitendinosus)

이는곳 궁둥뼈결절 Ischial tuberosity
반막모양근 : 정강뼈뒤안쪽관절융기 Semimembranosus : posterior medial tibial condyle

닿는곳 반힘줄모양근 : 정강뼈앞쪽몸쪽몸통 Semitendinosus : anterior proximal tibial shaft

작 용 엉덩관절펴기, 무릎굽히기, 굽힌무릎 안쪽으로 돌리기 Extension of hip, flexion of knee, medial rotation of flexed knee

신 경 궁둥신경 : 정강신경갈래(L5, S1, S2) Sciatic nerve : tibial division(L5, S1, S2)

촉 진 반막모양근 : 힘줄이 깊이 있어 만지기 어렵다. 무릎을 굽힐 때 반힘줄모양근힘줄 양쪽, 가운데넙다리 뒷면에서 근육힘살을 만질 수 있다. Semimembranosus : tendon is deep and difficult to palpate. Palpate muscle belly on posterior surface of mid-thigh, on either side of semitendinosus tendon during active knee flexion.
반힘줄모양근 : 힘줄은 무릎을 굽힐 때 넙다리 뒤쪽 아래에서 무릎 뒤 안쪽면(두덩정강근힘줄 가까이 가쪽)을 따라 내려가면서 만질 수 있다. Semitendinosus : tendon palpated on posterior lower thigh down to medial aspect of posterior knee (adjacent to gracilis tendon but lateral to it) during active knee flexion.

두덩정강근(박근, Gracilis)

이는곳 앞쪽두덩뼈 아래가지 Inferior ramus of anterior pubis

닿는곳 몸쪽 정강뼈 안쪽 Medial proximal tibia

작 용 엉덩관절에서 넙다리뼈 모으기 Adduction of femur at hip
굽힌 무릎의 굽힘과 안쪽 돌리기 보조 Assists flexion and medial rotation of flexed knee

신 경 폐쇄신경(L2, L3, L4) Obturator nerve(L2, L3, L4)

촉 진 엉덩관절을 모으면 넙다리뼈 안쪽면의 두덩뼈에서 몇 인치 아래에서 만질 수 있다. 힘줄은 뒷무릎 안쪽과 반힘줄모양근힘줄 안쪽에서 만질 수 있다. A few inches below pubic bone on medial side of thigh during active hip adduction. Tendon is palpated on medial side of posterior knee, medial to semitendinosus tendon.

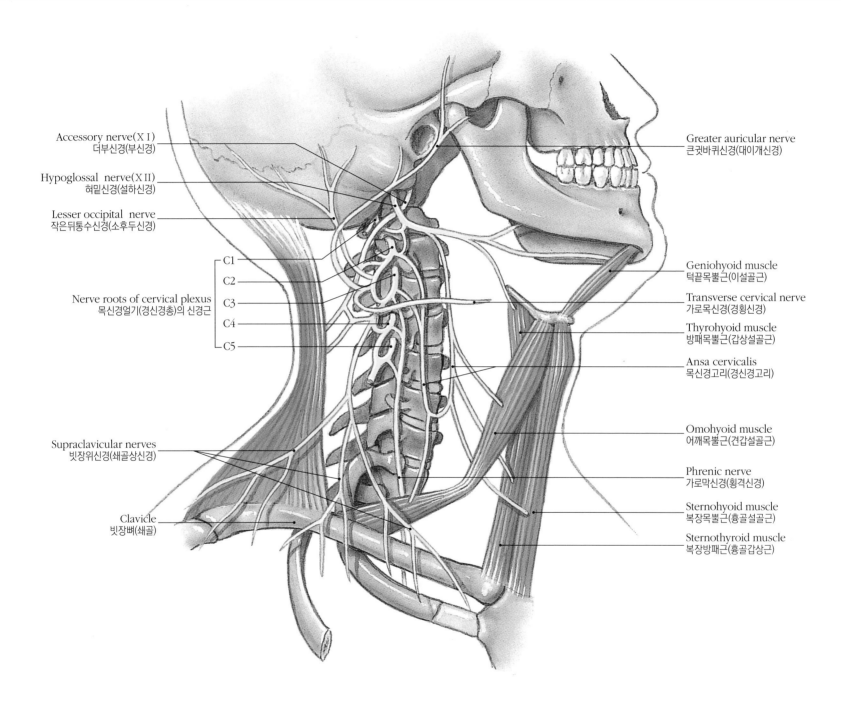

Accessory nerve(XI)
더부신경(부신경)

Hypoglossal nerve(XII)
혀밑신경(설하신경)

Lesser occipital nerve
작은뒤통수신경(소후두신경)

C1
C2
Nerve roots of cervical plexus
목신경얼기(경신경총)의 신경근
C3
C4
C5

Supraclavicular nerves
빗장위신경(쇄골상신경)

Clavicle
빗장뼈(쇄골)

Greater auricular nerve
큰귓바퀴신경(대이개신경)

Geniohyoid muscle
턱끝목뿔근(이설골근)

Transverse cervical nerve
가로목신경(경횡신경)

Thyrohyoid muscle
방패목뿔근(갑상설골근)

Ansa cervicalis
목신경고리(경신경고리)

Omohyoid muscle
어깨목뿔근(견갑설골근)

Phrenic nerve
가로막신경(횡격신경)

Sternohyoid muscle
복장목뿔근(흉골설골근)

Sternothyroid muscle
복장방패근(흉골갑상근)

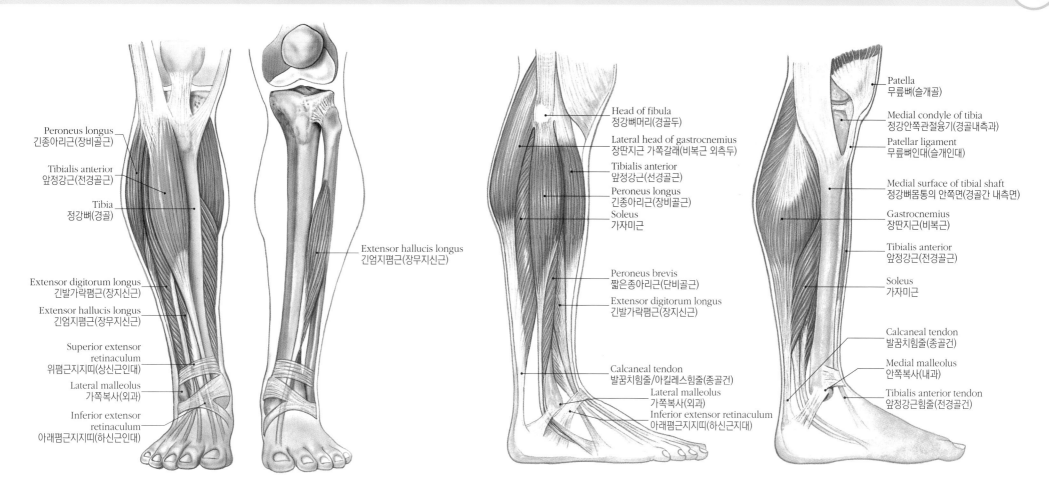

Peroneus longus
긴종아리근(장비골근)

Tibialis anterior
앞정강근(전경골근)

Tibia
정강뼈(경골)

Extensor digitorum longus
긴발가락폄근(장지신근)

Extensor hallucis longus
긴엄지폄근(장무지신근)

Superior extensor retinaculum
위폄근지지띠(상신근인대)

Lateral malleolus
가쪽복사(외과)

Inferior extensor retinaculum
아래폄근지지띠(하신근인대)

Extensor hallucis longus
긴엄지폄근(장무지신근)

Head of fibula
정강뼈머리(경골두)

Lateral head of gastrocnemius
장딴지근 가쪽갈래(비복근 외측두)

Tibialis anterior
앞정강근(선경골근)

Peroneus longus
긴종아리근(장비골근)

Soleus
가자미근

Peroneus brevis
짧은종아리근(단비골근)

Extensor digitorum longus
긴발가락폄근(장지신근)

Calcaneal tendon
발꿈치힘줄/아킬레스힘줄(종골건)

Lateral malleolus
가쪽복사(외과)

Inferior extensor retinaculum
아래폄근지지띠(하신근지대)

Patella
무릎뼈(슬개골)

Medial condyle of tibia
정강안쪽관절융기(경골내측과)

Patellar ligament
무릎뼈인대(슬개인대)

Medial surface of tibial shaft
정강뼈몸통의 안쪽(경골간 내측면)

Gastrocnemius
장딴지근(비복근)

Tibialis anterior
앞정강근(전경골근)

Soleus
가자미근

Calcaneal tendon
발꿈치힘줄(종골건)

Medial malleolus
안쪽복사(내과)

Tibialis anterior tendon
앞정강근힘줄(전경골건)

긴엄지발가락폄근(장무지신근, Extensor hallucis longus)

이는 곳 종아리뼈앞쪽몸통, 뼈사이막 *Anterior shaft of fibula, interosseous membrane*

닿는 곳 엄지발가락끝마디뼈바닥 *Base of distal phalanx of the great toe*

작 용 발가락관절에서 엄지발가락 펴기 *Extension of great toe at IP joint*
발목 등쪽굽히기 보조 *Assists dorsiflexion of ankle*

신 경 깊은종아리신경(T4, T5, S1) *Deep peroneal nerve(L4, L5, S1)*

촉 진 힘줄은 발목 앞면의 앞정강근힘줄 가쪽면과 엄지발가락 근처 발등에서 만질 수 있다. *Tendon is palpated lateral to tibialis anterior tendon on anterior surface of ankle and also on dorsum of foot near the great toe.*

긴발가락폄근(장지신근, Extensor digitorum longus)

이는 곳 정강뼈가쪽관절융기 *Lateral condyle of tibia*
종아리뼈앞쪽몸통 몸쪽 2/3 *Proximal 2/3 of anterior shaft of fibula*

닿는 곳 가쪽 네 발가락 중간마디뼈와 끝마디뼈 *Middle and distal phalanges of 4 lateral toes*

작 용 발허리발가락관절에서 네 발가락 펴기 *Extension of 4 lateral toes at MP joints*
발목 발등쪽굽히기 보조 *Assists dorsiflexion of ankle*

신 경 깊은종아리신경(T4, T5, S1) *Deep peroneal nerve(L4, L5, S1)*

촉 진 발목 앞면, 긴엄지발가락폄근힘줄 가쪽에서 공동힘줄을 만질 수 있다. 나누어진 힘줄은 발등에서 만질 수 있다. *Common tendon is palpated on anterior surface of ankle, lateral to extensor hallucis longus tendon. The divided tendon are palpated on the dorsum of the foot.*

앞정강근(전경골근, Tibialis anterior)

이는 곳 정강뼈가쪽관절융기와 가쪽몸통 *Lateral condyle and lateral shaft of tibia*
뼈사이막 *Interosseous membrane*

닿는 곳 첫번째발허리뼈바닥의 발바닥면 *Base of 1st metatarsal, plantar surface*
첫번째(안쪽)쐐기뼈 발바닥면 *First (medial) cuneiform, plantar surface*

작 용 발목의 발등쪽 굽히기 *Dorsiflexion of ankle*
발의 안쪽번짐 *Inversion of foot*

신 경 깊은종아리신경(T4, T5, S1) *Deep peroneal nerve(L4, L5, S1)*

촉 진 발목을 발등쪽으로 굽힐 때 정강뼈 가쪽 앞면에서 만질 수 있다. 힘줄은 발목 앞면의 안쪽에서 만질 수 있다. *Lateral side of tibia on anterior surface during active ankle dorsiflexion. Tendon in palpated on medial side of anterior surface of ankle.*

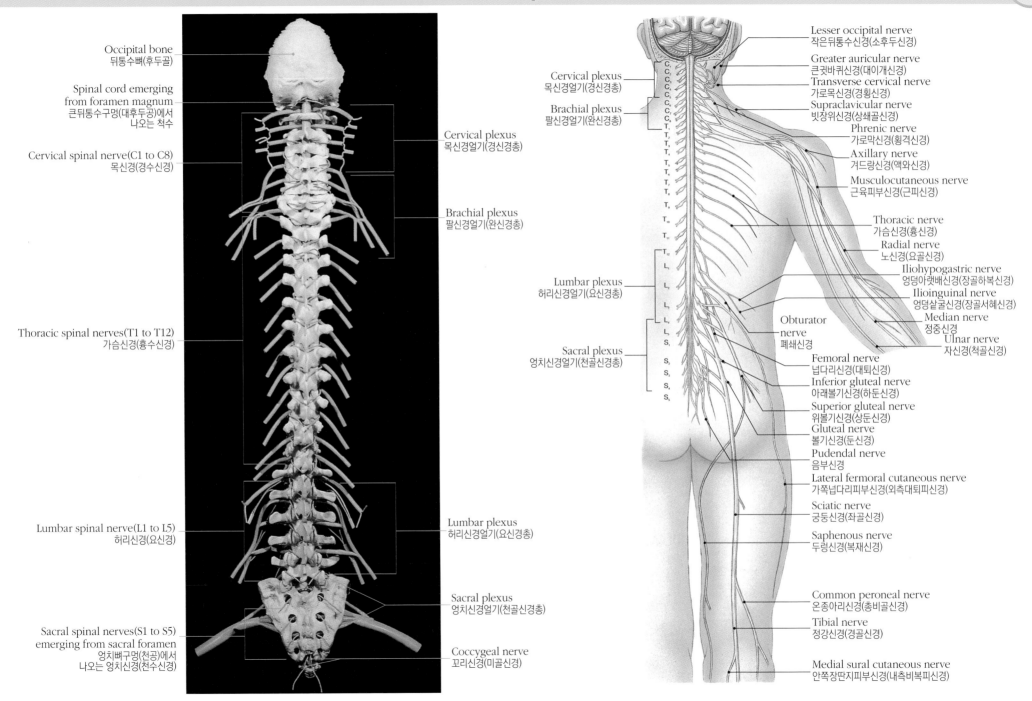

Occipital bone
뒤통수뼈(후두골)

Spinal cord emerging
from foramen magnum
큰뒤통수구멍(대후두공)에서
나오는 척수

Cervical spinal nerve(C1 to C8)
목신경(경수신경)

Thoracic spinal nerves(T1 to T12)
가슴신경(흉수신경)

Lumbar spinal nerve(L1 to L5)
허리신경(요신경)

Sacral spinal nerves(S1 to S5)
emerging from sacral foramen
엉치뼈구멍(천공)에서
나오는 엉치신경(천수신경)

Cervical plexus
목신경얼기(경신경총)

Brachial plexus
팔신경얼기(완신경총)

Lumbar plexus
허리신경얼기(요신경총)

Sacral plexus
엉치신경얼기(천골신경총)

Coccygeal nerve
꼬리신경(미골신경)

Cervical plexus
목신경얼기(경신경총)

Brachial plexus
팔신경얼기(완신경총)

Lumbar plexus
허리신경얼기(요신경총)

Sacral plexus
엉치신경얼기(천골신경총)

Lesser occipital nerve
작은뒤통수신경(소후두신경)

Greater auricular nerve
큰귓바퀴신경(대이개신경)

Transverse cervical nerve
가로목신경(경횡신경)

Supraclavicular nerve
빗장위신경(상쇄골신경)

Phrenic nerve
가로막신경(횡격신경)

Axillary nerve
겨드랑신경(액와신경)

Musculocutaneous nerve
근육피부신경(근피신경)

Thoracic nerve
가슴신경(흉신경)

Radial nerve
노신경(요골신경)

Iliohypogastric nerve
엉덩아랫배신경(장골하복신경)

Ilioinguinal nerve
엉덩샅굴신경(장골서혜신경)

Median nerve
정중신경

Ulnar nerve
자신경(척골신경)

Obturator
nerve
폐쇄신경

Femoral nerve
넙다리신경(대퇴신경)

Inferior gluteal nerve
아래볼기신경(하둔신경)

Superior gluteal nerve
위볼기신경(상둔신경)

Gluteal nerve
볼기신경(둔신경)

Pudendal nerve
음부신경

Lateral fermoral cutaneous nerve
가쪽넙다리피부신경(외측대퇴피신경)

Sciatic nerve
궁둥신경(좌골신경)

Saphenous nerve
두렁신경(복재신경)

Common peroneal nerve
온종아리신경(총비골신경)

Tibial nerve
정강신경(경골신경)

Medial sural cutaneous nerve
안쪽장딴지피부신경(내측비복피신경)

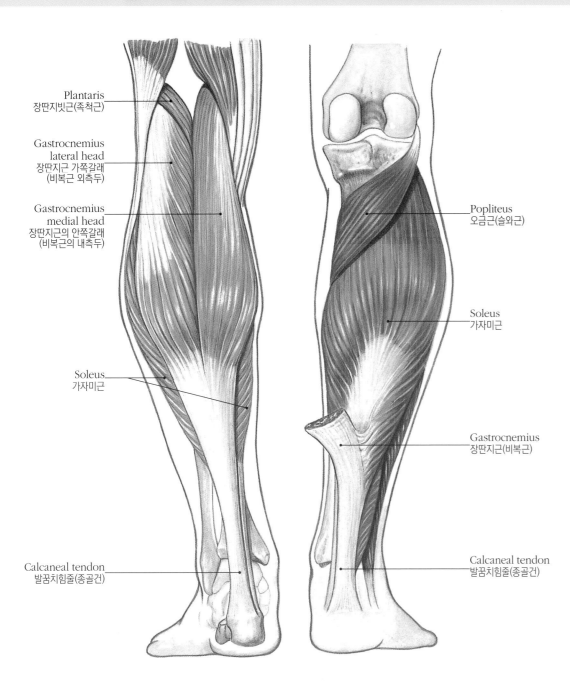

Plantaris
장딴지빗근(족척근)

Gastrocnemius
lateral head
장딴지근 가쪽갈래
(비복근 외측두)

Gastrocnemius
medial head
장딴지근의 안쪽갈래
(비복근의 내측두)

Soleus
가자미근

Calcaneal tendon
발꿈치힘줄(종골건)

Popliteus
오금근(슬와근)

Soleus
가자미근

Gastrocnemius
장딴지근(비복근)

Calcaneal tendon
발꿈치힘줄(종골건)

장딴지근(비복근, Gastrocnemius)

이는곳	안쪽갈래 : 넙다리뼈 안쪽위관절융기 *Medial head : medial epicondyle of femur*
	가쪽갈래 : 넙다리뼈 가쪽위관절융기 *Lateral head : lateral epicondyle of femur*
닿는곳	아킬레스힘줄을 거쳐 발꿈치뼈 *Calcaneus via Achilles tendon*
작 용	발목 바닥쪽 굽히기 또는 무릎 굽히기 보조 *Plantarflexion of ankle, assists flexion of knee*
신 경	정강신경(S1, S2) *Tibial nerve(S1, S2)*
촉 진	발목을 바닥쪽으로 굽힐 때 뒤쪽장딴지 위 절반에서 만질 수 있다. 힘줄은 아킬레스힘줄 의 한 부분으로 만질 수 있다. *Upper half of posterior calf during active plantarflexion of ankle. Tendon is palpated as part of Achilles tendon.*

가자미근(Soleus)

이는곳	정강뼈 가자미근선 *Soleal line of tibia*
	종아리뼈 뒤쪽갈래와 위쪽몸통 *Posterior head and upper shaft of fibula*
닿는곳	아킬레스힘줄을 거쳐 발뒤꿈치 *Calcaneus via Achilles tendon*
작 용	발목 바닥쪽 굽히기 *Plantarflexion of ankle*
신 경	정강신경(S1, S2) *Tibial nerve(S1, S2)*
촉 진	발목을 발바닥쪽으로 굽힐 때 아래다리 가쪽(장딴지근힘살 아래)에서 만질 수 있다. 힘줄은 아킬레스힘줄의 일부로서 만질 수 있다. *Lateral side of lower leg(below belly of gastrocnemius) during active plantarflexion of the ankle.*

장딴지빗근(족척근, Plantaris)

이는곳	넙다리뼈 바깥쪽 융기주위 *Lateral epicondyle of femur*
닿는곳	아킬레스힘줄을 거쳐 발뒤꿈치 *Calcaneus via Achilles tendon*
작 용	발목 발바닥쪽 굽히기와 무릎 굽히기 보조 *Assists plantarflexion of ankle, assists flexion of knee*
신 경	정강신경(T4, T5, S1) *Tibial nerve(L4, L5, S1)*
촉 진	만질 수 없다. *Cannot palpate.*

오금근(슬와근, Popliteus)

이는곳	넙다리뼈 가쪽관절융기 *Lateral condyle of femur*
닿는곳	정강뼈뒤쪽몸몸통 *Posterior proximal tibial shaft*
작 용	펴진 무릎을 풀어주도록(Unlock) 정강뼈를 안쪽으로 돌려 무릎굽히기 시작 *Initiates knee flexion by medial rotation of the tibia to "unlock" the extended knee*
신 경	정강신경(T5, S1) *Tibial nerve(L5, S1)*
촉 진	만질 수 없다. *Cannot palpate.*

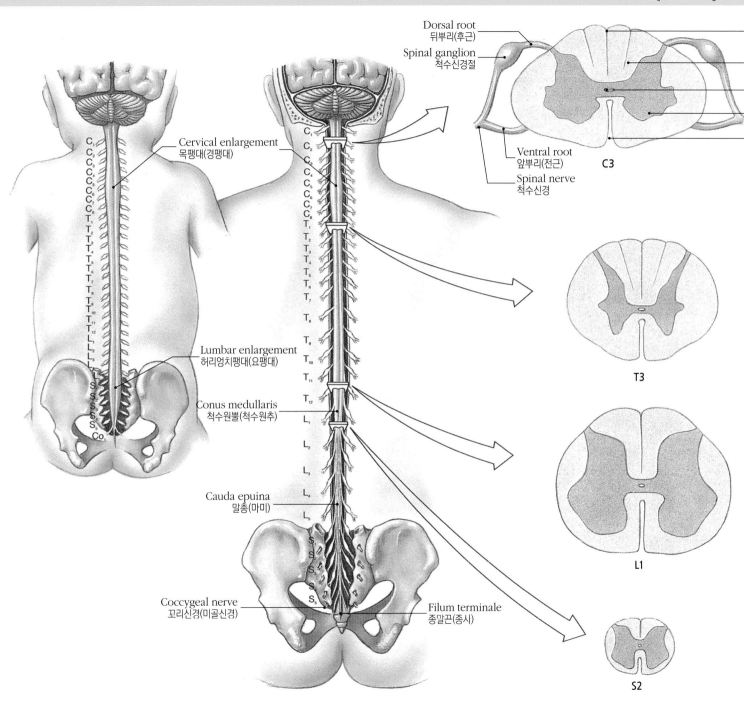

Dorsal root
뒤뿌리(후근)

Spinal ganglion
척수신경절

Posterior median sulcus
뒤정중고랑(후정중구)

White matter
백색질(백질)

Central canal
중심관

Gray matter
회색질(회백질)

Anterior median fissure
앞정중틈새(전정중렬)

Ventral root
앞뿌리(전근)

Spinal nerve
척수신경

C3

Cervical enlargement
목팽대(경팽대)

Lumbar enlargement
허리엉치팽대(요팽대)

Conus medullaris
척수원뿔(척수원추)

Cauda epuina
말총(마미)

Coccygeal nerve
꼬리신경(미골신경)

Filum terminale
종말끈(종시)

T3

L1

S2

척수는 거의 편평하며, 큰구멍의 뇌바닥으로부터 나온 원통형의 공동으로 두번째 허리뼈의 끝까지 이어져 있다. 척수는 척주의 척주관 안에 있으며, 31쌍의 척수신경으로 되어 다양한 신체부분들로 가지를 뻗어 중추신경계에 의하여 각 부분을 연결한다.

척수는 백색질로 둘러 싸인 나비모양의 회백색질에 둘러싸인 중심관을 포함한다. 회백색질의 위쪽날개는 뒤뿔(후각), 아래쪽 날개는 앞뿔(전각)이라 한다.

1. 척수의 기능

① 신체부분으로부터 흥분을 전달해 감각정보를 뇌에 전달하고, 뇌로부터 다양한 신체부분에 운동흥분을 전달한다. 구심성통로는 뇌로 흥분을 전달한다.
② 신체의 많은 반사를 조절한다.
예 : 무릎뼈반사는 척수에서 통합된다.

2. 척수의 수막(Meninges)

① 경질막(경막, Dura mater)……혈관과 신경이 있는 백색의 섬유성결합조직으로 구성된 바깥막
② 거미막(지주막, Arachnoid)……혈관이 없는 얇고 망같은 막
③ 연질막(연막, Pia mater)……혈관과 신경이 많은 매우 얇은 가장 안쪽의 막 ; 척수와 뇌의 표면에 직접 붙어 있다.

3. 중심강

중심강은 뇌척수액을 포함하고 있는데, 그 기능은 다음과 같다.
① 뇌와 척수의 쿠션역할. 부력을 제공한다.
② 혈액으로부터 여과된 물질을 녹이고 이동시킨다.
③ 혈액과 뇌, 척수액 사이의 노폐물, 영양교환의 매개체 역할

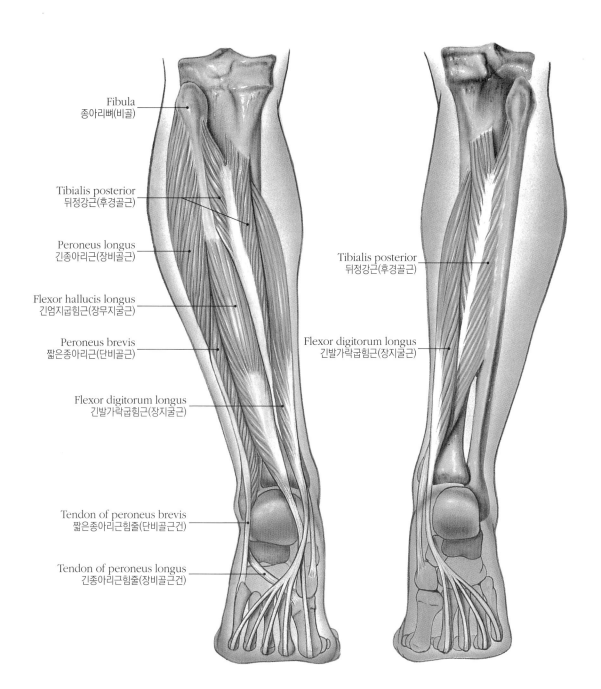

Fibula
종아리뼈(비골)

Tibialis posterior
뒤정강근(후경골근)

Peroneus longus
긴종아리근(장비골근)

Flexor hallucis longus
긴엄지굽힘근(장무지굴근)

Peroneus brevis
짧은종아리근(단비골근)

Flexor digitorum longus
긴발가락굽힘근(장지굴근)

Tendon of peroneus brevis
짧은종아리근힘줄(단비골근건)

Tendon of peroneus longus
긴종아리근힘줄(장비골근건)

Tibialis posterior
뒤정강근(후경골근)

Flexor digitorum longus
긴발가락굽힘근(장지굴근)

뒤정강근(후경골근, Tibialis posterior)
이는곳 정강뼈 뒤, 종아리뼈 뒤, 뼈사이막 Posterior tibia, posterior fibula, interosseous membrane
닿는곳 발바닥면에서 발배뼈와 발허리뼈, 발목뼈 인접부위 Navicular and adjacent tarsals and metatarsals on plantar surface
작용 발의 엎침, 발목 바닥쪽으로 굽히기 보조 Inversion of foot, assists plantarflexion of ankle
신경 정강신경(T5, S1) Tibial nerve(L5, S1)
촉진 힘줄은 발의 엎침 동작시 안쪽복사뼈에서 만질 수 있다. 힘살은 종아리세갈래근(triceps surae) 깊숙히 있어 만질 수 없다. Tendon is palpated on medial malleolus during active inversion of foot. Belly is deep to triceps surae and cannot be palpated.

긴발가락굽힘근(장지굴근, Flexor digitorum longus)
이는곳 정강뼈 뒤 Posterior tibia
닿는곳 발바닥면에서 가쪽 네 발가락 끝마디뼈 Distal phalanges of 4 lateral toes on plantar surface
작용 먼쪽발가락뼈사이관절에서 가쪽 네 발가락 굽히기 Flexion of 4 lateral toes at DIP joint
발목 발바닥쪽 굽히기 보조 Assists plantar flexion of ankle
신경 정강신경(T5, S1) Tibial nerve(L5, S1)
촉진 힘줄은 뒤정강힘줄 바로 뒤 안쪽복사뼈를 따라 만질 수 있다(두 힘줄을 구분하려면 엎침과 발가락굽힘을 번갈아 할 것) Tendon is palpated going around medial malleolus just posterior to tibialis posterior tendon(Alternate inversion and toe flexion to differentiate them).

긴엄지발가락굽힘근(장무지굴근, Flexor hallucis longus)
이는곳 종아리뼈 뒤 Posterior tibia
닿는곳 엄지발가락 끝마디뼈(발바닥쪽) Distal phalanx of great toe(plantar surface)
작용 발가락관절에서 엄지발가락 굽히기 Flexion of great toe at IP joint
발목 발바닥쪽 굽히기 보조 Assists plantarflexion of ankle
신경 정강신경(T5, S1, S2) Tibial nerve(L5, S1, S2)
촉진 긴발가락굽힘근과 힘줄을 구별하기 어렵지만, 아킬레스힘줄의 바로 안쪽 약간 깊은 곳에서 힘줄을 만질 수 있다. Tendon is difficult to differentiate from flexor digitorum longus. However, tendon may be palpated just medial and slightly deep to the Achilles tendon.

긴종아리근(장비골근, Peroneus longus)
이는곳 종아리뼈머리와 가쪽몸통(위쪽 2/3) Head and lateral shaft of fibula(upper 2/3)
닿는곳 첫번째발허리뼈 바닥 Base of first metatarsal
첫번째(안쪽)쐐기뼈(바닥면) First(medial) cuneiform (plantar surface)
작용 발의 뒤침, 발목의 발바닥쪽굽히기 보조 Eversion of foot, assists plantar flexion of ankle
신경 얕은종아리신경(T4, T5, S1) Superficial peroneal nerve(L4, L5, S1)
촉진 아래다리 몸쪽 절반의 가쪽면 Lateral surface of proximal half of lower leg
힘줄은 가쪽복사뼈 바로 뒤위, 짧은종아리근힘줄 약간 뒤에서 만질 수 있다. Tendon is palpated just above and behind lateral malleolus, slightly posterior to peroneus brevis tendon.

짧은종아리근(단비골근, Peroneus brevis)
이는곳 종아리뼈가쪽몸통(아래쪽 2/3) Lateral shaft of fibula(lower 2/3)
닿는곳 다섯번째발허리뼈 바닥 Base of 5th metatarsal
작용 발의 가쪽번짐 Eversion of foot
발목의 발바닥쪽굽히기 보조 Assists plantar flexion of ankle
신경 얕은종아리신경(T4, T5, S1) Superficial peroneal nerve(L4, L5, S1)
촉진 힘줄은 발등가쪽에서 만질 수 있는데, 여기에서 다섯번째발허리뼈의 몸쪽끝거친면에 닿는다. 복사뼈에 가장 가까우며, 긴종아리근힘줄보다 두드러진다. Tendon is palpated on lateral dorsum of foot where it inserts on the tuberosity at proximal end of 5th metatarsal. It is closed to the malleolus and stands out more than peroneus longus tendon.

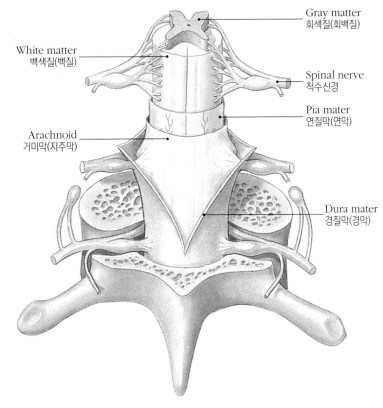

Gray matter
회색질(회백질)

White matter
백색질(백질)

Spinal nerve
척수신경

Pia mater
연질막(연막)

Arachnoid
거미막(지주막)

Dura mater
경질막(경막)

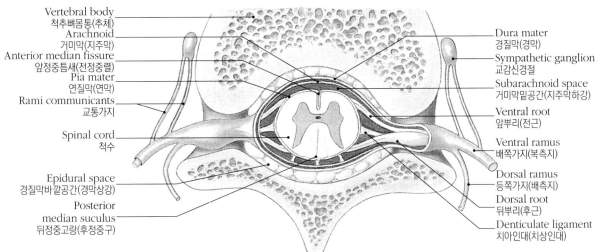

Vertebral body
척추뼈몸통(추체)

Arachnoid
거미막(지주막)

Anterior median fissure
앞정중틈새(전정중렬)

Pia mater
연질막(연막)

Rami communicants
교통가지

Spinal cord
척수

Epidural space
경질막바깥공간(경막상강)

Posterior
median suculus
뒤정중고랑(후정중구)

Dura mater
경질막(경막)

Sympathetic ganglion
교감신경절

Subarachnoid space
거미막밑공간(지주막하강)

Ventral root
앞뿌리(전근)

Ventral ramus
배쪽가지(복측지)

Dorsal ramus
등쪽가지(배측지)

Dorsal root
뒤뿌리(후근)

Denticulate ligament
치아인대(치상인대)

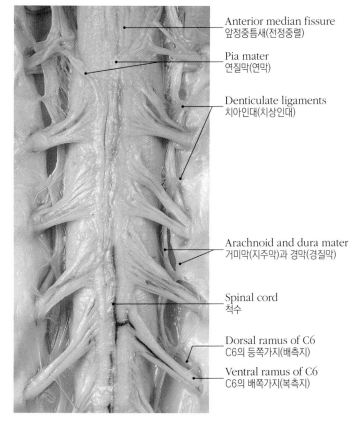

Anterior median fissure
앞정중틈새(전정중렬)

Pia mater
연질막(연막)

Denticulate ligaments
치아인대(치상인대)

Arachnoid and dura mater
거미막(지주막)과 경막(경질막)

Spinal cord
척수

Dorsal ramus of C6
C6의 등쪽가지(배측지)

Ventral ramus of C6
C6의 배쪽가지(복측지)

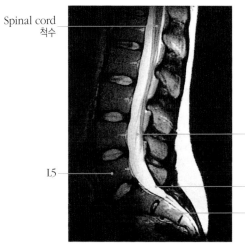

Spinal cord
척수

Filum terminale
종말끈(종사)

Subarachnoid space
거미막밑공간(지주막하강)

L5

S2

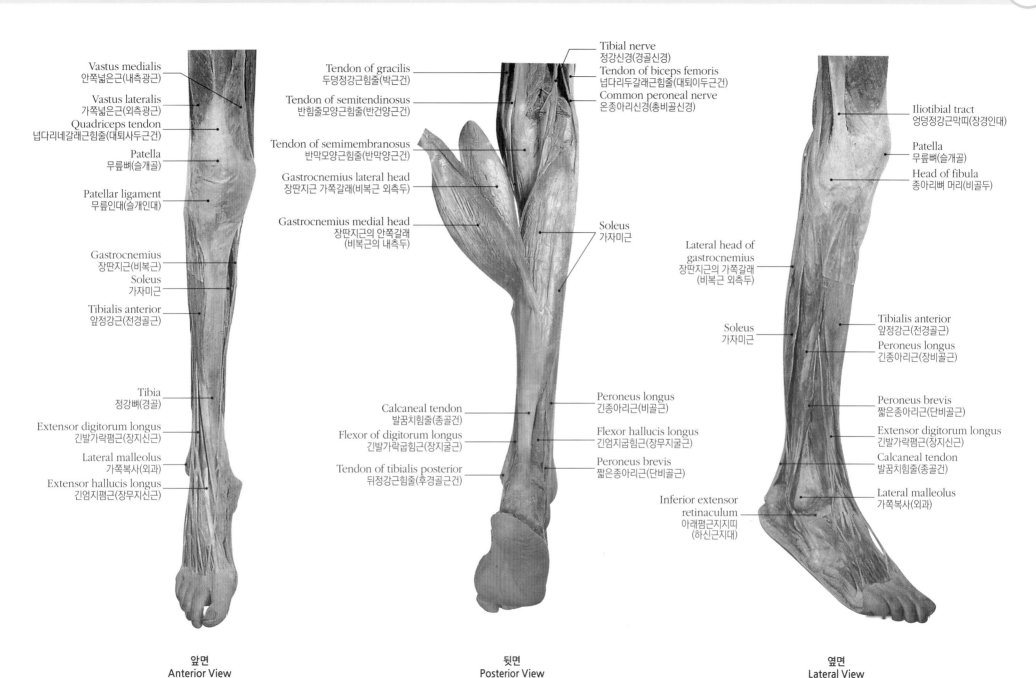

Vastus medialis
안쪽넓은근(내측광근)

Vastus lateralis
가쪽넓은근(외측광근)

Quadriceps tendon
넙다리네갈래근힘줄(대퇴사두근건)

Patella
무릎뼈(슬개골)

Patellar ligament
무릎인대(슬개인대)

Gastrocnemius
장딴지근(비복근)

Soleus
가자미근

Tibialis anterior
앞정강근(전경골근)

Tibia
정강뼈(경골)

Extensor digitorum longus
긴발가락폄근(장지신근)

Lateral malleolus
가쪽복사(외과)

Extensor hallucis longus
긴엄지폄근(장무지신근)

Tibial nerve
정강신경(경골신경)

Tendon of gracilis
두덩정강근힘줄(박근건)

Tendon of biceps femoris
넙다리두갈래근힘줄(대퇴이두근건)

Tendon of semitendinosus
반힘줄모양근힘줄(반건양근건)

Common peroneal nerve
온종아리신경(총비골신경)

Tendon of semimembranosus
반막모양근힘줄(반막양근건)

Gastrocnemius lateral head
장딴지근 가쪽갈래(비복근 외측두)

Gastrocnemius medial head
장딴지근의 안쪽갈래
(비복근의 내측두)

Soleus
가자미근

Calcaneal tendon
발꿈치힘줄(종골건)

Flexor of digitorum longus
긴발가락굽힘근(장지굴근)

Tendon of tibialis posterior
뒤정강근힘줄(후경골근건)

Peroneus longus
긴종아리근(비골근)

Flexor hallucis longus
긴엄지굽힘근(장무지굴근)

Peroneus brevis
짧은종아리근(단비골근)

Tibial nerve
정강신경(경골신경)

Iliotibial tract
엉덩정강근막띠(장경인대)

Patella
무릎뼈(슬개골)

Head of fibula
종아리뼈 머리(비골두)

Lateral head of gastrocnemius
장딴지근의 가쪽갈래
(비복근 외측두)

Soleus
가자미근

Tibialis anterior
앞정강근(전경골근)

Peroneus longus
긴종아리근(장비골근)

Peroneus brevis
짧은종아리근(단비골근)

Extensor digitorum longus
긴발가락폄근(장지신근)

Calcaneal tendon
발꿈치힘줄(종골건)

Lateral malleolus
가쪽복사(외과)

Inferior extensor retinaculum
아래폄근지지띠
(하신근지대)

앞면
Anterior View

뒷면
Posterior View

옆면
Lateral View

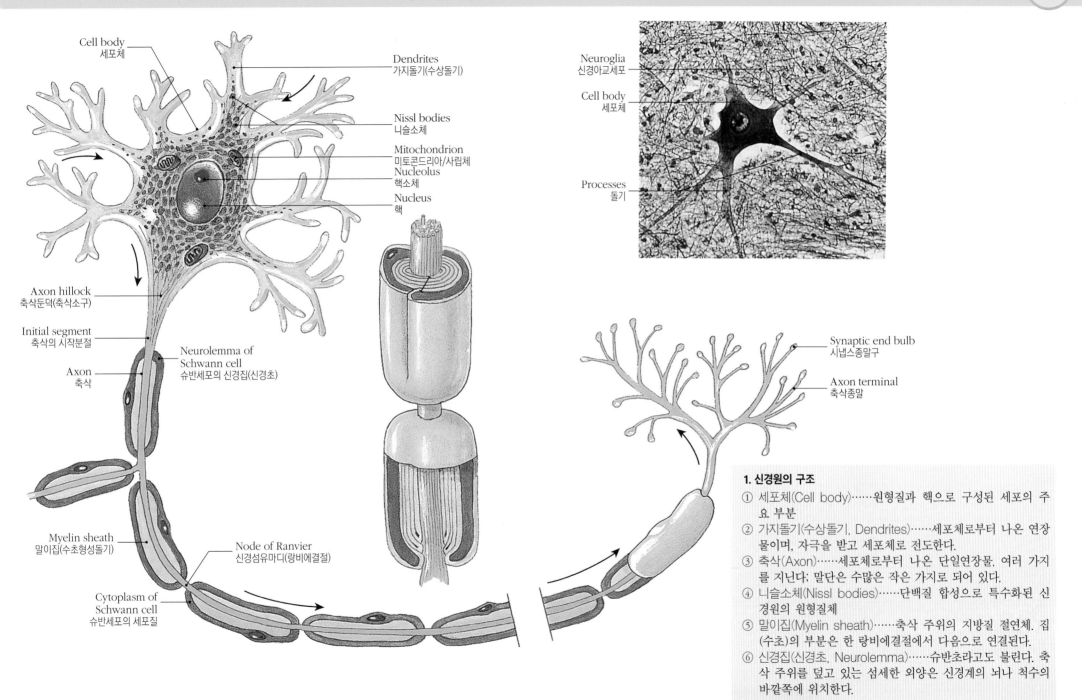

Cell body
세포체

Dendrites
가지돌기(수상돌기)

Nissl bodies
니슬소체

Mitochondrion
미토콘드리아/사립체
Nucleolus
핵소체
Nucleus
핵

Axon hillock
축삭둔덕(축삭소구)

Initial segment
축삭의 시작분절

Neurolemma of
Schwann cell
슈반세포의 신경집(신경초)

Axon
축삭

Myelin sheath
말이집(수초형성돌기)

Node of Ranvier
신경섬유마디(랑비에결절)

Cytoplasm of
Schwann cell
슈반세포의 세포질

Neuroglia
신경아교세포

Cell body
세포체

Processes
돌기

Synaptic end bulb
시냅스종말구

Axon terminal
축삭종말

1. 신경원의 구조

① 세포체(Cell body)······원형질과 핵으로 구성된 세포의 주요 부분
② 가지돌기(수상돌기, Dendrites)······세포체로부터 나온 연장물이며, 자극을 받고 세포체로 전도한다.
③ 축삭(Axon)······세포체로부터 나온 단일연장물. 여러 가지를 지닌다; 말단은 수많은 작은 가지로 되어 있다.
④ 니슬소체(Nissl bodies)······단백질 합성으로 특수화된 신경원의 원형질체
⑤ 말이집(Myelin sheath)······축삭 주위의 지방질 절연체. 집(수초)의 부분은 한 랑비에결절에서 다음으로 연결된다.
⑥ 신경집(신경초, Neurolemma)······슈반초라고도 불린다. 축삭 주위를 덮고 있는 섬세한 외양은 신경계의 뇌나 척수의 바깥쪽에 위치한다.

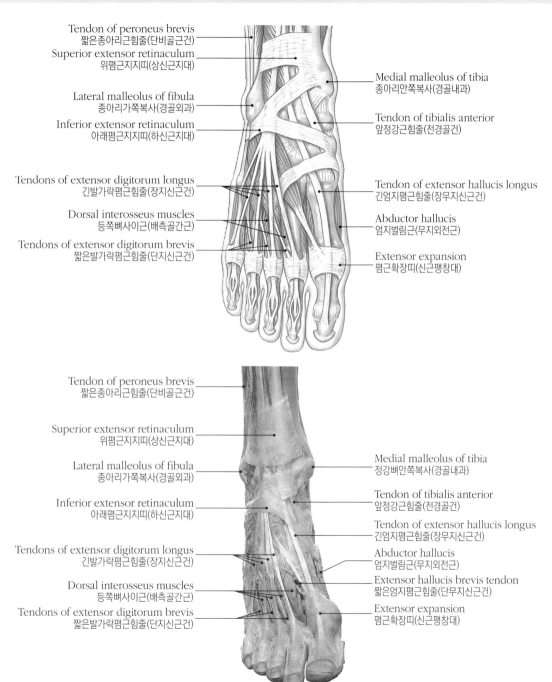

Tendon of peroneus brevis
짧은종아리근힘줄(단비골근건)

Superior extensor retinaculum
위폄근지지띠(상신근지대)

Lateral malleolus of fibula
종아리가쪽복사(경골외과)

Inferior extensor retinaculum
아래폄근지지띠(하신근지대)

Tendons of extensor digitorum longus
긴발가락폄근힘줄(장지신근건)

Dorsal interosseus muscles
등쪽뼈사이근(배측골간근)

Tendons of extensor digitorum brevis
짧은발가락폄근힘줄(단지신근건)

Medial malleolus of tibia
종아리안쪽복사(경골내과)

Tendon of tibialis anterior
앞정강근힘줄(전경골건)

Tendon of extensor hallucis longus
긴엄지폄근힘줄(장무지신근건)

Abductor hallucis
엄지벌림근(무지외전근)

Extensor expansion
폄근확장띠(신근팽창대)

Tendon of peroneus brevis
짧은종아리근힘줄(단비골근건)

Superior extensor retinaculum
위폄근지지띠(상신근지대)

Lateral malleolus of fibula
종아리가쪽복사(경골외과)

Inferior extensor retinaculum
아래폄근지지띠(하신근지대)

Tendons of extensor digitorum longus
긴발가락폄근힘줄(장지신근건)

Dorsal interosseus muscles
등쪽뼈사이근(배측골간근)

Tendons of extensor digitorum brevis
짧은발가락폄근힘줄(단지신근건)

Medial malleolus of tibia
정강뼈안쪽복사(경골내과)

Tendon of tibialis anterior
앞정강근힘줄(전경골건)

Tendon of extensor hallucis longus
긴엄지폄근힘줄(장무지신근건)

Abductor hallucis
엄지벌림근(무지외전근)

Extensor hallucis brevis tendon
짧은엄지폄근힘줄(단무지신근건)

Extensor expansion
폄근확장띠(신근팽창대)

짧은발가락폄근(단지신근, Extensor digitorum brevis)
짧은엄지발가락폄근(단무지신근, Extensor hallucis)

이는 곳 발꿈치 앞쪽 *Anterior calcaneus*
닿는 곳 안쪽 발가락의 폄근확장대 *Extensor expansion of 4 medial toes*
작 용 발허리발가락관절에서 안쪽 발가락을 펴는 것을 돕는다. *Aids extension of 4 medial toes at MP joints*
신 경 깊은종아리신경(T4, T5, S1) *Deep peroneal nerve(L4, 5, S1)*
촉 진 발등에서 가쪽복사뼈 앞, 약간 아래에서 만질 수 있다. *Anterior to and slightly below lateral malleolus on dorsum of foot.*

엄지벌림근(무지외전근, Abductor hallucis)

이는 곳 발꿈치뼈 *Calcaneus*
닿는 곳 엄지발가락 첫마디뼈바닥 *Base of proximal phalanx of great toe*
작 용 발허리발가락관절에서 엄지발가락 굽히기와 벌리기 *Flexion, abduction of great toe at MP joint*
신 경 안쪽발바닥신경(T4, 5) *Medial plantar nerve(L4, L5)*
촉 진 각 근육을 개별적으로 만지기는 불가능하다. *It is difficult or impossible to palpate individual muscles.*

등쪽뼈사이근(배측골간근, Dorsal interossei)

이는 곳 발허리뼈 부근 *Adjacent metatarsals*
닿는 곳 두번째, 세번째, 네번째발가락폄근확장대 *Extensor expansion of 2nd, 3rd, and 4th toes*
작 용 발허리발가락관절에서 두번째, 세번째, 네번째발가락 벌리기 *Abduction of 2nd, 3rd, and 4th toes at MP joints*
발허리발가락관절에서 두번째발가락 모으기 *Adduction of 2nd toe at MP joint*
두번째, 세번째, 네번째발가락의 발허리발가락관절 굽히기와 발가락관절 펴기 보조 *Assists flexion of MP and extension of IP joints of toes 2, 3, 4*
신 경 가쪽발바닥신경(S1, S2) *Lateral plantar nerve(S1, S2)*
촉 진 만질 수 없다. *Cannot palpate.*

Side B INDEX

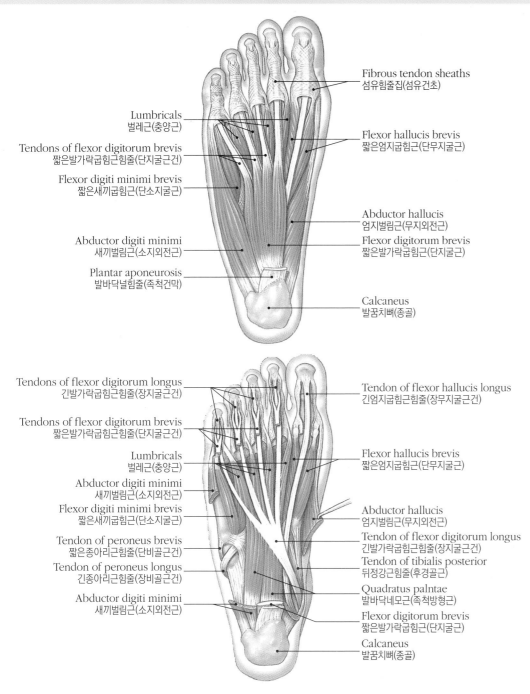

Fibrous tendon sheaths
섬유힘줄집(섬유건초)

Lumbricals
벌레근(충양근)

Tendons of flexor digitorum brevis
짧은발가락굽힘근줄(단지굴근)

Flexor digiti minimi brevis
짧은새끼굽힘근(단소지굴근)

Abductor digiti minimi
새끼벌림근(소지외전근)

Plantar aponeurosis
발바닥널힘줄(족척건막)

Flexor hallucis brevis
짧은엄지굽힘근(단무지굴근)

Abductor hallucis
엄지벌림근(무지외전근)

Flexor digitorum brevis
짧은발가락굽힘근(단지굴근)

Calcaneus
발꿈치뼈(종골)

Tendons of flexor digitorum longus
긴발가락굽힘근힘줄(장지굴근건)

Tendons of flexor digitorum brevis
짧은발가락굽힘근줄(단지굴근)

Lumbricals
벌레근(충양근)

Abductor digiti minimi
새끼벌림근(소지외전근)

Flexor digiti minimi brevis
짧은새끼굽힘근(단소지굴근)

Tendon of peroneus brevis
짧은종아리근힘줄(단비골근)

Tendon of peroneus longus
긴종아리근힘줄(장비골근)

Abductor digiti minimi
새끼벌림근(소지외전근)

Tendon of flexor hallucis longus
긴엄지굽힘근힘줄(장무지굴근건)

Flexor hallucis brevis
짧은엄지굽힘근(단무지굴근)

Abductor hallucis
엄지벌림근(무지외전근)

Tendon of flexor digitorum longus
긴발가락굽힘근힘줄(장지굴근건)

Tendon of tibialis posterior
뒤정강이힘줄(후경골근)

Quadratus palntae
발바닥네모근(족척방형근)

Flexor digitorum brevis
짧은발가락굽힘근(단지굴근)

Calcaneus
발꿈치뼈(종골)

짧은엄지굽힘근(단무지굴근, Flexor hallucis brevis)

이는곳 엄지발가락의 발허리뼈바닥 *Base of metatarsal of great toe*

닿는곳 엄지발가락의 첫마디뼈바닥 *Base of proximal phalanx of great toe*

작 용 발허리발가락관절에서 엄지발가락 굽히기 *Flexion of great toe at MP joint*

신 경 안쪽발바닥신경(T4, T5, S1) *Medial plantar nerve(L4, L5, S1)*

촉 진 각 근육을 개별적으로 만지기는 불가능하다. *It is difficult or impossible to palpate individual muscles.*

짧은발가락굽힘근(단지굴근, Flexor digitorum brevis)

이는곳 발꿈치뼈 *Calcaneus*

닿는곳 가쪽 네 발가락의 중간마디뼈 *Middle phalanges of 4 lateral toes*

작 용 가쪽 네 발가락의 몸쪽발가락뼈사이 굽히기 *Flexion of PIP joints of 4 laterala toes*

신 경 안쪽발바닥신경(T4, T5) *Medial plantar nerve(L4, L5)*

촉 진 각 근육을 개별적으로 만지기는 불가능하다. *It is difficult or impossible to palpate individual muscles.*

벌레근(충양근, Lumbricals)

이는곳 긴발가락굽힘근힘줄 *Tendon of flexor digitorumf longus*

닿는곳 가쪽 네 발가락의 폄근확장대 *Extensor expansion to 4 lateral toes*

작 용 가쪽 네 발가락의 발허리발가락사이관절 굽히기 *Flexion of MP joints of 4 lateral toes*

가쪽 네 발가락의 면쪽발가락뼈사이관절과 몸쪽발가락뼈사이관절 펴기 *Extension of DIP and PIP joints of 4 lateral toes*

신 경 첫번째 : 안쪽발바닥신경(T4, T5) *1st : medial plantar nerve(L4, L5)*

두번째, 세번째, 네번째 : 가쪽발바닥신경(S1, S2) *2nd, 3rd, 4th : lateral plantar nerve(S1, S2)*

촉 진 만질 수 없다. *Cannot palpate.*

발바닥네모근(족척방형근, Quadratus plantae)

이는곳 발꿈치뼈 *Calcaneus*

닿는곳 긴발가락굽힘근힘줄 *Tendons of flexor digitorum longus*

작 용 면쪽발가락사이관절을 굽힐 때 긴발가락굽힘근 보조 *Assist flexor digitorum longus in flexion of DIP joints*

신 경 가쪽발바닥신경(S1, S2) *Lateral plantar nerve(S1, S2)*

촉 진 만질 수 없다. *Cannot palpate.*

CLINICAL ANATOMY CHART FOR SAVING LIFE

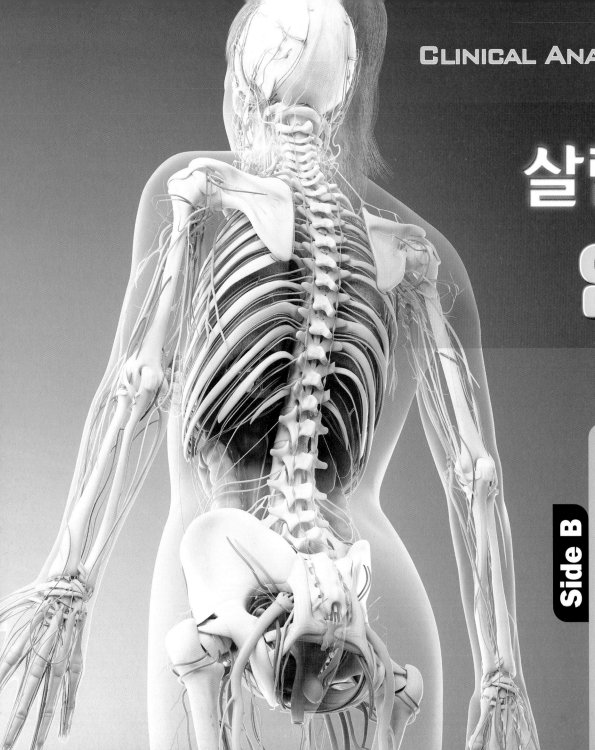

살림 生 해부학
임상 차트

신 원 범 편저

Side B

Nervous System
Endocrine System
Respiratory Sysem
Cardiovascular System
Lymphatic System
Digestive Systme
Urinary System
Reproductive System
Integumentary System

dcb
대경북스